AI 时代石油企业知识中心构建之道

唐先明　陈新荣　郭攀红　史晓凌 等　著

科学出版社

北　京

内 容 简 介

本书分为四大部分共 14 章，在阐述知识中心的缘起、定义及国内外典型建设成果等基础上，提出 AI 时代石油企业知识中心构建之道，包括知识中心构建的 DAPOSI-S 方法论，以及在 DAPOSI-S 方法论指导下的勘探开发知识体系、知识采集、知识加工、知识图谱、知识云平台、运营体系方法和技术的构建；描述中国石化知识中心建设的实践成果；展望 AI 时代石油企业知识中心未来的发展趋势。

本书可供大数据/人工智能、知识管理、知识工程领域的研究人员使用，同时可作为需要了解智能知识中心的石油院校、地质院校相关专业人员的教学、科研参考用书。

图书在版编目（CIP）数据

AI 时代石油企业知识中心构建之道／唐先明等著 . —北京：科学出版社，2023.3
ISBN 978-7-03-073957-5

Ⅰ.①A⋯　Ⅱ.①唐⋯　Ⅲ. 人工智能–应用–石油企业–知识管理–研究–中国　Ⅳ.①F426.22-39

中国版本图书馆 CIP 数据核字（2022）第 221258 号

责任编辑：杨逢渤　祁惠惠／责任校对：樊雅琼
责任印制：吴兆东／封面设计：无极书装

科学出版社 出版
北京东黄城根北街 16 号
邮政编码：100717
http://www.sciencep.com
北京中科印刷有限公司 印刷
科学出版社发行　各地新华书店经销

*

2023 年 3 月第 一 版　开本：787×1092　1/16
2023 年 3 月第一次印刷　印张：16 3/4
字数：400 000

定价：198.00 元
（如有印装质量问题，我社负责调换）

《AI 时代石油企业知识中心构建之道》

撰 写 组

组　长　　唐先明

副组长　　陈新荣　　　郭攀红　　　史晓凌

成　员　　茹海燕　　　高　艳　　　谭培波

　　　　　　　柳晶晶　　　王晓鸣　　　李立琴

序 一

管理学者彼得·德鲁克曾预言:"知识将取代土地、劳动、资本与机器设备,成为最重要的生产因素。"今天,知识经济、数字经济已经成为重要的社会经济组成。知识作为一种组织资产,其重要性逐渐为人们所认识。尤其是 20 世纪 90 年代中期以来,随着互联网技术的普及,人类社会从工业经济时代进入知识经济时代之后,知识库、知识系统、知识工程和知识创新成为时代焦点和热点。石油行业作为现代经济的一个重要支柱,具有高科技、高风险、高投入的特点,因此石油企业非常重视知识与知识管理,积极开展知识管理应用。

21 世纪以来,大数据与人工智能得到了快速发展,人工智能 2.0 时代的到来,促使各行各业大力推进数字化转型升级。石油企业纷纷将数字化转型作为发展战略,推进"平台+数据+应用"的架构新模式,促进知识库的整合;构建知识中心提供智力服务产品,实现基于知识的业务协同、知识共享及智能决策支持等;促进企业多层次/多维度创新,为利益相关者创造价值。"AI+知识管理"模式助力企业数字化转型升级。

中国石化制定"中国石化创新驱动发展战略实施方案",全面推进以支撑科技创新为目标的数字化转型信息平台建设,积极打造知识中心、研发知识云平台,并将其作为重要的基础工程建设纳入公司的发展战略和行动计划中。

唐先明博士等几位作者长期精耕于油气行业知识中心的理论研究与技术实践工作,基于十多年的理论研究成果与项目实践经验,编撰完成该书。该书从知识中心的缘起、现状、定义、建设之道、建设实践及未来展望等方面,全方位多维度论述石油企业知识中心构建的理论方法、建设历程与经验启示。

该书的出版将对石油石化行业全面推广知识管理,构建本行业内的知识中心奠定理论基础和提供实践素材,并对其他行业知识管理建设起到示范引领作用。

中国科学院院士

2022 年 9 月 6 日于北京

序　二

　　云计算来了、大数据来了、AI 来了、工业互联网来了、数字经济来了、元宇宙来了……。数字技术的发展和信息大爆炸把人类带入了数字时代，无所不在的数据"喂饱"了计算机的 CPU，让计算机给人类提供各种便捷的解决方案，但提供给人类的"CPU"——大脑所用的"知识"却淡出了人们的视野，在数据的海洋里，知识似乎已经销声匿迹。

　　孔子云：知之为知之，不知为不知，是知也。网络时代，似乎没有"不知"的东西，再陌生的概念，打开搜索引擎总能找到只言片语，不知是何人上传到网上、不知是否经过专家审查，甚至不知是不是酒后醉话或梦中呓语，这些就是知识吗？

　　个人知识如此，企业知识的境况也差不多少，浩如烟海的期刊沉睡在图书馆、卷帙浩繁的科研报告沉睡在档案馆，离退休的老专家积淀一生的知识深存于自己的脑海里，我们曾经崇拜的知识型企业呢？

　　CPU 消费的是数据，而人类大脑消费的是知识！在人工智能时代，人类似乎忘记了自己的 CPU——大脑。

　　虽然当前流行的人工智能技术都是以数据为基础的，但人工智能应用中的"不可解释性"已经成为人工智能发展的生死"命门"。已经有专家提出治疗"黑盒子病"需要向人脑学习，在人工智能技术的"数据+算法+算力"公式中加入知识项，在符号主义、链接主义之后的第三代人工智能应当是"数据+知识+算法+算力"。知识回到了应有的位置。

　　聪明的企业始终明白，知识和数据同样重要。

　　石油行业是知识密集型行业，知识管理有助于企业对智力资源进行有效的开发和管理，加速企业管理流程的变革与创新，增强市场竞争力。因此，石油企业是较早引入知识管理的企业，在企业内部建立了知识库和知识管理系统，在企业发展过程中发挥了巨大的作用和价值。

　　中国石化一直非常重视企业知识管理，早在 2012 年就申请承担了国家知识工程示范项目。在国家项目的基础上，中国石化接连启动了多个内部的知识工程建设项目，在知识获取、挖掘、标准化建设、应用开发等诸多方面取得了显著成效，这些成果在 2018 年获得了全球 MIKE（Most Innovative Knowledge Enterprise，最具创新力知识型组织）大奖，我很荣幸地带领几位作者和项目骨干一起登上了全球知识管理的最高领奖台。

　　"以天下之目视，则无不见也；以天下之耳听，则无不闻也；以天下之心虑，则无不知也"。随着新一代人工智能技术的飞速发展，知识管理与人工智能相结合，使得传统的知识管理升级为智能知识管理，已经达到了"天下之目""天下之耳""天下之心"的高度，知识获取的广度、深度、及时性都有了很大的提高，各类知识呈爆炸式增长，石油企业需要整合知识以满足业务协同、知识共享、学习服务和智能决策等需求，避免形成"知识孤岛"。石油企业知识管理发展已迈入高级阶段，"知识中心"应运而生。

该书以 AI 时代石油企业知识中心构建理论及关键技术为出发点，探讨了知识中心构建技术模型和体系，继而从石油企业知识中心建设方法论、知识体系、知识采集与加工、知识库与知识图谱、知识平台、知识运营等方面阐述了企业知识中心构建的路径。该书介绍了中国石化知识中心建设实践成果，并从新模式、新架构、新技术和新业态等方面描述石油企业知识中心发展的未来图景。

该书的几位作者都是我多年的同事，也是中国石化知识建设项目的核心骨干人员，他们作风踏实、治学严谨、勤于思考、勇于探索，在工作之余笔耕不辍，在实践的基础上总结提升，撰写了"AI 时代石油企业知识中心构建之道"一书，付梓之际，请我写序，并寄来了书稿。

我认真阅读了全书，获益匪浅。

一是该书首次明确提出石油企业知识中心的概念并进行了理论探索。如今有关企业知识管理的书籍层出不穷，但是涉及企业知识中心特别是石油企业知识中心的系统介绍则是鲜见。作者从石油企业信息化发展历程出发，站在 AI 时代的视角研究石油企业知识中心的理论和应用实践，研究的体系性和全面性体现了作者对于知识管理的研究深度和行业实践的敏感度。

二是为 AI 时代石油企业知识中心的构建提供技术方法。AI 时代知识管理的发展方向是"知识中心"，关于其构建之道，一直是行业、学术界不断思考探索的问题。该书围绕 AI 时代知识中心构建的理论基础、技术方法和运营体系而展开，系统地分析了石油企业知识中心的建设方法，形成了一系列新颖的研究思路和结论。

三是理论和实践相结合。该书着眼于中国石化这样的大型石油企业的知识中心实践，将知识中心构建之道应用于中国石化知识中心建设，取得了一系列的建设成果，实现了技术方法落地验证。该书的可贵之处在于理论与实践相结合，引领 AI 时代石油企业知识中心未来的发展方向。

这一著作的出版对促进 AI 时代石油企业知识管理的发展具有重要意义，对企业知识中心构建具有重要的科学指导作用与参考价值，是一部值得认真研读的精品力作。在此向几位作者表示祝贺，期待他们在知识管理研究领域里积极进取、勇于探索，不断获取新知，取得更好的成绩。

是为序。

中国石油化工集团有限公司首席专家
中国石化信息和数字化管理部副总经理
2022 年 7 月于北京

前　言

21世纪，人类进入了大数据和人工智能时代，知识经济加速发展，知识取代资本成为经济发展第一推动力。据美国《财富》杂志调查，全球最大五百家公司中至少有90%的企业正通过信息技术（Information Technology，IT）系统实施知识管理，探索知识管理系统的建设应用，以提升创新能力、提高决策与经营质量。石油企业作为高风险、高投入、知识密集型企业，如英国石油公司（BP）、壳牌公司（SHELL）、斯伦贝谢公司（Schlumberger）等，在知识管理的创立期，就引入和实施了知识管理并取得较大收益。在中国，随着工业化和信息化融合的不断深入，石油企业的知识含量越来越高，知识管理能力日渐成为决定企业核心竞争力水准的重要因素之一。

近年来，石油企业的生存发展环境面临挑战，外部环境要求企业寻求转型升级。能源革命和数字革命融合发展，是新一轮能源变革的重要趋势。对于石油企业来说，则必须在能源革命与数字革命融合发展过程中实现数字化转型、智能化发展。这是在油价剧烈波动、能源消费结构深刻变革等大势下，石油企业降成本、提质量、增效益，乃至求生存、谋发展的必然选择，其将广泛采用数字化新技术，重点实现企业资产全生命周期数字化管理，逐步实现企业资产运营与管理智能化，最终助推企业运营数字化转型。

开展知识中心建设，提升对数据资源的获取、理解、处理和利用能力，加速知识的积累和应用，是企业数字化转型升级的重要抓手，也是数字经济能够得以蓬勃发展的重要基础条件。

本书内容由四大部分共14章组成。

第一部分为知识中心概述，为石油企业知识中心构建提供理论基础和借鉴，共分3章。第1章从石油企业信息化发展历程介绍石油企业知识中心的缘起；第2章阐述什么是知识中心，包括知识中心的定义、知识中心的技术模型和知识中心体系；第3章整理介绍国内外企业知识中心建设的典型成果。

第二部分为石油企业知识中心构建之道，通过分析石油企业知识中心建设需求，提出石油企业知识中心构建的两大基础，即DAPOSI-S方法论和勘探开发知识体系及具体构建方法，共分8章。第4章在阐述DAPOSI实施理论的基础上，依据石油石化行业知识中心建设特点，提出了DAPOSI-S知识工程实施方法论；第5章在分析石油企业对知识中心的建设需求基础上，提出知识中心的建设目标和建设组织；第6章阐述知识体系的定义，分析勘探开发业务知识资源后提出勘探开发领域知识体系设计方法；第7章分析勘探开发知识资源的采集需求，提出数据库、网页和文档等类型的知识源采集技术；第8章阐述勘探开发信息资源的知识加工理论基础和具体的知识加工技术；第9章阐述石油勘探开发知识图谱的构建流程、步骤与关键技术；第10章提出服务于知识中心业务需求的油气勘探开发知识服务平台的设计理念，并阐述知识库构建和知识服务平台的关键IT技术、应用模式与功能；第 11 章通过分析国内外知识运营体系实践，提出石油企业知识运营体系的设计内容。

第三部分详细介绍中国石化知识中心建设实践成果，共分 2 章。第 12 章描述中国石化知识中心建设历程；第 13 章系统阐述中国石化知识中心建设成果，包括勘探开发知识库、勘探开发知识管理云平台和知识管理运营体系等内容；并阐述中国石化知识中心取得的应用成效。

第四部分从新模式、新架构、新技术和新业态等方面，阐述石油企业知识中心的重要作用及对未来发展的展望。一是阐述构建石油企业知识中心将从知识自动化、石油科研新范式、场景化协同等方面来加速企业智能化发展；二是阐述构建石油企业知识中心将从工业 APP、知件/知件库系统和平台+应用等方面应用创新，特别是石化智云工业互联网建设新架构及新技术方面的发展促进了石油企业知识中心的创新性发展；三是通过分析中国互联网知识经济的平台型产业格局，提出石油企业知识中心未来的产业模式。

本书受国家科技支撑计划项目"面向企业创新应用链的知识管理体系建设与集成应用示范"（编号：2012BAH34F00）课题"知识工程示范应用"（编号：2012BAH34F04）、中国石油化工股份有限公司重点项目"中国石化上游板块科研知识管理提升项目"（编号：G11-MM-2016-203）和国家油气科技重大专项课题"油气资产价值评估及投资优化组合技术"（编号：2016ZX05033005）资助，特此致谢！

本书的几位作者致力于知识工程方向的研究已经有十多年的时间，其间多次讨论书稿内容。本书是各位作者辛勤研究的成果和集体智慧的结晶。感谢中国石化信息和数字化管理部李剑峰教授、肖波、景帅对本书的撰写给予的帮助与指导。本书在撰写过程中，参考并吸收了大量国内外有关知识工程、知识中心方面的著作、论文和研究成果，在此深表谢意，同时也阅读了大量互联网的文章，引用了不少其中的观点和内容，已尽可能地注明来源和出处。

由于作者水平有限，另外 AI 时代下石油企业发展的新需求、新模式、新架构、新技术和新业态层出不穷，本书研究成果还是非常初步的，不足之处，恳请广大读者批评、指正、赐教、交流，作者不胜感激。

作　者

2022 年 4 月

目 录

第一部分　知识中心概述

第二部分　石油企业知识中心构建之道

第三部分　中国石化知识中心建设实践

第四部分　石油企业知识中心未来展望

第一部分
知识中心概述

第1章 │ 知识中心的缘起

1965 年，管理学者彼得·德鲁克曾预言："知识将取代土地、劳动、资本与机器设备，成为最重要的生产要素。"1986 年，联合国国际劳工大会首次提出"知识管理"的概念，知识作为一种组织资产的重要性逐渐被人们所认识。20 世纪 90 年代中期，随着互联网技术的普及，知识管理开始大面积推广和普及。尤其是人类社会从工业经济时代进入知识经济时代之后，知识成为最重要的生产要素，知识管理成为时代焦点和热点，很快扩展到各行各业，从知识库、知识系统、知识工程到知识创新，各种各样的概念充溢于各种媒体。在这种无所不及的知识大潮中，石油行业作为现代经济的重要支柱之一，自然不能置之度外。属于高科技、高风险、高投入行业的国内外石油企业非常重视知识与知识管理，其在很短时间内引入知识管理理念，积极开展知识管理应用并取得显著成效。

21 世纪，人类进入了大数据和人工智能（Artificial Intelligence，AI）时代（迈尔-舍恩伯格和库克耶，2013），石油企业的生存发展环境面临挑战，知识经济加速崛起，已成为石油企业转型升级的重要驱动力，知识中心（Knowledge Center，KC）的概念应运而生。关于知识中心，显而易见，它是信息技术（Information Technology，IT）和知识管理发展到高级阶段的产物。为了更好地抓住机遇、应对挑战，石油企业既需要在思想上及时转变，又需要从技术、机制、模式各环节优化升级，用变革拥抱变革，用创新驱动创新，而知识中心的建设则为变革和创新奠定了坚实的基础。

1.1 从数据资源管理到信息资源管理

数据资源管理（Data Resource Management，DRM）是应用数据库管理、数据仓库等信息系统技术和其他数据管理工具，完成组织数据资源管理任务，满足企业股东信息需求的管理活动。早期的数据资源管理采用文件处理方法。在这种方法中，数据根据特定的组织应用程序的处理要求被组织成特定的数据记录文件，只能以特定的方式进行访问。这种方法在为现代企业提供流程管理信息、组织管理信息时显得过于麻烦、成本过高并且不够灵活。因此，出现了数据库管理方法，它可以解决文件处理系统存在的问题。

信息资源管理（Information Resource Management，IRM）是 20 世纪 80 年代在美国首先发展起来，然后逐渐在全球传播开来的一种应用理论，是现代 IT 技术特别是以计算机和现代通信技术为核心的 IT 技术的应用所催生的一种新型信息管理理论。信息资源管理有狭义和广义之分。狭义的信息资源管理是指对信息本身即信息内容实施管理的过程。广义的信息资源管理是指对信息内容及与信息内容相关的资源，如设备、设施、技术、投资、人员等，进行管理的过程。

信息资源管理包括数据资源管理和信息处理管理。数据资源管理强调对数据的控制，信息处理管理关心管理人员在一条件下如何获取和处理信息，且强调企业信息资源的重要性。

1.1.1 信息资源管理发展历程

信息资源管理起源于 20 世纪 80 年代，到 90 年代初，其已发展成独立的学科体系，主流的阶段划分有马钱德（D. A. Marchand）和克雷斯林（J. C. Kresslein）从政府组织管理的角度出发，根据政府机构所面临的信息环境、技术环境的因素而提出的"四阶段理论"；史密斯（A. N. Smith）和梅德利（D. B. Medley）从企业组织的角度出发，结合 IT 技术在企业中的应用而提出的"五阶段理论"；卢泰宏和霍国庆根据不同的信息管理思想、信息管理目标、信息管理方式而划分的"三阶段说"；马费成和钟守真提出的"四阶段说"（任建，2012）。考虑国内外企业的信息化发展历程，综合分析典型的阶段划分理论，一般将信息资源管理发展阶段划分为四个阶段（表 1-1）。

表 1-1 信息资源管理的"四阶段说"

阶段	名称	起止年代	特征
第一阶段	数据管理阶段	20 世纪 50 年代至 70 年代末	以图书馆、情报所为代表的文字信息资源管理和数据处理
第二阶段	信息管理阶段	20 世纪 70 年代末至 80 年代中	以计算机应用和数据管理为典型代表
第三阶段	信息资源管理阶段	20 世纪 80 年代中至 90 年代中	以网络平台、数据库、信息处理技术为代表，以信息交换、信息共享、信息应用为内容，视信息资源为主要经济资源进行管理
第四阶段	知识管理阶段	20 世纪 90 年代中后期至今	视知识资源为主要经济资源，以知识的创造、学习、共享、交流和协同为核心

综上所述，目前国内外对于信息资源管理发展的历史分期，基本上已经形成了一致看法，即信息资源管理先后经过了四个发展阶段：数据管理阶段、信息管理阶段、信息资源管理阶段和知识管理阶段。

1.1.2 石油企业信息资源管理现状

石油行业是一个跨学科、多专业相互配合的技术密集型行业。石油企业高度重视信息化工作，把信息资源管理作为提高决策效率、提升管理水平、推进科技进步、增强核心竞争力的重要手段（何生厚等，2005）。我国石油企业的信息资源管理应用起步较早，其发展阶段与信息资源管理发展历程类似，大致可以划分为数据管理阶段、信息管理阶段、信息资源管理阶段和知识管理阶段共四个阶段。

目前，大部分国际大型石油企业已经基本完成了信息资源管理，进入了知识管理阶段，而我国大多数石油企业的信息化进程尚未进入这个阶段。我们必须清楚地认识到，尽管我国少数石油企业信息化建设程度相对较高，但各企业发展不平衡，总体上仍处于信息资源管理阶段，还有大量的工作要做好、做实，否则将不能顺利完成数字化转型，从而严重影响整个石油行业的信息化进程。因此可以说，我国石油企业信息化建设正处于一个十分关键的阶段。

1.1.2.1 数据管理阶段

油气作为一类自然资源，深埋地下数百米到数千米，其寻找和发现过程就是通过油气勘探技术来寻找和发现油气藏，无法直接被看到。通过采用各种勘探手段来了解地下地质情况，认识油气富集规律，找到油气藏并探明油气田面积，搞清油气层情况和产出能力，所有这一切都离不开地下数据（王晓群等，2017）。因此，油田数据尤其是勘探数据就成了发现油气藏的关键。勘探数据是通过各种油气勘探技术，如地质调查技术（包括地面地质踏勘、油气资源遥感、非地震物化探、地震勘探等）、井筒技术（包括钻井、录井、测井、测试、试采等），以及实验室分析与模拟技术获得的，其中最有效、最成功的技术就是地震勘探（高志亮和付国民，2017）。

地震勘探是最早利用计算机来分析处理数据的油气勘探技术，从 20 世纪 70 年代开始，国内石油企业如大庆油田、胜利油田等在石油工业部的组织下，在勘探开发和炼化生产领域引入计算机技术进行数据处理和生产控制，开展勘探报告、地震勘探成果、图件的数字化工作，建立了我国主要油田的油气勘探数据处理系统，实现了从模拟技术向数字技术过渡，开启进入了数据管理时代。

在数据管理时代，人们正是利用模拟地震资料进行数字化处理而发现了日产千吨以上的高产油田——任丘油田，这从理论和实践上都证明了数字化的重要性，同时油田的发现也有力地促进和加快了数据管理的进程。

1.1.2.2 信息管理阶段

进入 20 世纪 80 年代，计算机在石油工业领域进入全面推广阶段，由原来以地球物理勘探为主，逐步扩展应用到油田勘探、开发、生产、工程、管理等多领域，特别是在地震勘探、油田测井、工程设计、油藏建模、数值模拟、产能建设以及油气加工处理自动化等各方面开展专业软件的应用，开始系统建立勘探、开发、钻井等专业数据库，拉开了石油企业信息管理的序幕。

在地震勘探方面，采集和处理全面数字化，地震数据处理发展了以三维处理为代表的，包括模拟地震测井、垂直地震剖面和振幅随偏移距的变化等技术的可视化软件（李剑峰等，2020）。

在测井技术方面，数字测井和数控测井发展迅速，测井装备以斯伦贝谢、阿特拉斯和哈里伯顿等国外公司的 3600 数字测井仪、CLS-3700、CSU、DDL-Ⅲ 数控测井仪为代表，测井资料处理软件国外以 GeoFrame、eXpress 为代表。国内石油企业一方面走引进、改造和仿制的路径；另一方面进行自主研究和开发，逐步形成了针对复杂地层和水淹层的测井理论、方法和技术，不仅可以完成多种单井测量和解释，而且可以结合地震资料对整个油气藏进行三维空间描述。

在数据库建设方面，国内石油企业通过开发引进国外数据库资源，建立勘探数据库和信息管理系统。胜利油田勘探数据库的建设起步比较早，1981 年开始利用 SOCRATE 数据库存入井位数据、钻井基础、探井试油成果、测井解释成果、岩性地层分层等十几种地质数据。大庆油田勘探数据库于 20 世纪 80 年代中期开始建设，积累了大量的油田勘探历史数据，存储管理着自 1959 年积累的物探类、地质录井类、测井类、测试类、分析化验类、储量类、综合研究类、生产动态类、设计类九大类数据。

但是，这一阶段的信息化建设成果是局部的，各信息管理系统是独立的。

1.1.2.3　信息资源管理阶段

20 世纪 90 年代以后，石油企业 IT 技术应用的广度和深度大幅提高，迈入了以信息网络、大型专业数据库、信息系统建设为代表的信息资源管理阶段。

（1）信息网络。20 世纪 90 年代中期以来，互联网技术推动了国内外石油行业以网络建设为代表的信息化建设浪潮。至 21 世纪初，国内各油田和石化企业基本都完成了企业网的建设任务，信息网络已具有相当规模，从小规模共享以太网发展成一个上接总公司、下联各二级单位、外接国际互联网，具有域名服务、电子邮件、文件传输、远程登录等多种网络应用功能的信息网络，为大型专业数据库、信息系统建设创造了条件。

（2）大型专业数据库。石油企业以 CYBER-720 机为基础，以对引进的 DMS170 网状数据库管理系统进行研究为标志，开展了大型数据库的建设。一方面，开始勘探开发专业数据库系统的建设；另一方面，同步进行计划、财务、人事、教育等管理专业数据库的建设。

在勘探开发专业数据库建设方面，当时各油田按照 1991 年中国石油天然气集团有限公司（简称中国石油）组织制定的勘探、开发、钻井等数据库标准开始勘探开发专业数据库的建设，并建立了信息中心/信息站的二级信息工作体系，基本形成了现场数据录入、汇总、上传的工作流程，初步建立起基于内联网（Intranet）的勘探开发专业数据库系统，形成了石油公司（包括中国石油、中国石化[①]、中国海油[②]）总部级综合信息系统，为专业数据库逐步向集成化、知识化发展和综合应用奠定了基础（刘希俭，2008）。首先是制定了数据标准，包括行业标准（约 21 个）和若干企业标准，来指导石油企业建设勘探开发专业数据库。其次是根据数据标准，开展数据库设计和建库工作。中国石化在 2000 年前后，开展了以勘探、开发、钻井工程、测井工程、地面工程、采油工程、设备管理、技术检测及标准八大数据库为重点的数据库建设。

在管理专业数据库建设方面，各石油公司为了满足自己日常事务处理需求，构建了包含油气资源评价、钻井工程优化、计划、财务、人事、教育、劳资专业管理、生产调度等管理方面的数据库，而且还建立了各种管理信息系统和联机事务处理系统，主要用于统计

---

① 中国石油化工股份有限公司，简称中国石化。
② 中国海洋石油集团有限公司，简称中国海油。

报表、公文打印及预测评估和辅助决策等方面。

（3）信息系统建设。在这个阶段，基于网络的信息管理取得了明显进步，典型的信息系统包括办公自动化系统、管理信息系统，以及基于数据库的专业应用系统和集成化平台等；同时，电子商务/政务、企业资源计划、业务流程重组等相继产生并向石油行业渗透。

中国石油在 2000 年前后，分别建成了管道生产管理系统、炼化物料优化与排产系统、炼油与化工运行系统（Manufacturing Execution System，MES）、油气水井生产数据管理系统、勘探与生产技术数据管理系统等专业应用系统；同时，还建成了电子商务平台"能源一号"（具有电子采购、电子销售、电子市场三大功能）、人力资源管理系统、健康安全环保系统、合同管理系统等管理信息系统，并开始 ERP 系统的试点工作（刘希俭，2008）。

中国石化以"八大数据库"为基础，形成了总部、油田分（子）公司、采油厂三级分布式数据管理体系和专业管理信息系统；2000 年开展集团公司的 ERP 系统试点建设和推广工作，并于 2008 年基本形成了覆盖整个集团公司的 EPR 系统。

与此同时，为了实现油田勘探数据和开发数据的集成管理，国内石油企业还引进了由 PCGS 公司和 IBM 公司联合开发的专门针对油田勘探开发各种技术数据存储管理的多用户解决方案——"PetroBank 勘探开发数据银行"系统。

但是，这一阶段的信息化建设成果以企业分散建设、自主建设为主，随着各专业信息系统的广泛应用，各系统之间数据无法共享、软件重复开发且模块无法集成的问题越来越严重。

1.2 从信息资源管理到知识管理

根据以上分析可知，我国石油企业信息化建设总体上仍处于信息资源管理阶段，存在如忽视隐性知识管理、忽视成果创造、难以共享知识等问题，需要在深度与广度上进一步深化和拓展，才能发展到知识管理阶段。知识管理是信息资源管理发展的必然结果。尽管信息资源在一定程度上满足了企业的信息需求，但知识有着更高的价值和水准（韦波，2010）。随着知识经济的到来，在知识经济社会，企业的核心竞争力主要依赖企业知识资源的大小。石油企业正在进入一个"新管理时代"，随着经济发展规律、经济增长方式和经济制度的改变，企业经营管理观念、管理原则、管理理论得到创新（赵万明，2010）。于是，知识管理逐渐替代信息资源管理成为石油企业信息化管理的核心。

1.2.1 知识管理发展历程

知识管理（Knowledge Management，KM）并不是时髦的理念或风行一时的 IT 技术解决方案，人们对其发展历程有不同的观点。

（1）凯尼格认为，知识管理分为 IT 技术推动阶段、人文重视阶段和内容管理阶段。

（2）大卫·斯诺登认为，知识管理的发展历程分为以商业流程再造决策支持所需及时信息提供为主的第一代（1995 年前）、以隐性—显性知识转化为中心的第二代，以及需要明确区分关联、叙述与内容管理及挑战科学管理的正统观念的第三代。

知识管理发展历程与 IT 技术和信息资源管理的发展史密切相关，综合分析各种观点，认为知识管理发展历程如图 1-1 所示。

图 1-1 知识管理发展历程

1.2.1.1 酝酿期

西方哲学家对知识（包括认识及认识的动机）的最早论述可追溯至几千年前；在东方，哲学家中也存在同样的传统，他们特别强调用知识来指导人的精神生活和现实生活。

一开始，人们对实践性知识的管理是很模糊的，而且是非系统的。例如，13 世纪的手工业行会以及"学徒工—熟练工—师傅"的模式确实是基于系统和实用的知识管理观念的。它们仅仅局限于对实践性知识的关注，并不能将这些知识与理论化、抽象化的认识论相结合，知识本身尚不成体系。

1.2.1.2 萌芽期

这个时期知识管理的主要特征如下。

（1）人们对知识的研究从表层深入里层，能够从认知论层次开始深入探讨知识的基本属性及其利用问题。

（2）"知识管理"这个术语被正式提出，发表了少量的论文与著作。

（3）初步开展了一些与知识管理相关的活动。然而，所有这些研究和活动仍是小规模的，处于萌芽阶段。

1.2.1.3 创立期

这个时期知识管理的主要特征如下。

（1）人们对知识管理的关注（研究）热情日益高涨，所发表的相关学术论文和出版的相关专著数量急剧增长。

（2）与知识管理相关的组织机构、学术刊物明显增多。

（3）知识管理的概念和思想随着知识经济一同进入中国。

（4）现代知识管理研究的经典基础理论逐渐形成。

1.2.1.4　KM 1.0

这个时期知识管理的主要特征如下。

（1）逐渐形成完整的知识型企业的管理理论和方法体系。

（2）知识管理开始在企业得到广泛响应，越来越多的企业开始实施知识管理战略。

（3）企业多以建设知识库 IT 系统为主，重点以文档管理、知识分类、权限设置、知识搜索、知识门户等为突破点，在企业内部管理方面多强调规范化管理、标准化管理、一体化管理。

（4）传统的知识工程（也称专家系统）在知识管理中的应用不断深化，旨在借助先进的计算机代替人进行推理，通过计算机强大的运算能力来提升人的思考能力。

1.2.1.5　KM 2.0

这个时期知识管理的主要特征如下。

（1）基于互联网 Web 2.0 技术的知识管理应用模式纷纷推出，如知识社区、员工网络、专家黄页、团队空间、知识百科等。

（2）国内越来越多的企业尤其是传统行业企业，如中国石化等，开始大规模实施知识管理战略。

（3）知识管理已经开始从企业辐射到其他部门，如政府机构、大学。

（4）面向工程领域的、以创新为目的的知识工程，即新一代的知识工程，在越来越多的企业中实施落地。

1.2.1.6　KM 3.0

随着人工智能 2.0 时代的到来，其对知识管理的影响越来越大。2013 年麦肯锡的一项研究报告指出了 12 个将会对全球经济、商业和生活产生巨大影响的颠覆性技术，其中移动互联网居首位，排在第二位的就是知识工作自动化。所以，知识管理与人工智能相结合，将 KM2.0 升级为 KM3.0，即智能知识管理（Intelligent Knowledge Management，IKM），这是学者们的基本共识。在 KM3.0 期间，知识管理主要有以下特征。

（1）知识管理与人工智能技术充分结合，知识成为人工智能的基础，人工智能推动知识管理技术变革，成为知识管理的核心技术。

（2）逐渐形成智能知识管理模式，驱动知识管理组织创新、战略重塑，实现对个人、团队、组织、业务 4 个维度的知识赋能。

（3）AI 时代下知识管理的应用场景不断涌现，如智能知识标引、智能知识搜索、智能知识创造、智能知识推送、智能决策支持等。

1.2.2　石油企业知识管理现状

1.2.2.1　国外石油企业知识管理现状

在知识管理发展的创立期，知识管理在美国、英国等西方发达国家的企业中得到了相当的重视，西方企业界掀起了知识管理的浪潮，如通用电气、陶氏、IBM、微软、埃森哲、思爱普、惠普等公司都根据自身业务特点，建立了适合自己的知识库和知识管理系统。在石油石化行业，国外一些大型石油企业，如斯伦贝谢公司、雪佛龙公司、英国石油公司（BP）、壳牌公司（SHELL）等，都引入并实施了知识管理，并从知识管理中得到了较大的收益。表1-2总结了国外石化行业部分石油企业的知识管理情况。

表1-2　国外石油石化行业部分石油企业的知识管理情况

公司	建设方向	成果与效益例析
英国石油公司	●T形管理模式：公司内部自由地分享知识，同时致力于单个业务单元业绩提升； ●知识资产库建设：专门团队凝练全球经验，就专题形成包括业务背景、行动指南、人员链接、活动历史在内的专题知识资产； ●Connect系统：包含最佳实践知识库和专家网络，允许员工主动或被动地添加关于自己的知识和活动的详情，而这些账户都可以被其他员工搜索到，并允许参与者根据关键词或任意词语跟踪别人的活动，公司内部观点、技能、知识自由分享	通过从知识资产库中学习并应用关于企业重组专题的知识，委内瑞拉分部的运营成本从7000万美元减少到4000万美元
壳牌公司	●在公司内部网上建设了属于COP（即相同专业的人员建立起广泛联系的网络，以便能够在不同地区之间的实践者中分享知识）的知识库，建立了壳牌石油学习中心，这些措施成为实践社团知识管理和组织学习的主要驱动力的来源； ●基于知识发现与业务建模实现辅助分析与运营决策	应用创新方法和实践社区，有效完成了生物燃料开发项目；每年提高生产率5%以上
斯伦贝谢公司	●把公司变成以知识为中心的团队，融合人、技术、方法和内容，以帮助公司作出快捷而明确的决策； ●Intouch项目：围绕具体业务获取并积累最佳方法、解决方案、教训等核心内容，并形成由管理者、项目专家、应用专家、油田职员构成的管理与应用小组	每年节约成本3000万美元，解决技术问题的时间缩短了95%，工程技术更新改型的时间缩短了75%

通过对这些企业知识管理案例的分析可以发现，国外石油企业知识管理建设时间较早，在知识管理发展的创立期就开始了，并且建设方向集中在以下方面。

（1）开始关注包含大量过程经验的知识资产的梳理建设，英国石油公司、壳牌公司、斯伦贝谢公司都有这方面的内容建设。

（2）在知识复用基础上，基于知识发现与场景化服务，从知识继承向知识创新跨越，这方面表现得比较突出的是壳牌公司。

（3）在隐性知识挖掘方面，关注利于交流的环境的搭建，这方面表现得比较突出的是斯伦贝谢公司。

由于在知识管理方面表现突出，国外石油企业连续多次获得了 MAKE 奖[①]。表 1-3 是梁林梅和孙俊华（2011）统计的 2006～2010 年各组织的 MAKE 奖获奖次数。其中，英国石油公司和壳牌公司表现突出，分别获得了 10 次和 9 次 MAKE 奖。

表 1-3　2006～2010 年各组织的 MAKE 奖获奖次数

获奖者	埃森哲	安永	微软	IBM	通用电气	惠普	麦肯锡	英国石油公司	壳牌公司
获奖次数/次	13	13	13	12	11	10	10	10	9
获奖者	西门子	巴克曼实验室	诺基亚	丰田	3M	印孚瑟斯	三星	谷歌	普华永道
获奖次数/次	9	9	8	8	8	7	7	6	9

1.2.2.2　国内石油企业知识管理现状

相对于国际同行业的企业来讲，中国石油石化行业的企业的知识管理起步较晚，在知识管理发展的 KM1.0 阶段即 2000 年前后，中国石油、中国石化和中国海油下属单位进行了知识管理方面的一些探索，并取得了一定成效。在知识管理发展的 KM2.0 阶段，国内石油石化行业对知识管理的认识逐步深化，实施新一代的知识工程，建设与推广应用步伐逐步加快（肖敏，2013）。

2007 年，中国石油大庆油田有限责任公司启动大庆油田勘探开发研究院知识管理规划；通过知识管理系统对技术报告等显性知识采用分类编目的方式进行管理与应用，通过"百年论坛"以报告、讲座方式共享交流隐性知识。

2016 年，中国海油发布《中国海洋石油总公司"十三五"发展规划》，在人才发展规划方面，提出立足对知识这一公司核心资产的保护和开发利用，实施知识管理。作为总公司知识管理的重要抓手，在线学习平台结合"外部课程引进、内部课程开发、内训师队伍建设及知识管理机制建设"，共同实现对公司核心技术、能力、经验的管理，使个人知识组织化、隐性知识显性化、显性知识结构化、结构知识电子化，提升公司学习能力，增长组织智慧，避免组织"失忆"。平台具有知识管理与呈现、线上线下培训组织、员工互动与分享三类功能体系，同步适用于 PC 端和移动端，下设十二大板块、36 项具体功能，可满足各专业、各级别的员工学习培训。

2007 年左右，中国石化及所属单位也根据各自特点和需求开展知识管理实践。例如，

---

① MAKE，即 The Most Admired Knowledge Enterprise，由全球最大 500 家企业的领导人和 300 位最著名的知识管理专家共同选出通过系统性利用知识取得竞争优势的成功企业，选出知识经济时代的先锋企业，2018 年由 MAKE 升级为MIKE，即 The Most Innovative Knowledge Enterprise，最具创新力知识型组织。

中国石化石油勘探开发研究院建立了档案库、地质资料中心，实现了地质资料接收、著录、统计、上交、汇交、借阅管理的业务流程信息化，并在 12 家上游企业普及推广应用，为地质资料的统一管理和共享提供了技术手段；同时也建立了科研项目的知识管理系统，实现了对项目科研、概要设计、详细设计、验收报告等一系列成果的存储和管理；另外，还建立了海相知识库，收录存储了与海相相关的知识内容和经验内容。中国石化长岭炼化公司则以社区论坛为主，激发群体智慧，协同创新能力。

由于国内石油企业知识管理起步较晚，其知识管理成果在国际上影响较小。本书统计了 2011～2017 年中国企业 MAKE 奖的获奖情况（表 1-4），没有一家石油公司上榜。

表 1-4　2011～2017 年中国企业 MAKE 奖获奖次数

获奖者	中粮集团营养健康研究院	安永华明会计师事务所	招商证券股份有限公司	新东方教育科技集团有限公司	顺丰速运有限公司	北京市建筑设计研究院
获奖次数/次	4	3	2	2	2	2
获奖者	宝山钢铁股份有限公司	远东控股集团有限公司	上汽通用汽车有限公司	华夏基金管理有限公司	建发房地产集团有限公司	北京首创生态环保集团股份有限公司
获奖次数/次	1	1	1	1	1	1

1.3　从知识管理到知识中心

1.3.1　知识中心是知识管理和知识工程的融合

从概念上讲，知识管理属于管理领域，尽管它也用到相应的技术手段。知识工程属于技术领域，即便它也采用了部分管理思想。知识管理着力点在于通过管理的方式提升整个组织的运营效率和能力，提供战略、决策的支撑。知识工程的着力点在于关键和核心技术问题的解决，通过成熟知识的沉淀、复用解决明确的研发、工程问题（施荣明等，2009）。

知识工程会用到知识管理的方法和分析模型，是知识管理的一种具体应用。知识管理则范围更广，涉及企业管理的多个方面和角度。

知识管理和知识工程都是通过对数据、信息、知识的运用和处理解决问题、提高效率。对企业来说，两者可以互相作用、互为补充，于是便产生了知识中心。知识中心是知识管理和知识工程的有机融合，既包含知识管理具有的基本管理思想，如对人的管理、知识内容组织、IT 技术支撑、运营制度保障等；又包含知识工程具有的解决具体问题的一些关键技术，如知识挖掘、专家系统、知识推理等。

1.3.2　知识中心是 AI 时代知识管理的需求

党的十九大报告明确提出要"推动互联网、大数据、人工智能与实体经济深度融合"。

国家新一代人工智能战略咨询委员会组长、中国工程院原常务副院长潘云鹤院士指出，从 2015 年开始，人工智能技术开始迈向 2.0 的新时代。人工智能 2.0 本质上是一种数据智能，它靠算法来模拟人的思考和行动，推动人类知识和思维的革命。人工智能 2.0 之后，几乎所有观察现象、收集数据、整理信息、存储知识等知识管理活动都能依靠机器快速完成。所以，人工智能对于知识管理的影响越来越大，知识管理与人工智能相结合，将 KM2.0 升级为 KM3.0，实现智能知识管理，是大势所趋。

1.3.2.1 智能知识管理概述

1）智能知识管理的特征

智能知识管理是对有用知识进行智能化处理，孵化出自身具有智能特点的知识并实现自我更新和智能应用等过程的管理，以保证能在需要的时间将需要的知识传送给需要的人，从而促进数据挖掘获取的知识的实用性，减少信息爆炸，提高知识管理水平。

智能知识管理具有如下特征。

（1）智能知识管理的对象是通过数据挖掘获取的有用知识；

（2）实现知识管理智能化的途径是实现知识个体的智能化，而不是让智能的知识服务平台系统去管理没有智能的知识；

（3）智能知识管理是一个系统工程，涉及数据集的处理、数据挖掘算法，以及对知识的审计、孵化、组织存储和智能应用、淘汰等全过程，涉及主体、对象、平台的相互作用等；

（4）智能知识管理需要组织在战略、组织结构、文化、业务过程、人员、技术等多方面的协同合作。

2）智能知识管理实现途径

实现知识自身的智能化及其有效管理，支持企业智能化决策，需要从以下几方面入手。

（1）知识获取过程的智能化，即 AI+知识获取。

大数据/人工智能环境下知识获取方式如下。

第一，研发智能编辑程序的"连接器"，从与知识管理系统连接的多个知识源系统（如文档管理系统、图书馆系统等）获取知识。例如，MYCIN 系统（一种帮助医生对住院的血液感染患者进行诊断和选用抗生素类药物进行治疗的人工智能专家系统）的知识获取程序 Teiresias 就是一种智能编辑程序。它可以自动识别和采集元数据，如 MARC 和 DC 元数据，自动拆解元数据和内容核心词，自动解读段落，最终对焦语境信息。

第二，设计智能感知程序，从大量数据中提取知识。它基于数字建模、模式识别、机器翻译、自然语言处理（Natural Language Processing，NLP）等智能技术完成地物自动建模、物体识别、智能索引、智能摘要、智能知识分类、加工入库等知识工作，并在此基础上构建多维网状的关联模型（知识地图）。

第三，利用大数据智能挖掘技术提取新的知识。它基于知识规则的大数据挖掘技术实现主观知识的量化与表达、规律发现、参数提取等新的知识提取。

（2）知识表达过程的智能化，即 AI+知识表达。

目前，知识的表达限于知识内容的表达和关于知识的知识（即元知识）的存储。元知识对理解知识本身发挥了很大的作用，但不足以使知识本身具备学习能力。因此，需要改进表达形式和存储方式，赋予知识以大脑，使知识本身具备学习的能力。

（3）知识审计过程的智能化，即 AI+知识审计。

目前，数据挖掘得到的知识需要专家和业务人员人工评价、过滤、筛选，工作量大，效率低，审计质量差。在审计过程中加入自动过滤、通信和记忆机制对新知识和现有知识进行比较分析，获取评价指标和评价标准并自我评分，可以使知识具备自我审计能力，实现知识的毛遂自荐。

（4）知识共享过程的智能化，即 AI+知识共享。

目前是通过社交工具让知识所有者交流彼此的知识，通过管理员将审计后的知识入库，使知识从个体拥有转变为组织共有、从单个组织拥有转变为联盟共有，发挥知识资源效益利用的最大化。在知识共享过程中，人工智能实现知识自动审计整理入库、创新搜索引擎、知识深度检索挖掘，形成组织内部的知识库。

（5）知识创造过程的智能化，即 AI+知识创造。

知识主要分为显性知识和隐性知识，知识管理的过程就是二者相互转换的过程。1995年，野中郁次郎（Ikujiro Nonaka）和竹内弘高（Hirotaka Takeuchi）从"组织知识创造"视角，提出了知识创造的 4 种基本模式：社会化（即潜移默化，Socialization）、外显化（即外部明示，Externalization）、组合化（即汇总组合，Combination）和内部化（即内部升华，Internalization），即著名的 SECI 模型。在人工智能环境下，知识创造不再是简单的知识积累或知识再编码过程，而是智能的知识创造过程。人工智能下的隐性知识创造主要有两种途径，即社会化和内部化。在这两种途径下，由于其最终知识载体存在于个体内部，因此人工智能目前所带来的影响主要是工具性的；人工智能下的显性知识创造，同样也有两种途径，即结合化和外显化过程。在这两种途径下，人工智能不仅能在工具方面带来便利，也会对最终知识产生的方式和内容带来实质性的影响。表 1-5 是欧阳智等（2017）总结的人工智能在知识创造中的应用和影响类型。尤其需要指出的是，外显化可能是人工智能所带来最具有价值和变革最大的一方面。

表 1-5　人工智能在知识创造中的应用和影响类型

模式		传统途径	人工智能的应用	影响类型
隐性知识创造	社会化	交流、对话	人机交互系统、大脑交互系统	工具
	内部化	学习、经验	NLP、智能代理等	工具
显性知识创造	外显化	概念化	机器学习、深度学习、增强学习等	内容与工具
	组合化	分类、建模、综合	关联分析、预测分析、趋势分析等	内容与工具

（6）知识应用过程的智能化，即 AI+知识应用。

加入自学习机制使知识能适应环境，引入推理机制使知识之间相互融合产生新的知识，并与业务流程集成实现特定目标相关知识的主动推送。

1.3.2.2 智能知识管理呼唤知识中心

石油企业在推进业务智能化过程中，存在数据、信息、知识共享和决策协同跨部门综合集成的"管理墙"障碍问题，存在知识服务跨各种系统和平台综合集成的"技术墙"障碍问题。

在 KM 3.0 时代，在 AI+知识获取、AI+知识共享、AI+知识创造等技术手段的推动下，知识的采、存、管、治、用等知识管理活动大都能依靠机器快速完成，产生的高质量知识呈爆炸式增长，使得已有存储容量和应用系统难以适应企业的需要，也对知识管理的安全性提出了挑战。

石油企业内部拥有众多的业务部门和下属单位，这些业务部门和下属单位的业务内容可能相差很大，地域上可能相当分散，知识库构建技术也可能千差万别，很容易形成一个个"知识孤岛"，从而造成企业内部知识流的不畅和知识资源的相互封闭，影响员工对知识的获取和利用，所以必须将其统一地联结起来，并采用合适的通信协议开展知识交流和共享，进而推动企业知识管理工作的开展。

因此，为解决 KM 3.0 时代面临的上述问题，建设智能化、高可靠、大容量的知识中心势在必行。

1.3.3 石油企业智能知识管理现状

石油企业在知识管理项目的实施过程中会面临这些问题：一是缺乏时间分享和整理知识，这是知识管理最大的障碍，导致知识库里的有效知识更新缓慢；二是知识分享的效率低下，隐性知识的转移成本高、范围小；三是原始知识（直接从数据和信息中提取的模式、规则、权重系数等原始结果）过载，导致相关知识冗余度大，甚至冲突，难以有效利用。

进入 21 世纪后，经济全球化导致信息资源与知识资源的泛化，使知识过载的状况进一步加剧。面对经济全球化与信息资源、知识资源全球化的新环境，石油企业对知识管理提出了新需求。

知识经济时代，互联网发展迅速，在全球化信息的获取广度、深度、及时性上都有了很大的提高，综合利用这些资源为石油企业管理决策服务，已经成为可能。

在 Web 上实时搜集整理社会新闻、政治事件、行业信息，开展数据的清洗、整理及文本挖掘是获得环境知识的主要途径。竞争对手的知识可以通过分析行业数据库、竞争对手的财务信息以及市场反应的文本信息得到。同时，对石油企业内部环境和业务信息系统进行集成，分析企业内部非结构化数据，如企业执行力、企业经营业绩以及人员管理的情况，结合信息系统进行数据挖掘从而得到企业内部知识。以环境知识、竞争知识和内部知识为主搭建的石油企业信息知识平台充分发挥决策支持作用，通过结合历史资料开展时间序列分析、供应链上下游的信息整合分析，以及对决策影响的多角度分析，甚至计算机模拟仿真，来辅助管理决策。

因此，石油企业为解决知识管理项目实施过程中碰到的上述问题，满足知识管理新需求，需要对知识管理所需技术进行智能化升级，逐步建立企业知识资源中心，提升对知识资源的获取、理解、处理、分析和利用能力。为此，国内外石油企业进行了一些尝试。

国外石油企业引入知识管理较早，取得了丰硕成果和较大收益。苏栋根[①]统计了国外企业包括石油企业对知识管理技术的应用情况（表1-6）发现，这些企业对互联网技术、内联网技术的使用分别达到93%、78%；支持知识管理系统建设的文档管理系统、数据仓库/数据挖掘也得到了很好的应用。不过，知识管理在决策支持、群件技术、外联网技术、人工智能技术方面的应用尚不普遍，还需进一步的发展。

表1-6　国外企业对知识管理技术的应用情况统计　　　　　　　（单位:%）

国家或地区	互联网技术	内联网技术	数据仓库/数据挖掘	文档管理系统	决策支持	群件技术	外联网技术	人工智能技术
美国	93	87	69	58	52	61	44	22
欧洲	93	75	61	62	48	37	36	22
总体状况	93	78	63	61	49	43	39	22

国内石油企业知识管理起步较晚，主要是学习和借鉴国外公司实施知识管理的经验，开始知识管理方面的一些探索，知识管理技术大多使用文档管理系统、工作流、知识门户、知识论坛等，在 NLP、数据仓库/数据挖掘及群件技术、决策支持、人工智能技术方面很少涉足。

1.4　总结与认识

石油企业的信息化发展大致经历了数据管理—信息管理—信息资源管理—知识管理四个阶段。随着人工智能2.0时代的到来，石油企业纷纷将数字化转型作为各自的发展战略，大力推进业务智能化，知识管理与人工智能相结合，使得传统的知识管理升级为智能知识管理，进入 KM 3.0 时代。智能知识管理需要知识管理和知识工程充分融合，以解决知识管理中的"管理墙"和"技术墙"等问题，实现对知识的智能管理；智能知识管理应用大量智能化技术，使得高质量知识呈爆炸式增长，需要整合知识以满足业务协同、知识共享、学习服务和智能决策等需求，避免形成"知识孤岛"。为此，知识中心应运而生。可见，知识中心是企业知识管理发展的高级阶段，是 AI 时代的产物，它更关注知识库的整合，提供智力服务产品以实现基于知识的业务协同、知识共享及智能决策支持等，促进企业多层次、多维度创新，为利益相关者创造价值。

---

① 苏栋根. 知识管理系统的发展与现状［EB/OL］. https：//mas. book118. com/html/2021/0523/7120030450031 24. shtm（2021-05-23）［2022-01-08］.

第 2 章 | 石油企业知识中心

2.1 知识中心的定义

2.1.1 什么是知识中心

知识中心的定义是什么呢？笔者查阅了国内外大量的文献，发现国内外在知识中心是什么的认识上存在很大差异。国内研究多是基于管理视角，国外研究多是基于技术视角；国内研究停留在构想，国外研究多在总结最佳实践经验。分析总结文献资料，知识中心的构建类型可分为如下四类。

第一类知识中心被认为是提供知识共享和信息增值的服务模式，如图书馆和博物馆提供的综合信息服务、图书馆提供的公共知识资源共享服务和面向农村务农人员的知识服务、政府间构建的跨部门信息共享与决策支持服务。

第二类知识中心被认为是实践知识管理的组织，它类似于信息中心，是承担知识管理技术体系建设和运行维护管理的部门，主要职责是开展组织系统知识管理技术体系（包括硬件设备、网络、知识管理软件及工具软件等技术基本设施）的建设。

第三类知识中心被认为是基于互联网的社区或系统，旨在帮助人们远程共享信息。知识中心提供各种工具和附件，可即时或延迟发送和接收信息。这可以包括在线聊天室、讨论板、可下载文本和其他材料，以及视频会议等。知识中心通常建立在一个社区内，为因地理或时间限制而无法交流的人群进行"信息交换"提供方法和工具。

第四类知识中心被认为是组织（如企业、政府等）内部知识库的联合，知识中心强调的是组织拥有的所有知识库，它对于内部知识用户来讲是开放和透明的，开放意味着员工可以访问组织里所有的知识库，透明意味着员工不必关心知识库的具体物理位置，对员工来讲其访问的知识库就如同在本地主机上一样。

本书给出知识中心的定义如下：知识中心是知识管理和知识工程深度融合的产物，是以知识库整合为核心，以知识发现和集成为基础，以知识中心体系架构为保障，以知识共享、业务协同及综合决策支持等为目标的基于云架构的社区或系统，以促进企业多层次多维度创新，为利益相关者创造价值。

企业构建知识中心，定义企业内外成员获取信息的角色和权限，允许企业内部人员在日常工作和决策中将各类信息和文档转化成知识；并利用知识发现技术从大量原始数据中挖掘并预测新知识，促进企业内部信息的发展与共享，实现知识的良性互动（张波和徐晓林，2007）。

2.1.2　知识中心的特征

要分析知识中心的特征，必须从知识中心构建机制入手，在仔细分析下述问题的基础上进行归纳总结。

（1）知识中心建设的背景、目标或动因是什么？

（2）知识中心实现企业跨部门数据、信息和知识的共享以及决策协同的组织策略和合作机制是什么？

（3）知识中心建设的技术支撑体系是什么？

（4）知识中心的应用示范有哪些？

（5）知识中心在组织决策协同支持方面有何值得学习借鉴的经验？

安小米（2013）采用实地调研、网络调查和国外专家访谈方式围绕上面 5 个问题对荷兰阿姆斯特丹智慧城市知识中心、巴西里约热内卢市智能运行中心、澳大利亚昆士兰科技大学智能交通研究中心三个典型案例进行了详细分析，在知识中心建设的设计理念、组织策略与合作机制、技术支撑体系和应用示范等方面均积累了多维度数据、信息、知识共享和跨部门综合决策协同支持的成功经验，这对研究和解决我国知识中心建设中的"管理墙"和"技术墙"障碍问题，以及明确我国知识中心构建机制中的关键要素及其关系具有重要的参考价值。

基于国外的案例，本书总结知识中心一般具有以下特征。

（1）设计理念方面，以知识共享、互动学习、综合决策支持等知识服务为目标，从设计理念、思维方式上贯彻统一共享的战略决策。

企业知识中心需要制定跨管理部门和跨单位或行业的资源共享、协同运作、联合行动计划，提供知识增值服务，打破部门间条块利益分割，避免"信息孤岛"的出现。例如，国外各大油气公司和软件服务公司合作，组建了开放地下数据空间（Open Subsurface Data Universe，OSDU）和公共石油数据模型协会（Public Petroleum Data Model Association，PPDM）等数据联盟，统一了油气勘探开发数据标准和数据模型，实现了数据在不同软件中的统一流通和使用。我国石油企业可以借鉴国外的这些成功经验，采用开放性、层次性的系统架构、合作与竞争战略，组建数据联盟，制定基于联合行动计划的数据标准统一、数据集成、知识库构建、知识服务网络构建等实施策略。

（2）组织策略方面，企业知识中心以多利益相关方合作为基础，汇聚不同来源的多种知识资源于一体，建立跨主体的知识积累、共享、交流和使用机制，实现知识管理与服务政策集成、管理与服务对象集成、服务方式和服务手段集成。企业知识中心的目标是建立一种跨主体数据、信息和知识共享，提供综合决策、协同支持的知识型组织。

我国石油企业可以借鉴的经验是：①多利益相关方合作，建立利益相关方领导者合作伙伴关系，石油企业、上下游产业及政府共同提供决策优化支持、智力服务支持、技术与产品创新和社会服务可持续发展支持，增强中国油气资源统一规划的领导力；②多维度跨层级主体合作，建立跨企业、跨部门、跨学科的国际/国家/油公司/油田的研究者与管理者、技术人员和用户的交流与沟通机制、会议联系制度，整体提升跨部门协同运作的执行能力和合作创新服务能力。

（3）技术支撑方面，企业知识中心是以云架构为基础，集成数据库/知识库、信息系统、知识服务平台和电子通信技术服务设施，提供数据—信息—知识—智慧的知识转移，具有在线信息交换与发布、知识共享与学习服务及学习管理、决策支持智能分析等功能，并能够提供知识资源集成管理与集成服务技术方案实现方法和实现工具的技术支撑体系。

技术支撑体系并非简单的 IT 技术架构和物理设施建设，而是企业创新体系的概念框架构建及其实现环境的构建。我国石油企业需要考虑数字化转型及创新机制、基于互联网的新兴 IT 技术（如物联网、AI、大数据等）的发展及其对个人和组织行为的社会影响、"互联网+"助力能源结构绿色转型及刺激个人需求的新经济发展模式，来构建合适的技术支撑体系。

（4）应用示范方面，企业知识中心提供基于知识的智力服务产品、综合决策解决方案，实现企业员工的知识赋能、跨部门决策支持，促进企业多层次、多维度创新，为利益相关者创造价值。

2.2 知识中心的技术模型

知识中心的目标是生成企业决策者所需的信息和知识服务，并将其提供给决策者，以在决策过程中为决策者提供支持。知识中心可以为企业带来以下好处：①改善工作环境和人际关系；②加强知识型员工培训，增强其与客户关系；③增加附加值的实现；④减少信息获取时间，以缩短产品上市时间；⑤提高生产力以及所提供产品和服务的质量。

从技术上讲，知识中心旨在集成异构信息源，如数据库、非结构化文档、网站，抓取上下文并通过与企业中已有的其他信息的可能新关系，赋予其更多价值。知识中心必须提供一种模型框架，利用数据集成和 Web 挖掘技术，在信息资源的分布式和异构内容环境中提取、选择、处理大量数据和建模，以发现未知的规则和模式。

参考 Castellano 和 Pastore（2005）的研究，根据石油企业的实际需求，知识中心的技术模型（Knowledge Center Technical Model，KCTM）由信息抓取（KC-Watcher）、知识库（KC-KBase）、知识云引擎（KC-Cloud Engine）和知识前台（KC-Viewer）四部分组成（图 2-1）。

2.2.1 信息抓取

2.2.1.1 概述

信息抓取的任务是从互联网、企业内部数据湖、管理系统和业务系统中抓取非结构化和结构化数据。它能够将关注的业务内容和用户行为进行信息提取。

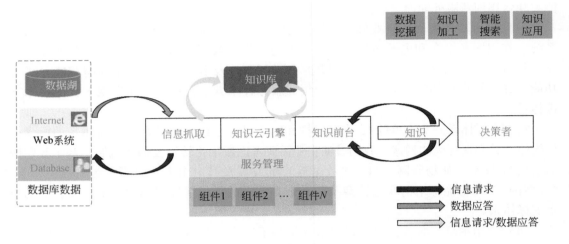

图 2-1　知识中心的技术模型

　　结构化数据作为企业管理服务和业务支撑的基本属性描述，已经广泛存储在各类结构化数据库中，知识中心要对结构化数据进行管理和提炼。随着互联网、大数据、人工智能技术的飞速发展，企业数字化转型和智能化建设加速推进，企业信息包含的非结构化数据的数量日趋增大，以管理结构化数据为主的模式已经满足不了应用需求。企业数字化服务必须对业务过程中产生的非结构化数据，如文档、多媒体等，实现与结构化数据的统一管理。企业员工和管理者希望将存储的结构化、非结构化数据实现知识转化，在日常工作和决策中能够直接发挥指导性作用。

　　非结构化数据分散在个人、企业内部系统及外部环境上，如何管理大量的非结构化数据，并在此基础上提取对企业日常工作和决策有辅助作用的知识是知识管理的基本要求。非结构化数据管理的目的是在组织现有的分散应用环境下，把原来分散的部门和组织通过系统的集成相互关联，形成广泛的、相互关联的组织应用环境。非结构化数据管理在组织系统的构架层次上，为组织的信息流建立了一个跨越多种分散的、内部和外部的信息处理过程的系统链，完全淡化了传统的内外部分界。非结构化数据管理的特点是完全个性化的，且具有灵活性和主动性。知识中心应当能够基于企业的知识体系，根据用户的知识背景和经验对知识进行整理组织，按照用户的习惯与思想目标推送信息；同时应能处理任何形式的知识（包括不同主题、结构和媒介的知识），能将知识的主题、内容按照用户的需求以自定义格式输出到相应媒介；在用户多次提交知识申请后，对用户偏好进行分析并存储，推断出用户的知识需求，并能超出用户所表达的需求对关联的知识做出提议。

2.2.1.2　技术实现

　　知识中心通过信息抓取组件来抓取企业内外部的结构化和非结构化数据。该组件主要由控制器和内核组成。

　　信息抓取的流程是：从 Web 向知识引擎发起数据请求，知识引擎将此请求转发给信息抓取组件，信息抓取组件接收服务请求后调用具有以下任务的内核：既要通过协同爬虫有效地从 Web 结构化和非结构化数据中进行爬取，又要通过索引器将其存储到知识库中。

协同爬虫可以使用以下两种方式从 Web 上抓取数据。

（1）使用联邦（联合）爬虫，从企业外部如电子商务以及企业内部各个业务系统中获取结构化数据。它通过将知识中心连接到虚拟专用网络的协作网关（Cooperative Gateway）来实现（图 2-2）。

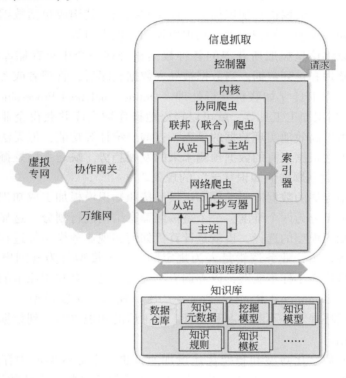

图 2-2　信息抓取的架构

（2）使用网络爬虫，从系统管理员提交的一组给定的统一资源定位符（Uniform Resource Locator，URL）开始，从 Web 中抓取非结构化信息，然后通过信息检索技术处理抓取的数据以提取关键字，将这些关键字适当地组合，就是搜索引擎（如谷歌）的输入。搜索引擎获得的输出将是要抓取的新 URL 列表，该列表将加入第一个 URL 集合里。

两种爬虫方式都使用一个主站和多个从站。主站将数据分配给各个从站以平衡工作负载，管理从中获取的多来源数据；每个从站都提供了自己的一组要爬网的源。通过这种方式，不同的从站可以同时操作，从而更有效地访问 Web 资源，减少应答时间，避免同时访问同一个源。需要指出的是，因为要连接的数据源类型不同，联邦（联合）爬虫和网络爬虫都有一个主站和许多从站。在联邦（联合）爬虫中，源是数据库或其他应用程序，使用协作网关进行连接。在网络爬虫中，源是 Web 页面、文本文档等形式，因此使用信息检索技术对其进行爬取。另外，还需要验证知识库中是否存在已爬取的文档或网页，这就需要用到抄写器。每个抄写器对应一个从站，其任务只是检测可能的重复收集的信息。两种爬虫方式的主站都用到了索引器，其作用是索引联邦（联合）爬虫和网络爬虫抓取的数据，并根据提取的关键字按照知识体系来组织它们。

2.2.2 知识库

知识库的任务是对数据进行知识加工、存储和挖掘，其构成包括数据仓库、知识元数据、挖掘模型、知识模型、知识规则、知识模板和知识索引等。

数据仓库可以将信息抓取所获得的各种数据整合在一个中央存储库中，为了便于分析，它还会重新整理和排列数据。当数据被导入数据仓库后，管理者或者其他用户借助一些数据库连接和操作工具［如联机分析处理（Online Analytical Processing，OLAP）工具、数据挖掘技术］、知识加工工具等，就可以轻松地操作数据库并获得企业所需的知识。目前的数据库系统可以高效地实现数据的录入、查询、统计等功能，但无法发现数据中存在的关系和规则，无法根据现有的数据预测未来的发展趋势。缺乏手段挖掘数据背后隐藏的知识，导致出现"数据爆炸但知识贫乏"的现象。

企业数据库中存储的数据需要选择知识模型按照知识模板加工成知识，这就需要用到NLP工具。知识加工分为两个维度，一个是按照篇章结构进行划分，这显示了业务应用的需要；另一个是知识模型的选择，也就是计算机如何实现业务模型的过程。计算机并不需要知道处理的业务逻辑，业务逻辑是人为规定的。知识模型分为规则模型和计算模型两种，其中规则模型代表小样本实践，以查询方法为主，更符合知识原本的定义；计算模型包括条件随机场（Conditional Random Field，CRF）模型、深度模型、二次模型等。两种模型相互依赖、循环提升并不断学习和完善。加工后的知识再回存到数据仓库中便于知识引擎的进一步利用。

随着石油企业数字化转型和智能化建设加速推进，企业数据库中存储的数据急剧增长，在大量的数据背后隐藏着许多重要的信息，如果能把这些信息从数据库中抽取出来，并为企业服务和决策提供附加价值的知识，那么将会为企业、政府和公众创造更多的价值。企业的大量数据都存储在数据库中，这是企业运用数据库技术的第一阶段，但是仅仅存储数据会造成数据库资源的闲置，因此要对数据库进行查询和访问，进而实现对数据库数据的即时浏览查询。数据挖掘使数据库技术进入了一个更高级的阶段，它不仅能对过去的数据进行查询浏览，还能够找出过去数据之间的潜在联系，从而促进信息的传递。数据挖掘工具能够帮助企业决策者对将来的趋势和公众接受服务的行为进行预测。例如，经过对企业整个数据库系统的分析，数据挖掘工具可以回答企业生产数据、生产指标和专业技能等方面的问题。数据挖掘工具还能够快速地浏览整个数据库，找出一些决策者不易察觉的极有用的信息。数据挖掘的主要作用在于自动趋势预测。数据挖掘能自动在大型数据库中找寻潜在的预测信息。对于传统做法需要很多专家来进行分析的问题，数据挖掘可以快速而直接地从数据中间找到答案，自动探测以前未发现的模式。数据挖掘工具扫描整个数据库并辨认出那些隐藏着的模式，数据挖掘技术可以让现有的软件和硬件更加自动化，并且可以在升级的或者新开发的平台上执行。当数据挖掘工具运行于高性能的并行处理系统中时，它能在数分钟内分析一个超大型的数据库。这种更快的处理速度意味着用户有更多的机会来分析数据，使分析的结果更加准确、可靠，并易于理解。

知识元数据与知识管理关系密切，引用欧文·安布尔（Owen Ambur）的一句话：对于用 IT 技术表达的知识来讲，元数据和管理是同义词（徐玉萍，2011）。具体地说，知识元数据对企业的知识管理分为两种方式：①建立一个统一的元数据仓储即企业获取信息的途径，企业中的所有元数据均存在此处，从而实现元数据集成；②建立一种元数据交换的途径，不同系统中的元数据均可通过这种转换互访，从而实现知识的传递和使用。使最恰当的知识在最恰当的时间传递给最恰当的人以便使他们能够做出最好的决策，实现企业知识管理的目标。目前已有多种元数据标准，产品模型数据交换标准（Standard for the Exchange of Product Model Data，STEP）就是其中的代表。

2.2.3 知识云引擎

2.2.3.1 概述

知识云引擎是知识中心技术模型的核心。它以存储在数据库中的原始数据为基础，通过知识发现及加工过程，提供知识云组件服务。

该部分的主要任务是实现知识库的数据挖掘、知识加工、知识搜索功能云化，实现结构化数据和非结构化知识的统一管理和智能查询。知识云引擎采用能处理海量信息的智能分词、概念抽取、自动摘要和全文检索等多项技术，同时结合数据库自身的检索机制，形成基于知识库的搜索引擎，实现知识发现、知识加工、知识搜索、知识维护、权限管理等全生命周期一体化管理。

企业特别是大型企业在知识应用方面存在诸多不便，如组织内存在各种障碍，使得信息的运用效率低下；数据量太大，想要取得有用信息需要耗费大量的时间；数据分布在不同系统中，需要信息时忘记了存放在何处，要转换多次才能找到；处理新业务和新问题时，不知道组织内部有哪些信息可以使用；等等。知识中心建立索引数据库的全文搜索引擎，当用户查找某个关键词的时候，所有包含了该关键词的信息都将作为搜索结果被搜出来。在经过复杂的算法进行排序后，这些结果将按照与搜索关键词的相关度高低依次排列。

知识云引擎的工作原理主要包括：从知识库抓取信息→根据知识体系进行知识加工→建立索引数据库→在索引数据库中搜索排序。知识云引擎根据用户提交的申请自动搜索知识中心内的所有信息，并不断重复这一过程，并把搜索出的所有信息收集回来。使用分析索引系统程序对收集回来的信息进行分析，提取相关信息（编码类型、关键词、关键词位置、生成时间、大小、与其他信息的链接关系等），根据一定的相关度算法进行大量复杂计算，得到每一个信息关键词的相关度（或重要性），然后用这些相关信息建立索引数据库。当用户输入关键词搜索后，由搜索系统程序从索引数据库中找到符合该关键词的所有相关信息。最后，由知识前台生成系统将搜索结果的内容摘要等组织起来并返回给用户。

2.2.3.2 技术实现

目前，数据挖掘被认为是商业智能系统的推进器，这主要是因为它提高了决策者可用知识的定量和定性价值。如今，挖掘系统的体系结构至关重要，特别是在大型商业环境中，挖掘系统需要访问和组合来自多个数据源的数据，以提供全面的分析结果。

在这种情况下，知识中心充当知识发现处理器，并通过知识云引擎的组件提供服务。它是一个分布式数据和 Web 挖掘工具、知识加工工具、搜索引擎工具，其管理和提供了一组知识云服务组件。知识云引擎的主要组件是控制器、内核和更多的采集器，如图 2-3 所示。

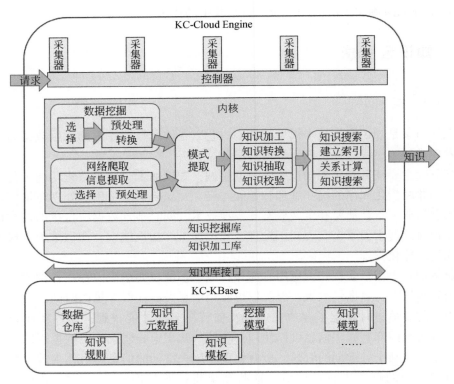

图 2-3 知识云引擎的架构

当一个知识服务请求到达系统时，控制器接收并分析该请求，然后将其转发给一个或多个采集器以提供结果。采集器是可以用来构建复杂应用程序的组件。在这种情况下，该应用程序由知识服务表示，并且可以由表示服务的业务逻辑的一个或多个采集器组成。

一个采集器有不同的任务：①加载与所需知识服务关联的挖掘模型；②需要从 Web 获取数据的特定服务，可以调用信息抓取；③在内核中驱动一个训练过程，根据训练的新数据重建挖掘模型。

内核遵循从原始数据进行知识发现、知识加工、知识搜索的过程，包括三个主要阶段的迭代：知识挖掘、知识加工以及知识搜索。内核迭代过程的实现由知识云引擎的一组知识挖掘库和知识加工库来支撑。知识挖掘由数据挖掘、网络爬取、模式提取和一组知识挖掘库组成。数据挖掘的重点是选择、预处理和转换，而网络爬取挖掘关注的是信息抽取。挖掘的结果经过模式提取、评估分析后传递给知识加工步骤。知识加工步骤由知识转换、知识抽取和知识校验组成。将校验后的知识建立索引、关系计算后实现知识搜索。上述过程中产生的模板、模型、索引和知识等存储到知识库中。

2.2.4 知识前台

2.2.4.1 概述

知识前台是企业提供对各种信息和应用程序的安全、单点访问入口，并根据用户的需求进行个性化定制，如用户自定义布局和内容。它的任务主要是根据企业总部、下属单位和各级员工的自身需求和角色提供人与机器进行交互的操作方式，即用户与机器互相传递信息的媒介，其中包括信息的输入和输出。

在它的基础形态中，界面可以做数据处理，并可以用任意一种方式将信息（从文本信息到生动的图形）发送给操作者。用户页面是用户登录知识中心知识库、提交知识应用申请、系统反馈结果的界面，其中涉及用户页面生成系统，该生成系统先与知识库服务器交换信息，从知识库中动态地读取数据并形成一个"静态"的页面传回用户浏览器端，再由浏览器解释执行。知识前台的一个重要功能是作为用户提交知识查询的窗口，是简单文本搜索与强大的查询语言的组合。知识前台包括来自用户的查询文本串输入，该查询文本串输入包括块表达式语言格式的一个或多个项，还包括用于构造句法上正确、完整并包括来自用户的文本串输入的多元素块表达式语言数据库查询的句法提示。依照上述的知识前台形成的知识库查询可作为知识库查询对象被持久保存或存储。

2.2.4.2 技术实现

知识前台需要提供一个开放的和可扩展的框架，它是构建企业、市场、消费者和工作区门户的基础，用户可以从各种桌面和移动设备访问该门户。如图 2-4 所示，知识前台直接与知识中心外部的实体进行交互。知识前台提供两种类型的用户交互方式：知识门户（Konwledge Portal，KP）和知识应用组件服务。

1）知识门户

石油企业业务人员对知识应用的要求，是"实用主义"和"极简主义"。工作中业务人员都忙于日常事务，不需要一个覆盖所有知识的知识库，那样反而不利于知识的运用。对于他们来讲，日常工作中需要最多的还是与他们专业相关、业务流程相关的知识。所以，针对不同的岗位及个人，要建立个性化的知识门户。这样业务人员在工作时就可以直接搜寻到与自己工作相关的知识内容，从而提升工作效率。

所以，知识门户代表系统的前端，必须提供用户友好的适合多种设备的交互界面，如适合于手机、平板等移动端的 Web 页面或应用程序。门户是信息和应用程序的单一访问点，并提供来自各种来源和个性化服务的内容聚合。

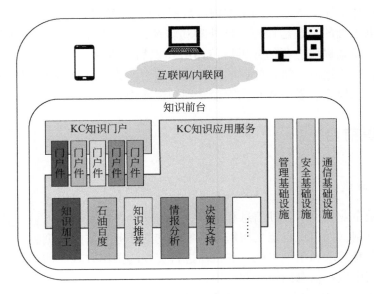

图 2-4　知识前台

为了适应这些多样化内容的整合和显示，知识门户的服务器需要提供一个基于门户组件（Portlet）应用程序技术的门户组件分解框架，便于用户个性化定制。

每个门户组件负责从数据源（如网站、数据库或电子邮件服务器等）访问内容，并对内容进行转换，以便将其呈现至客户端。

另外，门户组件还要负责提供应用程序逻辑或存储与定制用户关联的信息。从用户的角度来看，门户组件是门户中提供定制服务或信息的窗口。从应用程序开发的角度来看，门户组件是可插入模块，在门户网站服务器的门户组件容器内运行。

2）知识应用组件服务

为了与不同应用程序域共享知识服务，知识中心还需提供一组常用的知识应用云组件，实现可弹性扩展，满足未来用户群体的扩展和更高性能需求；既可以独立应用，也可以 APP 应用，还可以嵌入第三方系统中使用。这套云服务组件主要可以分为：①知识基础服务，包括信息采集类、知识加工类、知识图谱（Knowledge Graph，KG）类、知识内容类等；②知识应用服务，包括知识搜索类、知识推荐类、知识社区类、经验积分类等；③智能应用服务，包括情报分析类、决策支持类、智能问答类、热点分析类等。

2.3　知识中心体系

2.3.1　知识中心体系定义

体系，是指若干相关事物或某些意识相互联系的系统构成的一个有特定功能的有机整体，如工业体系、思想体系、作战体系等。

说到体系，其往往还会与另一个概念"系统"有所混淆。两者都是为实现一定的功能或目标而组成的有机整体，但该整体的指代却是不同的。"系统"是"同类事物按一定的关系联合起来，成为一个有组织的整体"。而"体系"则是"相关事物"的组合。从这个角度来看，体系比系统包含更多的内容。

知识中心体系是以提升个人与组织竞争力，以及提升业务效率与质量为目标，围绕业务过程进行智能化知识汇聚、发现与服务，并保证其持续运营的方法、技术、工具、管理机制等构成的有机整体。

2.3.2　知识中心体系的特征

2.3.2.1　整体性

整体性原则，就是把研究对象看作由各个构成要素组成的有机整体，从整体与部分相互依赖、相互制约的关系中揭示研究对象的特征和运动规律，研究对象整体性质。

整体性质不等于形成它的各要素性质的机械之和，研究对象的整体性质是由形成它的各要素的相互作用决定的。因此，它不要求人们事先把对象分成许多简单部分，分别地进行考察，然后再把它们机械地叠加起来；而要求把对象作为整体来对待，从整体与要素的相互依赖、相互联系、相互制约的关系中揭示研究对象的整体性质。

知识中心体系的整体性特征表现在两个方面：一方面是确定性，即知识中心体系的组成部分应是确定的。如果一个事物所包括的各个部分没有确定下来，即没有固定的组成部分，没有固定的边界，没有完整的形态，没有固定的特性，就不具备整体性特征。当然，事物是永远在发展变化着的，任何事物都可看作一个无穷集，但是在事物运行的特定阶段中，事物的构成应是确定的，此时它又是一个有穷集。另一方面是完整性。如果以一个事物确定的部分来代表事物的整体，即以点概全，将不能反映事物的性质或者功能不全。

2.3.2.2　相关性

哲学上，事物不是孤立存在的，事物之间是存在关系的。在我们认识事物时，不仅要认识一个个单一的事物，还要认识事物之间的相互关系。

建立知识中心体系时，如果不认识体系要素间的相互关系，就可能忽视某些要素的存在，容易认为某些要素，以及运作这些要素的组织不必规划在体系里，导致体系不完整，影响体系整体性特征的提高；在运行体系时，如果不认识各要素的相互关系，则容易导致效果不好，或行为失败。

2.3.2.3　有序性

序是事物的一种结构形式，是指事物或系统的各个结构要素之间的相互关系以及这种关系在时间和空间中的表现，即事物发展中的时间序列及排列组合、聚类状态、结构层次等空间序列。当事物结构要素具有某种约束性，且在时间序列和空间序列呈现某种规律性时，这一事物就处于有序状态；反之，则处于无序状态。

从知识本身来讲，在波普尔（Popper）"三个世界"的理论提出后，情报学学者将其视为情报学的哲学基础。布鲁克斯 Brookes 指出，情报学的任务就是探索和组织客观知识。我国情报学学者刘植惠认为，知识序化大致在三个层次上展开：初级序化、中级序化和高级序化。知识的初级序化指对现有知识做表面加工处理（分类、编目、文献检索）；知识的中级序化指对现有知识进行分析研究、综合、预测以及建立知识信息模型；知识的高级序化指现有知识变异产生新知识（发明、创造）；目前的知识序化仅是初级序化，需要向中级序化发展。

我们暂时不纠缠于情报与知识的区别或波普尔"三个世界"理论正确与否，而是着力探讨客观知识是否有序，定义了抽取类知识、关联类知识和模型类知识的概念。这是对知识有序性的一种阐述。

2.3.2.4 动态性

动态性特征有两种情况：①事物总是随着时间的推移而出现变化，不是一成不变的。②在同一时间，随着事物的不同，各事物存在情况不同，即存在差别，存在多样性，无法一概而论，更不能一刀切。

知识中心体系整体或某一方面的适用性会随着情况的变化而发生变化。动态性特征不仅要求我们要对这些变化和差异建立认识，同时也要求我们有区别地予以处理和驾驭。如果经过一个时期的执行，情况有了变化，其适宜性降低，这时就应当对体系整体或者局部实施调整，这就需要建立体系的动态评估和审核机制，建立相应的评测指标、考核制度，并依据评测数据建立不同的级别，发现不足，引导改进。

2.3.3 知识中心体系的设计原则

2.3.3.1 建立组织，明确责任

知识中心体系的建设和运行，需要考虑组织的建设并明确相应的责、权、利。因为知识的管理和应用需要软件系统的支撑，所以一直以来，从数据管理到知识管理，均被认为是 IT 部门的职责。而实际情况是，业务人员最了解知识的定义、业务规则等情况，而且业务人员是最终用户。开展知识中心体系建设，就必须先清楚一点，即这是业务部门和 IT 部门共同的职责。

值得一提的是，越来越多的企业开始重视知识资产的沉淀、管理和应用，一些企业高管团队中也产生了一个全新的职位——首席知识官（Chief Knowledge Officer，CKO），其是组织内知识创新战略的制定者和推动者，负责协同不同的组织开展知识资产的开发和利用。

2.3.3.2 管理出成效，制度是保障

知识中心体系的建设和运用需要管理和制度的有力支撑，可结合企业的现状，制定和

发布相关的企业规章制度，如管理办法、管理流程、认责体系、人员角色和岗位职责等。

2.3.3.3　没有规矩，不成方圆

如同数据需要标准一样，知识同样需要标准，正所谓"没有规矩，不成方圆"。知识标准建设需要定义知识治理活动中必须遵照或参考的国际标准、国家标准、行业标准、企业标准以及规范制度等。标准的内容涉及术语定义、业务说明、IT 建设与管理、数据建模、知识体系设计等。

2.3.3.4　知识业务化，业务知识化

知识中心的建设，要以业务应用为目标，分析业务需求、业务场景，设计知识来源及应用模式，开展知识采集加工，开发知识服务，为实现业务赋能。

知识业务化包含两层含义：一层是知识中心汇聚的必须是业务开展需要的知识。正所谓"内容为王"，我们要在实践知识中心的过程中，找到真正的知识，而不是又做出一套信息管理系统来；另一层是从数据/信息到知识的转换过程实际上也是给数据/信息加上业务背景的过程，只有这样处理后的知识才能够在业务过程中"随需而用"。

业务知识化是知识中心建设的目标。对于用户而言，其关心的不是细分哪些是数据、信息还是知识，而是知识工程能不能实现给用户描绘的蓝图，并在合适的时间把合适的内容推送给合适的人。

2.3.3.5　工欲善其事，必先利其器

信息化手段早已成为业务开展的重要支撑，甚至已然成为业务活动的一部分。要做好知识资产的管理和应用，开展知识中心的建设与运营，知识服务平台是核心内容之一。知识服务平台需要能够支撑知识全生命周期管理，需要能够与知识中心体系的"软"环境（如组织、制度等）进行协同，需要有相应的知识安全保障，需要满足业务应用需求，而且好用、易用。当然，知识服务平台本身也要遵循软件系统特别是平台类产品的发展趋势与规律，能够不断迭代升级。

2.3.4　知识中心体系架构

基于知识中心体系的特征和设计原则，设计知识中心体系架构，如图 2-5 所示。

2.3.4.1　知识组织体系

知识组织体系负责知识的系统化组织。在组织实施知识管理或知识工程的过程中，企业需要按照一定原则对企业知识进行归纳和划分而形成的统一的体系结构，即知识体系。企业按照知识体系设计所依据的方法（如领域本体、面向对象）、行业权威数据或知识模型（如石油领域的 SPBPM），结合行业专家的经验等，科学、系统化地组织设计企业的知识体系框架，为知识管理（如知识库与概念图谱设计、知识创建与加工、知识运营管理等）、应用知识（如场景应用设计、门户个性化设计等）奠定基础（图 2-6）。

图 2-5　知识中心体系架构示意图

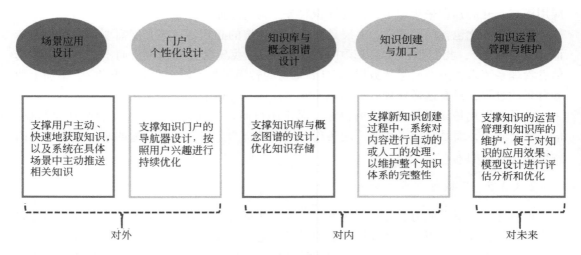

图 2-6　知识组织体系的价值

2.3.4.2　知识服务平台

知识服务平台是实现知识全生命周期管理的支撑手段。知识中心通过工具信息化系统辅助管理人员实现高效的数据采集、知识产生、更新、运营管理，并为业务人员提供在业务场景中的知识获取、共享交流的便捷应用。知识服务平台至少包括以下功能。

（1）数据/知识源采集：能够从基础知识、业务数据库、产品业务知识、管理软件、工具软件中自动或半自动采集数据知识。

（2）知识加工（解析）：对采集的各类数据进行清洗与校验，按照不同类型知识模板，映射关联关系开展知识的加工处理工作。加工处理需要根据知识的类型，运用规则分类和训练出的分类模型、属性识别模型、命名实体识别模型等，对原始信息进行知识分类、关系抽取，以及摘要、关键词等属性识别，实现从信息到知识的提炼加工。

（3）知识入库（存储）：为保证知识的质量及权威性，知识的入库需要由不同的角色检核校验后入库。加工后的知识由知识管理人员审核校验知识的专业性及质量，最后可由应用管理员检核，并将知识发布到知识库，支撑系统前端的搜索、推荐（项亮，2012）等应用。

（4）知识管理：根据平台应用的需要，对知识体系中的各种基础本体、知识本体进行管理。在元素间建立知识关系，包括业务分类间的关系、知识分类与知识对象间的关系、知识间的关系（同对象、同分类等）等，从而支撑实现知识的推荐、推理应用。

（5）知识评价：建立完整的知识评价体系，根据使用人员对知识的评价、浏览、收藏、订阅等，形成知识的评价价值等级，从而在知识应用时能搜索或推荐出具有更高价值、更符合用户意愿的知识内容。

（6）知识使用：平台实现了对企业内部知识的有序化管理之后，可以提供对应的服务应用，帮助用户实现知识的再利用。平台不仅可以根据岗位权限和工作需要提供查阅，还可以实施搜索。对于搜索出的知识，平台还具备与用户岗位相适应的管理功能，并可根据需要进行高级搜索。知识交流与分享工具能有效帮助企业内部培养学习与分享的文化，帮助用户开展知识交流与分享应用，高速高效地完成工作，并起到知识更新以及知识传承的作用。除了上述提到的知识管理与应用相关服务，以及基于图谱的智能服务等通用服务外，平台还可以针对具体行业特点和应用场景，提供特定的工业 APP，实现定制化服务。

（7）知识门户：对企业内部知识及外部相关知识进行集成，实现知识有效共享和利用。知识门户能为用户提供单一入口，使用户能够按照个性化需求，提取和使用存储在企业内部和外部的知识。

2.3.4.3　知识内容体系

知识内容是知识中心体系的核心。知识中心的核心功能就是挖掘出用于指导业务活动改进方向的"杠杆知识"，实现这一功能的前提是要开展业务分析。

业务分析通常应用于 IT 建设（软件开发）中，它是连接业务和 IT 的桥梁。业务分析是对业务需求进行引导，并在更加具体的层级进行分析，同时业务分析更加注重理解用户和业务，并设计实用性强的方法或工具，帮助业务人员提高工作效率，以此解决业务问题和利用商业机会来取得显著的业务效果。因此，业务分析是知识库和知识图谱建设的基础。通过业务分析，明确每项业务活动需要的知识、知识来源、知识形态、当前知识管理状态、知识应用形式和知识安全管理状态等内容，基于分析结果，设计知识采集加工方案、平台应用模式等，然后依托大数据、NLP 等技术，打通"数据—信息—知识"链条，构建知识库。

传统知识管理方法更多是强调知识的分类和存储，从资源角度入手保证组织知识资源的沉淀、保存。但随着知识资源的不断丰富、知识型员工获取知识的渠道和手段越来越便捷，出现了存储大量知识内容，但用户查询、应用知识的效果并不理想的情况。便捷高效的知识应用成为目前的核心工作。同时，随着员工对知识的要求越来越高，组织内部传统的知识管理方式逐渐不被员工认可，员工需要精练的知识、精准自动的推送。

知识图谱是实现多源异构数据融合处理、分析和智能应用的基础，通过知识图谱技术的广泛应用，可以将单位散落在各处的成果、档案、科研文档、标准等具有应用价值的数据进行归纳性推理，以及挖掘、提炼，使知识更能够与组织和个人的当前诉求紧密结合，促进软件成果的不断沉淀与创新，实现对各类成果知识资源的梳理和提炼，最终以同类型活动最佳实践向导的形式进行有效固化，并面向各类业务场景提供智能化、精准化服务，从而促进成果的共享与转化。

2.3.4.4 知识运营体系

1）安全策略设计

从平台服务模式、应用安全、数据安全、内容安全、网络安全，以及安全审计等方面开展综合研究工作，制定安全策略，设计安全体系，并进行平台隐私侵犯与信息泄露防护技术的研究与应用。例如，针对不同的用户，建立单独数据库表结构，做到物理存储上隔离，保护应用组织间的数据安全；在内容安全方面，将知识按照类型分级控制。通过严格的安全策略，企业实现对不同类型的知识和不同访问人群的知识分享精准控制。

2）配套体系设计

知识型组织的建设不仅仅是知识管理与服务系统的运行，更重要的是需要建设一套机制能够引导员工的思维模式和行为习惯循序渐进地发生转变，直至形成新的思维模式和行为习惯。

因此，知识中心体系的建设需要围绕着人和知识两个中心，开展流程建设、组织建设和制度建设，设计知识组织、制度流程、考核及激励机制、知识管理规范等工作。

知识中心体系建设需要明确定义知识治理活动中涉及的所有角色及其职责，以及与原组织体系的对应，如业务人员是知识使用者，业务专家是知识审核者，信息化人员是知识管理者，业务人员、信息化系统等是知识生产者。

为知识治理的具体活动设计相应的规范和流程，指定相关职责归属，明确输入与输出物，并提供相关的工具、模板等，引导知识治理活动得以规范化地开展。相关的内容有知识盘点规范，以及知识采集、加工、审核、发布的规范和流程等。

3）知识运营

知识中心在企业内部的构建和应用，实际上是一个边建边用、以用促建的过程。在此过程中，不管是知识资源，还是知识体系、知识图谱的持续优化与拓展，都需要充分发挥企业各部门各角色的作用。我们可以借鉴互联网运营的思维，设计企业应用的运营体系（图 2-7）。

图 2-7　运营体系示意图

用户运营：以用户为中心，遵循用户的需求设置运营活动与规则，制定运营战略与运营目标，严格控制实施过程与结果，以完成预期所设置的运营目标与任务。

内容运营：基于产品的内容进行内容策划、内容创意、内容编辑、内容发布、内容优化、内容营销等一系列与内容相关的工作。

活动运营：针对不同目的，设计不同类型的活动，包括策划、执行实施、总结等一系列工作。

以项目型应用为例，美国项目管理协会认为项目是一种被承办的旨在创造某种独特产品或服务的临时性努力。这样看来，每个项目都存在一定程度的唯一性特征和更大程度的重复性特征。唯一性特征决定了项目是难以通过批量处理或现成的产品与服务解决的，项目组就是为了集中优势资源来解决这些复杂问题而成立的；重复性特征则决定了每个项目的某些部分不可避免地在不同的时间、不同的地区不断地重复进行。知识管理与项目的关系主要体现在以下几个方面：①项目研究是知识密集、定向生产和沉淀的应用场景；②项目研究是知识被密集应用的场景；③可以通过显性知识管理解决项目组里的大量重复劳动；④可以通过隐性知识管理解决项目组里的复杂问题。

项目型应用需要在服务平台搭建上述描述的环境，以满足科研项目团队知识获取、共享、交流与知识积累沉淀的需求。

项目型应用的用户运营要区分项目负责人与一般科研人员，设计不同运营策略，实现拉新（吸引新用户）、留存（留住老用户）与促活（促进活跃度）。项目负责人在项目科研过程中，除了承担相应的科研任务外，还负责项目的协调管理与内部的知识管理。要针对这两项工作为项目负责人提供相应的运营服务和支持，如考虑从功能上进一步优化项目资料管理的功能；同时，也要考虑对项目负责人的激励，鼓励其引导项目团队的参与。一般科研人员则主要是希望在系统中便捷高效获得与研究任务相关的基础资料、可借鉴成果，以及与项目成员开展交流。因此，保证知识推送质量和交流便捷性是本类用户运营的要点，而这主要依赖系统功能的不断丰富与完善。例如，现在企业内部有很多沟通交流的工具，包括企业内部规定的即时交流工具、个人或团队自发组织的交流群，系统可以考虑如何与这些沟通交流工具进行融合，或者提供类似的更加便捷的沟通交流方式，让知识交流、共享与沉淀随时随地便捷发生。

项目型应用的内容运营要综合考虑内容生成、整合、传播，设计不同的运营策略。①内容生成，主要是依赖项目成员的资料分享、知识贡献、共享交流形成的内容。一方面，需要结合配套制度，将项目不同阶段需要提交的内容进行制度化；另一方面，需要配合一定的激励机制，鼓励业务人员的知识贡献。②内容整合，主要由项目负责人来完成，相当于对项目从知识管理角度进行总结分析，同时要考虑统计分析功能的支持（需要后续持续优化），实现对项目内资料、话题等的整合分析。针对项目负责人开展内容整合分析，平台为项目负责人提供相应的模板工具，利用积分等激励手段，鼓励项目负责人完成。③内容传播，受到项目知识的保密性限制，项目内容的传播需要分级、分权限设计。同时，如在内容整合中所述，可以通过脱密处理后，以项目标杆、案例形式进行传播。这种标杆项目的选择，可以根据项目任务完成情况本身进行评价选择，也可以选择在知识管理、共享方面比较好的项目。

　　活动运营策划需要遵循附着力、个别人物、环境威力三原则。附着力，即要有吸引力，设计有吸引力的活动；个别人物，即要找到促进活动成功的关键人物；环境威力，即要利用和创造恰当的时机、条件和地点开展活动。运营领域有所谓的撬动用户参与意愿的9 个活动运营法则，即物质激励、概率性事件（如抽奖）、营造稀缺感、激发竞争意识（如排行榜）、赋予用户某种炫耀/猎奇的可能性、营造强烈情绪和认同感、赋予尊崇感和被重视感、通过对比营造超值感。

　　根据活动运营法则，结合项目型应用特点，可以设置以下类型的活动。①针对项目负责人的激励与评比活动。在科研项目过程中，项目负责人是核心角色。可以针对项目负责人，设计一系列激励活动，如优秀项目负责人评选等，提高项目负责人在项目过程中进行知识分享与积累沉淀的积极性。②针对项目团队的激励与评比活动。可以从知识管理角度对项目过程进行评估，开展项目整个团队的激励与评比。项目团队的激励与评比本身实际上也是一种精神激励的方式，涉及团队荣誉以及个人的参与感。③样板工程打造活动。在内容传播中提到过，可以从知识管理角度筛选优秀的项目，建立标杆案例进行宣传。如果作为活动开展的话，可以事先选定比较具有代表性，团队成员特别是项目负责人积极性较高的项目，在项目启动之初，知识运营团队就参与进去。

|第3章| 知识中心建设探索实践

通过文献与情报分析、专家访谈、企业调研等形式，本书对国内外企业知识管理实践进行分析。整体上看，知识以及知识管理、共享应用的价值已经被充分认识到，但是从本书界定的知识中心的内涵和体系架构来看，开展完整、全面的知识中心建设的企业还很少。各企业从不同角度、程度开展了相关探索，而且对知识管理的认知也更加深刻，主要表现在以下几个方面：一是组织建设逐步受到重视；二是简单的文档管理已不能满足需求；三是开始尝试更多与业务结合的应用模式；四是智能技术的赋能作用逐步显现；五是体系建设的重要性逐步被认识到。本章将介绍在这些方面表现较为典型的几个企业。

3.1 组织建设逐步受到重视

3.1.1 埃森哲公司

埃森哲公司是全球领先的管理咨询、IT技术咨询、系统集成及外包服务机构，利用其全球共享的行业经验、知识资产以及先进的知识管理系统，成功与《财富》全球500强企业中三分之二以上企业携手合作。作为一家全球一流的咨询公司，埃森哲一直将知识管理视为公司的核心竞争优势，并将其与战略目标和业务流程紧密结合。埃森哲是自2006年以来获得MAKE奖次数最多的企业（梁林梅，2011），其知识管理目标是实现员工间的相互学习并为客户提供最优质的服务（图3-1）。

图3-1 埃森哲知识管理目标

作为一家咨询公司，人才无疑是其最宝贵的资产和核心竞争要素，如何实现个人知识的组织化，并将组织指挥能力充分发挥出来，对埃森哲来说是非常重要的。随着互联网技术的发展，埃森哲通过发动全球网络的力量，将人与信息，以及人与人连接起来。多年来，埃森哲强大的社交学习和知识管理能力一直得到广泛认可，其因此获得了多项国际知识管理奖项，如连续获得多次 MAKE 奖，获得 Bersin & Associates 2012 年"非正式学习领袖"奖、Brandon Hall 2011 年"社交学习最佳使用者"银奖及知识管理"最佳实践"公司等国际权威奖项。

作为一个综合的大型互动平台，埃森哲的专业社区能将"人与内容"、"人与专家"和"人与活动"有效地连接起来。在将知识需求和已有的专业知识进行匹配方面，专业社区发挥着不可替代的关键作用。

埃森哲对于社区的定义：社区是基于某一知识领域的虚拟组织，它通常由一个负责人、一些领域专家和一般成员组成，通过人与内容、人与专家或者人与人之间的交流，实现建立网络、促进学习、内容分享、知识资产管理等目的。

大部分社区是根据行业、子行业、专业建立的，也有部分社区是为了一个培训项目和新的热点技术而建立的，如高级项目经理培训交流社区、3D 打印社区等。专业社区以介绍本专业课题相关的内容为主，涵盖知识资产、社区活动、相关文档以及社区成员几项内容。通过"资产"，专业社区将人与内容很好地连接起来。用户可以根据文档类型搜索应用软件、交付品等，也能按照创建时间查阅和下载过去 6 个月、一年和两年内的各种资料。如果用户想和其他成员互动，则可通过"活动"加入社区活动流，参与发帖、回复和分享热门链接等各种活动。此外，用户还可通过专业社区的"成员"结识专家和其他社区成员。

埃森哲社区的成功运营离不开其组织的建设。管理社区的组织架构包括三层，分别是全球管理团队、行业管理团队和社区管理团队。

全球管理团队包括四个角色：全球社区负责人、全球沟通主管、全球能力开发主管和全球创新主管（图 3-2），主要职责为：全球社区负责人确定社区和内部网络的战略，协调总部和各地区的工作，协调各社区负责人，向公司汇报社区运行的情况；全球沟通主管协助全球社区负责人协调全球和地区、各行业团队之间的工作，与公司市场部门对接，开

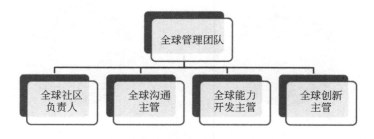

图 3-2　埃森哲全球管理团队构成

发制作内部发布的材料；全球能力开发主管协助全球社区负责人开发各行业的核心知识资产；全球创新主管协助负责人推进内部的交流和各种创新活动，与公司研发部门对接。

行业管理团队与全球管理团队近似，只是管理范围是在本行业，埃森哲共有 20 多个行业团队（图 3-3）。

图 3-3　埃森哲行业管理团队构成

社区管理团队包括社区赞助人、社区负责人、社区管理员（根据社区规模配置 1～3 名），以及专家与员工。社区管理团队大部分是兼职。社区赞助人通常是高级别的管理人员，负责设定对社区的期望和要求，指导社区的发展方向，与公司相关利益人沟通，帮助获取人财物等资源支持，解决协调社区重大事项；社区负责人与社区赞助人协同，设定社区年度的发展目标，制定经费预算并执行，组织社区的重大活动，负责与行业社区负责人和其他社区负责人的协调；社区管理员负责社区的正常运转，与技术支持团队联系解决相关问题，监控讨论区，整理发布社区显性和隐性知识资产，解答社区成员的问题（图 3-4）。

图 3-4　埃森哲社区管理团队构成

3.1.2　壳牌公司

壳牌公司是国际上主要的石油、天然气和石油化工产品的生产商和销售商。尽管成绩斐然，壳牌公司在过去几十年里依然面临许多问题与挑战，其大多数商品在差异化方面的竞争力十分有限，因此创新管理、知识管理与技术管理成为壳牌公司维持竞争优势并在未来保持市场敏捷度的关键。几十年来，壳牌公司一直将知识管理作为其核心战略举措之一。

在知识管理的组织建设方面，壳牌公司有一个全球性的知识管理职能部门——全球知识管理团队，其负责全球公司的知识管理战略制定与相关指导，直接向董事会汇报和提供

信息，并与人力资源（Human Resources，HR）部门、IT 部门紧密联系，保持壳牌公司的
知识管理建设与公司战略方向的高度契合（图 3-5）。

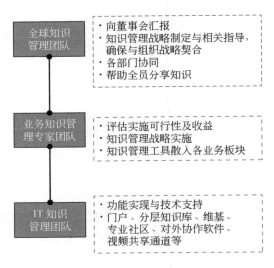

图 3-5 壳牌公司知识管理团队构成

为了达到总部方向性指导与业务单元灵活自主之间的平衡，总体知识管理战略的诠释
与实施由业务部门各自完成。因此，各业务部门都拥有自己的知识管理专家团队，负责衡
量评估知识管理新举措的可行性及其给业务带来的益处。

全球知识管理团队在各业务部门制定政策和方向时给予指导，但政策的实施则由各业
务部门完成。全球知识管理团队主要负责制定隐性知识的传播战略，如维基、专业社区，
以及 Yammer、"公司故事"系列和"经验教训"等，以帮助壳牌公司全球范围内的员工
分享经验和专业知识。正式或显性知识的管理战略和技术总体由 IT 知识管理团队负责。
这一职能通常被看成是"信息管理"，主要负责文件、文档和标准的存储、检索和维护。

3.2 简单的文档管理已不能满足需求

3.2.1 中粮集团

中粮集团有限公司（简称中粮集团）是立足中国的国际一流粮食企业，是全球布局、
全产业链、拥有最大市场和发展潜力的农业及粮油食品企业，也是集贸易、加工、销售、
研发于一体的投资控股公司。作为与新中国同龄的国有企业，中粮集团历经 70 余年发展，
在中国市场上占据领先优势，业务遍及全球 140 多个国家和地区，以粮、油、糖、棉为核
心主业，覆盖稻谷、小麦、玉米、油脂油料、糖、棉花等农作物品种以及生物能源，业务
同时涉及食品、金融、地产等行业。

为实现大型企业的组织变革，标杆管理是中粮集团最重要的知识管理方法和工具之

一。通过标杆管理，能够帮助组织建立系统，以一种完整的思维方法推动组织重新审视、改善各项工作，追求极致，让组织更有智慧。但是每个对标优化项目各个阶段过程性文档及关键里程碑重要交付文档分散在各个项目经理手中，项目中的许多经验并没有很好地被总结；项目组一旦解散，经验就难以成为组织级的知识资产。

针对标杆管理中文档管理存在的问题，中粮集团利用知识萃取技术，对文档开展深度挖掘，并在组织内有效推广及应用。知识萃取是指从结构化数据或者非结构化数据中提取可以被机器阅读与理解的新知识内容。现阶段知识萃取的概念范畴在实践过程中已经被逐渐扩大，包含了对隐性知识及显性知识的整合、加工及提炼。对经验的挖掘提炼是隐性知识显性化的过程，对文档的整理加工是显性知识标准化的过程。

中粮集团使用知识萃取 PREFS 过程方法及 STAR 内容模型，支持标杆管理办公室进行相关对标项目的知识萃取，搭建了以知识萃取项目负责人、文稿撰写顾问、视频拍摄制作人员为核心的知识萃取专业服务三人组；同时中粮集团要求标杆管理办公室协调具体对标项目的项目经理、项目成员、项目倡导者、高层管理者、辅导顾问老师等不同角色人员，共同参与到知识萃取联合项目组中。中粮集团知识萃取的交付物（即最终交付的知识产品）主要有两种：一种是文字稿（平均 1 万字），一种是微视频（平均 6 分钟）。

在完成知识萃取后，中粮集团将最终交付的知识产品放在不同的场合（如管理年会、专业研讨会、高层汇报会）进行宣传和推广，均取得了很好的反馈。例如，中粮黄海粮油工业（山东）有限公司的"提升豆粕水分、蛋白控制能力"项目是在原有生产控制水平已经很高的基础之上，依然选择挑战自己的极限能力。经过系统的思考和设计，通过 6 个快赢改善和 7 个改进方案，实现能够按照实际工况精确控制豆粕水分蛋白比例，从而超额完成了原定的目标，每年增加经济收益 490 万元。同时，该案例的经验对于其他豆粕、饲料、大米、干酒糟及其可溶物、啤麦芽等农产品加工中涉及蛋白、水分含量精确控制的生产都适用，因此对同类工厂具有极大的推广复制效应（吴庆海等，2015）。

3.2.2 中国石油大庆油田有限责任公司

大庆油田有限责任公司（简称大庆油田公司）是中国石油的重要骨干企业，主要从事石油天然气勘探开发、工程技术服务、装备制造、化工生产、生产保障、矿区服务、多种经营等业务。几十年来，大庆油田走过了不平凡的历程，不仅创造了中国石油工业史上的辉煌，也创造了世界同类油田开发史上的奇迹，为国民经济社会发展做出了突出贡献。

大庆油田公司是中国石油最早开始知识管理实践的公司，其 50 多年的油气勘探开发，积累了大量的数据资料，几十年的信息化建设，尤其是近年中国石油统建的勘探开发数据主库，为油田数据资产的保护和知识应用提供了保障。但是，主库建设是立足于数据资产的保护，其数据资料具有原始性、多版本、存储结构面向数据采集等特点，不能满足直接应用的需要。

原有的文档数据资料的简单管理方式已不能满足专业化应用的需要，将勘探人员（研究人员、管理人员、决策人员）的评价成果进行知识化，使知识成果不断继承和更新，直接指导勘探实践，是大庆油田公司开展勘探知识管理的直接驱动力。此外，将知识管理与科研成果评奖验收相结合，尊重知识、求真务实、促进成果创新，是开展勘探知识管理的另一动因。大庆油田公司提出了油气勘探知识信息的分类编目方法，基于该分类设计了勘探知识库数据模型，开发了知识管理和应用软件，在大庆油田公司开发应用勘探知识库系统、开展油气地质勘探知识管理中取得了较好效果。

以庆新油田为例，在知识挖掘方面，其搭建了井、间、站、管网统一信息系统平台，开发了集数据采集、智能分析、预警监控视频及定位监控功能于一体的生产指挥系统，实现了生产管理全面智能化。

随着单井智能管理系统的完善和数据治理体系的建立，庆新油田陆续研发和部署了机采、集输、注水、油藏、能耗五大智能应用系统，均取得了较好的应用效果。例如，在注水管理上，实现了水处理、单井调配、泵运行状态等实时监控告警及关键节点的自动操控。系统依据注采平衡、以采定注的原则，自动推送调配方案，人机互动完成方案制定，大幅降低了人工设计工作量。注水设备运行告警准确率在95%以上，注水合格率提高了8个百分点，保证了"注好水、注够水、平稳注水"，为油田的精准注水、精准开发提供了有力的技术支撑；再如，在油藏管理上，升级了传统资料录取和检查方式，资料全准率大幅提高。通过油水井生产动态异常波动自动预警，油井隐性降产、水井不达标风险无处遁形。开发指标监控由区块、月度精细到单井、每天（王洪礼等，2012）。

3.3 开始尝试更多与业务结合的应用模式

3.3.1 安永会计师事务所

安永会计师事务所（简称安永）是一家总部位于英国伦敦的跨国性专业服务公司，为四大会计师事务所之一。2020年7月28日，安永名列福布斯2020全球品牌价值100强第98位。

安永知识管理的建设实施一开始就重视与业务的结合，为业务服务，其目标是把恰当的信息在恰当的时候传递给恰当的人。恰当的信息包括客户所处的行业信息、该行业的市场状况、发展状况等；而恰当的人则是指所有参与项目并做出决定的人，他们都需要在项目的进行过程中获取相关行业资料，以便准确、快捷地完成客户需求；恰当的时间则是要确保那些项目负责人在业务过程中需要做出决定的时候，拥有足够的信息能够让他们做出正确的决定。

为了实现这一目标，安永构建了自己的业务知识中心。2003年1月16日，美国商界在上海举行知识管理论坛。安永会计师事务所知识中心董事杰夫·特罗特（Geoff Trotter）在会上表示，他们并不是为了管理而去管理知识的，他们部门之所以必不可少，是因为他们提高了员工的工作效率，从而给安永带来更多的业务和更大的收益，赢得更大的市场。例如，在安永引入知识管理之前，一份常规的跨国公司审计报告需要10位专家历时8周的努力才能够完成，而现在，如果接到一份同样的任务，安永会派遣一个5~6人组成的审计专家组，用4周时间来完成这项任务。同样地，在以前可能需要5~6位专业人士花费数周时间才能完成的草案，现在只要几个小时就能完成。因为，作为一个专业的会计师事务所，安永已经做过上千个类似的案例，草案中有 80% 的内容都是可以借鉴的：项目负责人的简历，他们所做过的一些案例，还有 20% 就是最新的行业信息资料和市场状况，以及最新的案例，所有这些他们都可以在信息库里找到。而信息库的存在也为那些从事项目的人提供了更多、更完备的信息，让他们有机会在更高的起点上完成新的项目。

为了更好地和业务结合，服务于业务效率和质量的提升，对于知识原始素材，知识管理团队会着重关注"人""过程""技术"这三个层面的信息，即这个项目都涉及什么样的人物，他们都有什么样的背景和能力，通过什么样的方法和途径来实现这个目标。知识中心的工作人员会确认并列出有用的信息，并把这些信息分门别类地纳入不同的模块。安永处理过的所有案例（在剔除掉客户敏感信息后）以及相关背景都按国别、服务线、行业分门别类地存储在信息库中。知识管理加工整理的资料还包括工作流程、工作模板、行业分析、市场分析、培训课件和研究报告等。

3.3.2　斯伦贝谢公司

斯伦贝谢公司是全球最大的油田技术服务公司，在全球 140 多个国家设有分支机构。公司成立于 1927 年，现有员工 130 000 多名，是世界 500 强企业。其知识管理理念和目标是"把公司变成为以知识为中心的团队，融合人、技术、方法和内容作为快捷而明确的行动的基础"。在此理念和目标指导下，斯伦贝谢公司的知识管理围绕具体行动开展知识的组织和共享复用，并取得了很好的效果（图 3-6）。

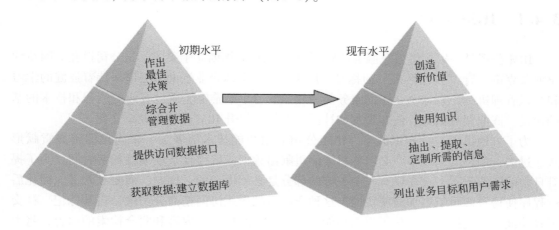

图 3-6　斯伦贝谢公司知识管理效果

在与业务结合方面，斯伦贝谢公司在业务集团内部努力将彼此独立的数字化技术、硬件设备、软件应用程序和专业领域知识有机组合成一体化专业领域技术系统，即勘探与开发、建井、非常规完井、生产管理四个专业领域技术平台。斯伦贝谢公司认为，精心设计的平台架构既能够促进各个产品和服务共同提高系统绩效，又能够利用全部数据推动系统的持续改进，还能够不断提高系统的自动化水平。

以钻井业务集团的建井专业领域技术平台为例。斯伦贝谢公司利用深厚的专业知识和大量作业数据彻底重新设计了钻井系统,以提高钻井效率和作业表现。新的钻井系统包括:①新一代陆上"未来钻机",该钻机不仅配备自动钻杆装卸装置,而且内置1000个多传感器,能够监测超过350项钻机活动,重点关注设备和过程控制以及系统状态。②依托 DELFI 环境的 DrillPlan 数字化建井计划解决方案,DrillPlan 能够同时为一个项目的作业者和各家油服公司提供全部信息和井眼轨迹设计、套管设计、钻井液设计和固井设计等各专业工程设计软件,打破专业壁垒,提高协作水平;DrillPlan 内嵌针对建井计划和作业管理的检查、审批体系,即时反馈所有团队成员关于项目的最新动态,通过模拟实现设计校验,既可以找到设计中限制条件的解决方案,又能够使执行中的项目和执行完毕的项目即时反馈预算执行情况;DrillPlan 能够有效利用邻井数据,管理作业风险,反映工程信息对作业成本和业绩表现的影响,优化项目整体运营,减少流程间延误。③全新的作业控制系统 DrillOps,DrillOps 严格对照建井计划将钻井和各种技术服务作业中的全部决策、建议纳入工作流程,完整记录井下系统采集的即时数据、地面设备数据并与历史数据资料进行对比分析,及时发现偏差、记录在案并要求审批;同样依托 DELFI 环境的 DrillOps 能够实现现场操作者、远程技术支持团队和专业领域技术专家的互动,为多维度协作的钻井项目提供独一无二的共享作业空间(曾涛和张弼弛,2019)。

3.4 智能技术的赋能作用逐步显现

3.4.1 IBM 公司

IBM 公司是一家提供信息服务的跨国公司,1911 年创立于美国,总公司设在美国纽约州阿蒙克市,有"蓝色巨人"的称号。IBM 公司的全球企业咨询服务部保持着强健的学习和知识管理机制,全球企业咨询服务部的知识学习小组希望能通过有效的流程和技术的基础建设、商业调查服务、内容管理和社区实践等,提升 IBM 的知识共享文化。

为了方便员工进行知识共享,IBM 公司应用智能技术部署了一个简化的资源贡献形式。过去,用户要完成多个必填栏目才能贡献出数据,流程复杂烦琐且耗费时间。为了提升日常的资源贡献,现在仅有三个关键的部分是必须提交的:标题、摘要和附件。简化后的程序使得资源贡献更加简便快捷。这种资源贡献形式协同精简分类法、自动标记、社交书签功能,一起提升并简化了搜索功能。自动标记所提交的内容和联合检索的内容,将大众自主创新分类和精简规范的分类法融合在了一起。用户不需要指定任何标签,技术会完成这些工作;内容被自动分析,且附有置信指数,而置信度低的内容需要再次经人工审阅。由于简化的流程和形式,预计未来的资源贡献水平会显著增加。

3.4.2 英国石油公司

英国石油公司是世界十大私营企业集团之一。公司的主要业务是油气勘探开发、炼油、天然气销售和发电、油品零售和运输，以及石油化工产品生产和销售。此外，公司在太阳能发电方面的业务也在不断壮大。英国石油公司总部设在英国伦敦。2010 年，公司资产市值约为 2000 亿美元，拥有逾百万股东。英国石油公司有近 11 万员工，在百余个国家和地区拥有生产和经营活动。

近年来，随着人工智能技术的快速发展，英国石油公司在其数据和知识挖掘获取方面投入重金。例如，在认知计算和知识图谱领域，引入了名为数据和知识的人工智能助理，开发了基于知识图谱的问答式查询服务以及基于深度神经网络的仿真建模。

英国石油公司投资开发了使用人工智能的基于云平台的地球科学平台。该平台具有一系列独特功能，包括专门设计的"知识图谱"。英国石油公司专家为平台地质、地球物理、油藏和历史项目信息提供支持。平台直观地将这些信息连接在一起，识别新的连接和工作流程，并创建英国石油公司地下资产的强大资源知识图谱。英国石油公司专家可以查询数据，用自然语言询问强大的知识图谱特定问题，然后，该平台能够使用人工智能神经网络来解释结果并执行快速模拟。

英国石油公司技术部门负责人表示，这个基于人工智能的平台可以极快的速度为地下工程师解锁关键数据。根据专家问题，平台将构建更多的场景，帮助做出更快、更明智的上游决策。这项投资有助于推动英国石油公司的数字战略，并通过尖端技术进一步巩固上游业务。这一投资还有助于将以前用于深空勘探任务的人工智能技术应用于近海勘探，加快作业洞察力和作业过程自动化。

3.5 体系建设的重要性逐步被认识到

3.5.1 西门子公司

西门子公司创立于 1847 年，是全球电子电气工程领域的领先企业。西门子公司自 1872 年进入中国以来，以创新的技术、卓越的解决方案和产品坚持不懈地为中国的发展提供全面支持。西门子公司认为成功的知识管理系统应是一个"社会–技术"系统（图 3-7）。

知识社区：试图跨组织边界形成最佳实践网络，使企业中各个领域的知识能够通过社区得到共享，使员工可以对业务的相关主题进行知识交流，充分利用已有的成功经验。

知识集市：如果说知识社区建立了人和人、人和组织以及组织和组织之间的联系，那么知识集市则提供了有关知识管理的基础设施，它通过知识地图、内联网等来进行最佳实践传输，保证所有员工能够访问最佳实践资源。

知识环境：知识环境主要是企业需要创造适合知识管理的"软"环境，即需要在企业战略及价值观等方面推进知识管理在企业的实施，在组织中形成知识交流的氛围和知识共享的文化，使员工能够有效进行"从业务中学""分布学习""虚拟团队学习"。

知识管理关键过程：建设知识社区、知识集市以及知识环境的最终目的是有效实现对企业知识过程的管理，使企业知识共享、知识应用、知识创新的水平上一个新台阶。

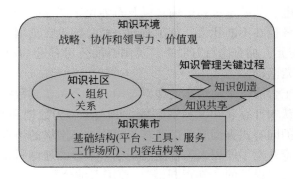

图 3-7　西门子知识管理系统观

建立最佳实践网络，进行最佳实践共享仅是西门子公司知识管理实践的开始，其还指出了一条通向成功的道路——以业务目标为导向，根据知识战略，沿着一定的知识管理路标，进行知识管理活动。它强调了一种整合思想，即应将企业业务目标、知识战略以及知识管理实施过程有机融合（图 3-8）。

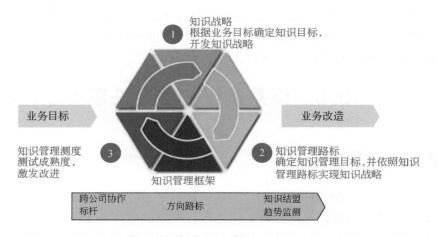

图 3-8　西门子公司迈向知识型组织的总体行动框架

在西门子公司知识管理的总体行动框架的背后，隐含着六个方面的因素，即新组织、业务变革、内容结构、工具、基础及测度（图 3-9）。

3.5.2　华为技术有限公司

华为技术有限公司（简称华为）创立于 1987 年，是全球领先的信息与通信技术（Information and Communication Technology，ICT）基础设施和智能终端提供商。华为致力于把数字世界带入每个人、每个家庭、每个组织，构建万物互联的智能世界。

华为知识管理的需求最早来自研发。因为研发对知识的共享、获取的诉求和愿望很强。十几年前，华为公司使用 Notes 办公平台时，研发部在 Notes 有 BBS 论坛，知识分

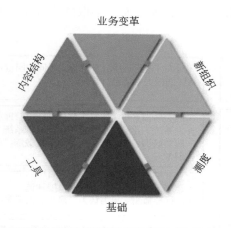

图 3-9 西门子公司知识管理的总体行动框架的六个要素

享做得很好。后来因为信息安全等原因，论坛关闭了，但是研发部门对知识的渴求一直在。因此，2008 年，华为在研发部门做了 Hi3MS。同时，在非研发部门，知识分享的呼声也越来越高。于是市场营销（Marketing，MKTG）部门牵头，建设 Connect 社区。这个阶段都是鼓励分享，有什么不懂，大家来回答；或者写个博文，大家阅读回复。

2010 年底，华为因为业务需要，从管理部门向一线传递知识的诉求非常强烈，于是就请安永做咨询，成立了公司级的知识管理项目群，启动知识管理体系的建设（图 3-10）。

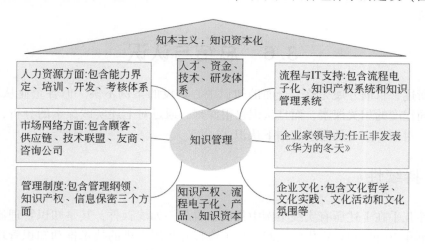

图 3-10 华为知识管理体系示意图

华为知识管理的目标是知识资本化，"华为基本法"提到，"我们是用转化为资本这种形式，使劳动、知识以及企业家的管理和风险的累积贡献得到体现和报偿；利用股权的安排，形成公司的中坚力量和保持对公司的有效控制，使公司可持续成长。知识资本化与适应技术和社会变化的有活力的产权制度，是我们不断探索的方向"。华为知识管理体系包括人力资源、市场网络、管理制度、流程与 IT 支持、企业家领导力和企业文化等方面。例如，在知识型员工管理方面，采取能力界定、培训、开发和考核等手段进行管理和培养（图3-11）。

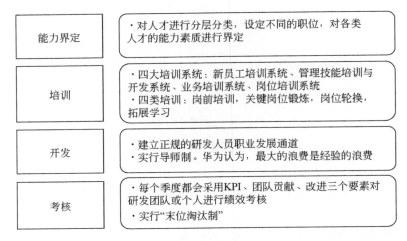

图 3-11　华为知识型员工管理措施

同时，华为非常重视公司的流程管理，将流程信息化作为知识管理的基础。华为成立专门的流程与IT部，负责所有流程和IT，初步实现流程电子化。2010年1月开始实施知识管理系统。从研发部门开始，经过多期建设推广，已经扩展到营销部门、地区分公司以及控股公司。

3.6　总结与认识

如前所述，目前开展完整、全面的知识中心建设的案例不多。但各企业从不同角度、开展了不同程度的相关探索，而且认识也很深刻。通过对上述实践探索的分析，以及笔者工作实践，对知识中心的建设有如下认识。

3.6.1　持续性

持续性几乎在上述所有实践案例中都能够看到，如埃森哲，其是知识管理流程和技术的先驱，早在20世纪90年代就已制定相关流程并利用先进的技术推动知识管理，也是近年来获得MAKE奖次数最多的企业。在埃森哲，知识管理与分享已经成为一种习惯和文化，更是其保持竞争力的重要基础。国内的华为公司也是从2008年开始知识管理建设并持续至今。笔者所在的中国石化的知识中心建设之路也可以追溯到2011年左右。可以说，知识中心建设是一项只有起点、没有终点的事业，需要制度去规范、约束和激励，需要技术、平台去支撑，以持续性地推动组织的变革，成为组织的"基因"。

3.6.2　一致性

通过案例剖析可以看到，虽然各个企业开展知识管理的背景和契机不尽相同，切入点也不同，但是那些取得良好成效的企业，几乎都是由点开始，逐步连成线、形成体，向体系化方向发展。尽管在体系化建设过程中每个侧面建设的程度和成熟度不同步，但要保证各体系要素的一致性。

以上述案例中的华为为例，前面已经提到，华为非常注重流程体系的建设，并与知识管理融合在一起。2001 年 3 月，正当华为发展势头良好的时候，任正非在企业内刊上发表了《华为的冬天》一文，这篇力透纸背的文章不仅是对华为的警醒，还适合于整个行业。接下来的互联网泡沫破裂让这篇文章广为流传，"冬天"超越季节，成为危机的代名词。在具体落地过程中，华为从企业领导力到制度与组织再到 IT 支撑，都是保持一致的。

3.6.3　适用性

"只买贵的，不买对的"这种理念和行为似乎一直被大家所嘲笑，但在现实中，很多企业犯了同样的错误而不自知。

知识中心建设虽然有一定的原则、方法可以遵循，但是仍要与企业自身的发展战略、阶段和运营管理特点等结合，不照抄照搬、不盲目跟风、不迷信所谓的"高大上"。从最初开始知识管理之际，埃森哲就将重点放在业务和使用工具的用户的实际需求上。基于对用户需求的深刻理解，埃森哲开发了易于使用的知识管理应用并定制了知识管理解决方案，以满足企业和用户的要求。埃森哲关注开发员工的能力并为其创建一个共享和协作的环境，因此其知识管理并非简单地将文档、内容上传到集中的库中，更多的是通过协作交互开展观点、想法及体验的共享，并将人员、内容与所需连接起来。经过近 20 年的努力，埃森哲已从最初建立知识交流技术平台，逐步发展到现在的社交型学习企业。

第二部分
石油企业知识中心构建之道

第4章 知识中心建设方法论

4.1 知识中心实施特点

4.1.1 知识中心的建设特点

知识中心既包括知识内容的建设，也包括相应管理组织的建设，通过对外提供知识服务，达到以知识助力组织的业务协同、提质增效、决策支撑的目标。知识中心管理系统的上线，才是知识管理开始启动建设的起点，它是用来促进建设、产生效果的。因此，一个组织的知识中心建设实施项目，是这个起点的起点，一切都是为了让它在离开建设方之后，能够正常、有效运转。而知识本身的特点，如用进废退、时过境迁等，又让这个看似平常的目标更有难度。知识中心的建设特点的详细分析如下。

4.1.1.1 建设内容复杂

知识中心包括知识从获取到存储、共享、应用的全生命周期管理，考虑到知识的类型、内容、组织具有多样性的特点，知识中心建设具有相当的复杂性。例如，知识的来源往往会比较多，包括组织内部的业务系统、其他信息化系统、网站，以及外部的资源库、专业网站、相关信息化系统等。而不同的应用对于知识的定义也不尽相同，知识的原始素材也大相径庭，因此要求的知识加工技术也不一样，往往需要将数据采集、数据挖掘、人工智能、大数据分析等各种技术融合应用，在技术实现上具有相当的难度。

除信息化系统建设外，为了知识中心的稳健运营长期有效，需要设置配套的团队，需要制定其活动的规范，这些管理体系的建设也是知识中心的重要内容，而且在知识中心上线运行之后，它对于知识中心的运营效果的影响会比信息化系统本身更加重要。因此，知识中心的建设，不仅仅包括 IT 技术，还包括管理策划和实施，建设内容是比较复杂的。

4.1.1.2 外部对接复杂

知识中心的定位注定其必然上接各种应用或业务，下接各种数据，因此可谓提供者和消费者众多，所以对于知识中心建设来说，外部的对接沟通比较复杂。

虽然知识中心重在平台建设，包括组织大而全的知识库以及全面易用的管理系统和服务机制，但是在这个用户消费个性至上的时代，用户必然期望知识中心提供的服务是最贴近其需求的，即能够提供准确的知识内容，采用符合业务逻辑的方式组织知识，并且能够使用极简化的方式应用知识。为此，在需求端需要与各种用户群体代表沟通，以收集全面的需求，并分析和设计出典型的应用模式。之后，又要依据这些需求获取相应的知识，这就必然要和各种知识源打交道，数十个系统的数据大集成已经变成日常的需求，而这些系统的情况也千差万别，彼此之间的对接首先要做到人的对接，其次才能做到数据对接。

4.1.1.3　内部管理复杂

为了应对上述复杂的系统建设、外部多重沟通，势必需要组建完整、职责清晰的团队开展知识中心的建设，而且往往需要建设单位和应用单位组成联合团队，这导致内部团队管理的复杂性。

越来越多的实践证明，在知识中心的建设中，应用单位的早期参与和深度参与设计对于达成知识中心的应用效果是非常关键和有效的。其中，业务组主要代表各种业务的用户群体，提出需求、验证应用效果；实施组主要对接各数据源，提供数据接口，建设运营保障制度、规范，并尽早熟悉知识中心的系统和应用。而建设单位与应用单位有各自的工作风格、节奏、汇报机制、管理要求，双方的磨合就是项目团队能够有效工作的前提。

综上所述，可以判断，知识中心的建设不仅是系统工程，而且是复杂系统工程。为此需要有一套成熟稳定的方法论，来指导整个知识中心建设工程的有序推进，本书采用的是企业实施知识工程的方法论——DAPOSI。

4.1.2　DAPOSI 诞生背景

企业知识中心建设，实际上就是实施知识工程，这是个系统变革的过程，涉及企业的各级人员、流程、信息管理系统等方面。建设前后的状态差异主要包括两个典型的标志：一是在企业中运行的知识中心和与之交互的业务系统；二是企业成员对应用知识改善个人业绩的主动性，和产生知识为企业创造价值的主动性，也就是企业文化的变革。这样的变革不可能一蹴而就，需要一个过程来通过指导使有关理念循序渐进地深入企业和员工的肌体中，即企业实施知识工程的方法论——DAPOSI。

我们的团队从 2007 年开始，有幸作为中国最早专业从事创新方法推广研究的队伍之一，始终与各行业的企业、政府组织、高校一道探索如何推进创新方法的落地应用。在实践中，客户经常提的问题有创新的知识从何而来？如何管理？如何对业务产生效果？如何保持知识的持续创新和增值？这些促使我们一直在思考：如何在团队内部、与客户的沟通中对这些理念、定义达成一致？如何系统地梳理知识工程的全部建设内容，如何引导实施团队稳定地、一致地为不同行业、不同类型的客户提供知识工程实施服务？我们需要一套方法论来囊括这些期望。于是在 2013 年，我们基于多年的知识工程实践，提出了企业实施知识工程的方法论——DAPOSI。之后不断在实践中对其进行完善和调整，使之适应中国企业的特点和知识工程建设的要求，迄今该方法论已经基本建成全套体系。在建设石油石化行业知识中心的过程中，我们依据行业特点调整了DAPOSI，形成了 DAPOSI-S 方法论，之后的案例分析都是基于这个方法论实践的成果。

4.1.2.1　DAPOSI 的名称

DAPOSI 包括六个阶段：定义（Define，D）阶段、分析（Analyze，A）阶段、定位

（Position，P）阶段、构建（Organize，O）阶段、模拟（Simulate，S）阶段、执行（Implement，I）阶段。它们的含义如下，定义阶段：要定义项目；分析阶段：要分析业务需求，设计知识体系；定位阶段：找准技术突破点、验证技术路线；构建阶段：构建整个系统；模拟阶段：模拟生产环境进入系统试运行阶段；执行阶段：交付系统进入正式运行阶段。每个阶段名称的首字母就组成了方法论的名字，正好与中文的"大博士"发音类似，所以大家也就习惯了称它为"大博士方法论"。

4.1.2.2 DAPOSI 的理念

作为一个针对企业实施知识工程的专业的方法论，它的理念包括以下三个方面。

1）面向企业业务，面向企业战略目标

DAPOSI 是企业自上而下地实施知识工程的策略，以知识的产生和应用为主线，整合企业管理的各个环节。

2）以项目为基础，以知识继承和创新为手段

DAPOSI 认为企业生态系统是一个自适应复杂系统，企业生存的要诀是不断提高适应环境的能力。而企业的遗传基因就是知识，知识的继承和创新决定了企业的适应能力。DAPOSI 以自适应复杂系统理论为基础，采用知识获取的文档化与结构化（Knowledge Acquisition Documentation and Structuring，CommonKADS）方法（Schreiber，2003）建模梳理企业知识以实现继承与共享，以知识挖掘为核心技术实现知识创新。在实践中，DAPOSI 采用项目管理方式，完成与此业务配套的知识梳理，建设能够适应企业生态环境变化的知识工程系统。

3）提高业务流程的知识性，改进企业绩效

知识是信息之间的相互关联，通过对业务流程在时间和空间上的知识挖掘，寻找其背后的规律，从而提高企业的市场占有率，改进企业绩效，这是实施知识工程的目的，也是检验其是否有效的标准。

这三个方面分别描述企业按照 DAPOSI 方法论实践时的需求来源、实践过程和最终效果。

4.1.2.3 DAPOSI 的实施目标

企业按照 DAPOSI 实施知识工程，最终能完成什么变革性的发展呢？我们可以用三句话来描述 DAPOSI 的实施目标：业务流程可视化，业务活动知识化，运营结果预知化。

1）业务流程可视化

可视化是研究数据表示、数据处理、决策分析等一系列问题的综合技术。将其用于知识工程系统，能够丰富知识的展示方式，如复杂的关联关系、模型等，也可以提高用户的兴趣。而将其用于业务流程，即在业务运营的过程中，根据执行的活动采用合适的可视技术，使业务系统的状态显现出来，使人们能方便、快捷地了解系统的状态、可能出现的问题，同时提供相应的应对措施、经验、方法等，就能够进行有效的风险规避，从而提高项目的成功率。

2）业务活动知识化

业务活动是为企业达成业务目标而执行的增值活动。无论是制造型企业还是服务型企业，都有自己独特的赖以生存的业务流程，这个流程中的活动就是业务活动。当然，我们关注的是那些重要的增值活动。

所谓知识化是指在真实的知识工程系统中，找到每个业务活动需要的信息、数据，以及彼此之间的关联，甚至是挖掘出的变化趋势。这些知识能够显著地提高业务活动的效率，引导业务活动改进的方向。

3）运营结果预知化

业务运营才能真正得到价值，实现企业的目标。如果能够提前预知效果，对于企业而言，其就能够提前做好预防措施，这就是知识的价值。有些人会倾向于把这种能力称为智慧。随着运营数据越来越大，结合数据挖掘技术，人们对运营结果的预测会越来越准确，知识的增益价值也就越来越明显。

总体而言，这三个目标的关系如图 4-1 所示，业务流程可视化与业务活动知识化是基础，运营结果预知化才是最终目标。

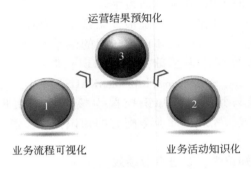

图 4-1　DAPOSI 三个目标的关系图

4.1.2.4　DAPOSI 的实施成果

企业完整地实施一次 DAPOSI，最典型的成果包括以下三个。

1）知识体系设计

知识体系设计要解决的是知识工程"管什么""用什么"的问题，包括对知识内容的设计和对所有知识的组织结构的设计。

传统的知识体系的核心是知识分类，构建知识树。分类是基于一套结构化的名称和描述，将资源加以组织的方式，知识分类通常基于设计好的逻辑组织，使企业能够高效地检索和共享知识。然而当今我们应用知识的方式发生了很大的变化，因为知识有着广泛的内容和特征属性，基于这些属性能够在知识之间建立起多种联系，通过知识的关联，能够实现知识的多维、动态的扩展、聚类和分类。因此，新兴的知识体系的核心是知识关联，建成知识网络。

DAPOSI 中的知识体系设计包括四个内容：知识分类设计、知识关联设计、知识模板设计、知识库设计。

2）知识工程系统

企业实施知识工程，严格意义上讲，知识工程有始无终，需要企业持续投入，系统持续运转，因此这样的一个支撑系统是必需的。它是整个知识管理体系中的 IT 支撑，在线上层面解决好知识管理采、存、管、用的问题，能够满足基本的知识管理与业务应用的需求，典型的功能包括：信息源采集、知识挖掘、知识全生命周期管理、知识服务、业务场景化应用，以及系统管理、安全管理、运营支撑等。

3）运营保障系统

知识工程系统，与其他信息化系统或业务应用系统的一个显著区别在于，它不是上线后就会自动地伴随着业务开展运行下去的，知识对于业务的伴随和支持作用，总是需要用户多多少少地主动一些，如查询、判断、筛选、创建等，换言之，知识运用也要做功。然而，单纯靠用户自觉自愿是远远不够的，除了在软件系统开发中考虑更多的自动化、智能化因素外，还需要从管理制度上加以引导和约束，这就是知识工程系统运行必须配备的运营保障系统。

运营保障系统可以分为两个部分：保障子系统和运营子系统。前者以企业内部管理文件的形式设计知识管理需要的组织设置、流程建设、制度建设、资金保障机制以及考核与激励措施，从线下管理层面解决好知识管理谁来管、怎么管、何时管的问题。后者的目标是要在知识工程系统上线之后，通过增加用户黏性的运营活动，使知识管理系统的知识内容不断丰富、用户活跃度持续提升，让越来越多的用户爱用知识管理系统。只要有人用，就能够发现新的需求、改进的要求，就会有新的知识产生，整个体系就会步入良性循环，实现运营让知识创造价值的核心目的。

因此，我们可以这样说：保障子系统是静态的，运营子系统是动态的，只有两者结合，才能让知识工程系统长久有效地运行下去。

4.2　DAPOSI 的实施方法

4.2.1　DAPOSI 的流程与步骤

参照周元等（2020）的《AI 时代的知识工程》，DAPOSI 整个流程分为 6 个阶段 18 个步骤，如图 4-2 所示。

4.2.1.1　定义阶段

定义阶段的目标是，策划项目整体方案并完成立项。定义阶段的总体思路是，分析需求，包括收集企业的战略发展方向、组织结构和管理模式，识别企业各业务、各层级人员对知识工程的业务需求；明确企业实施知识工程的目标、范围、建设路线、团队等；制定合理的项目整体实施方案。这个阶段的里程碑是通过立项评审。

1）D-1：项目可行性研究

D-1 步骤的目标是通过需求调研与分析，对企业实施知识工程的可行性进行分析，为项目立项提供可行的依据，判断项目是否应该投资。

D-1 步骤包括企业需求调研与分析和项目可行性研究两个活动。

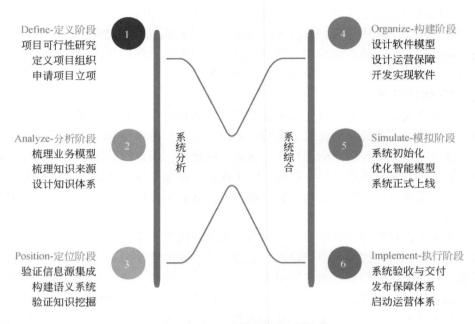

图 4-2　DAPOSI 的流程与步骤图

此处的需求调研与分析，是以准备立项、明确需求为主要目的的，是为可行性研究和项目立项找输入，因此涉及的内容要全面，还要在一些重要的业务方向上具体、深入，能够切到痛处。基于此，知识工程项目的需求调研与分析活动，从知识工程理念宣贯开始，为不同层级的人员设计不同的调研与分析内容和方式方法，最终形成需求调研分析报告。

基于调研分析报告，开展企业实施知识工程项目的可行性研究活动，输出可行性研究报告，内容包括：企业现状、实施知识工程的需求分析、项目目标、项目实施范围、可选方案与风险分析，以及效益分析。

2）D-2：定义项目组织

基于 D-1 步骤的输出"企业实施知识工程项目的可行性研究报告"，准备立项，本步骤关注的是项目团队组成，采用的方法主要是项目管理中的项目策划的干系人管理。

3）D-3：申请项目立项

D-3 步骤的目标是完成项目立项的准备、评审，得到企业对于立项的决策结论。

4.2.1.2　分析阶段

分析阶段的目标是根据业务需求建立业务模型，根据知识需求建立知识体系，总体思路是围绕客户选定的业务范围，梳理业务模型，然后根据业务发展的需要，梳理知识来源，设计知识体系框架。

不同行业的知识体系会呈现出巨大的差异，针对石油石化行业的企业知识工程实施方法论，就需要对 DAPOSI 进行定制化，这里称为 DAPOSI-S。那么，DAPOSI-S 的行业化定制就从这里开始，分析阶段包括三个步骤。

1）A-4：梳理业务模型

A-4 步骤的目标是按照本项目定义的实施范围，对企业的业务运营及其过程中知识应用的场景进行调研与分析，确定企业的业务模型及伴随的知识。

在业务分析中，常用的方法主要是流程梳理和知识梳理。流程梳理的方法有 SIPOC 模型[①]、流程图等。SIPOC 模型可用于流程的框架梳理，它关注流程的几个方面：供应商及输入、流程、客户及输出。我们面对的企业工作流总是比较复杂，会有多个层次，因此流程梳理的工作可以按照 SIPOC 模型逐层分解，按照一级流程、二级流程逐渐细分至合适的颗粒度。知识梳理主要参考 CommonKADS 中的知识模型和 5W1H 知识模型（图 4-3）。

图 4-3　5W1H 知识模型

在实践中，业务分析的过程是：业务流程梳理→业务活动梳理→业务知识梳理。需要提醒的是，业务分析的过程是与业务人员（即知识工程系统未来的用户）密切沟通的过程，要更多地了解业务人员对于知识的真正想法，不仅要倾听他们当前的诉求和建议，也要传递知识工程的理念，激发他们内心深处对于知识、智慧的深切渴望，这样才能挖掘到真正的需求。

2）A-5：梳理知识来源

A-5 步骤的目标是明确项目所需知识的来源，了解当前管理状态，为信息集成和知识挖掘定义需求。它要解决的问题包括：知识是什么？来自哪里？数量多少？如何管理？如何应用？其他系统如何获取这些信息？信息更新的频率？这些信息可以集成后直接使用，还是需要经过处理才能满足用户应用需求？

梳理知识来源的流程如下：①根据业务对知识的需求，汇总本项目实现的业务系统的知识范围；②梳理能够提供或产生这些知识的来源，包括企业内部、外部的信息系统，以及网络、人员等；③通过调研这些信息来源，确认可用的信息源及其状态，形成系统集成的需求；④初步分析知识需求与这些信息之间的关系，收集知识挖掘的需求。

---

① SIPOC 模型是戴明提出来的组织系统模型，其中"S"代表 Supplier，即供应商；"I"代表 Input，即输入；"P"代表 Process，即流程；"O"代表 Output，即输出；"C"代表 Customer，即客户。

3）A-6：设计知识体系

在 DAPOSI 中，知识体系围绕业务、对象、成果三个要素进行设计。这个步骤的目标就是根据业务分析和知识源调研的成果，设计企业的知识体系框架。

知识体系设计的流程如下。①与客户的业务专家沟通，在业务活动的场景中，用户最期望获得的知识内容和应用方式，设计企业的知识体系。由知识应用需求，设计知识分类和知识关联；由知识内容需求和分类、关联的设计成果，设计出具体的知识模板。②项目经理组织业务专家组，评审知识体系设计成果。因为知识体系对于知识工程建设是个重要的基石，所以这个设计成果通常需要经过客户的正式评审。

A-6 步骤常用的方法有：知识组织中的分类法、本体论，人工智能中的知识图谱，数据仓库中的多维分析，以及软件工程的需求分析等。

4.2.1.3 定位阶段

定位阶段的目标是设计从信息采集到知识挖掘的技术路线，并验证关键点，工作思路是按照设计的知识体系框架，梳理其信息源，设计相关的信息系统集成方案；然后选择适当的知识挖掘方法，确保数据→信息→知识的正确转换，从而形成从信息集成到知识挖掘的完整技术路线，如图4-4所示。

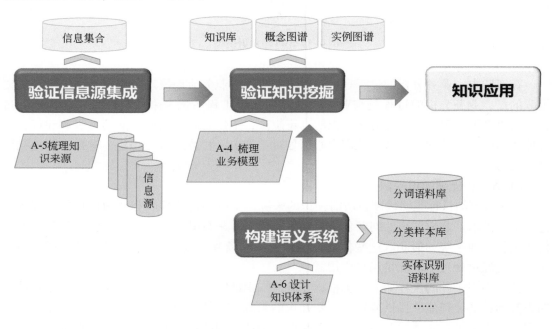

图 4-4　定位阶段的思路图

1）P-7：验证信息源集成

P-7 步骤的目标是完成信息系统集成和数据采集的方案设计和技术实现方法的验证，确认信息可得，为知识挖掘做好准备工作。这个步骤的操作流程如下：①制定信息源集成的总体策略；②为每一类/个信息源制定集成开发方案，内容包含信息集成接口设计、数据采集模板和安全集成设计；③实现每一类集成开发方案，用实际系统验证其可行性。

信息源集成的方法可以参考数据仓库中的抽取、转换、加载（Extract，Transform and Load，ETL）方法，从各数据源抽取数据，然后经过转换处理，加载数据到数据库中等待知识挖掘。

2）P-8：构建语义系统

在 P-8 步骤中，要根据初步设计的知识挖掘技术路线，选择适合的算法、模型，建立相应的各类语料库、样本库、字典等，为下一步骤的技术路线验证做好准备。

P-8 步骤的处理流程如下：①根据设计的知识体系，梳理需要知识挖掘的内容，形成知识挖掘的业务需求说明书；②设计知识挖掘总体方案和关键环节的具体技术路线；③与客户的业务专家合作，为每一个挖掘模型建立种子语料库、字典库，准备开展技术预研和验证。

对于不同的行业来说，语料库的差异性很大，因此 DAPOSI-S 的第二个行业定制化内容就体现在这里，需要建立石化行业的专业语料库，包括中文分词语料库、自动分类语料库、命名实体识别语料库等。

3）P-9：验证知识挖掘

P-9 步骤的目标是根据 P-8 步骤设计的语义系统的技术路线、基础模型和种子语料库，验证其技术路线是否能够达到知识挖掘的要求。

P-9 步骤的工作流程如下：①根据项目需求明确总体及各分项知识挖掘的技术指标；②与业务专家组合作，收集适量的样本，训练模型扩充样本库，优化技术路线，以确认各分项以及总体技术路线能否达到知识挖掘的要求；③如果确认在项目给出的预研周期内无法达到知识挖掘的要求，则反馈给相关人员，调整业务分析和知识体系设计的内容，以平衡业务需求和技术实现；④如果需要外包商参与，则启动相应的技术调研、测试或招标活动，之后按照正式的外包管理流程签订正式服务协议和技术集成开发。

这个过程中涉及的方法很多，也很有挑战性，如 NLP、知识图谱、机器学习、深度学习、图像处理、数据挖掘、大数据分析。如果有外部采购，可以参照系统工程、软件工程中的供应商管理方法。

4.2.1.4　构建阶段

构建阶段的目标是设计和实现软件系统，并通过系统测试；设计保障体系和运营方案。工作思路是按照软件开发的流程和规范，完成软件系统的设计、开发和 Alpha 测试，并按照实施方案的要求，完成保障体系和运营体系的方案设计和文档化开发。这个阶段重要的里程碑是软件 Alpha 测试通过，保障体系设计和运营方案评审通过。

此时整个团队才进入软件系统的开发。回顾整个 DAPOSI 流程，软件系统开发与 DAPOSI 的关系如图 4-5 所示。由此可见定义、分析、定位三个阶段实际上都是软件系统开发的需求分析，在构建阶段要完成软件系统的知识库设计、软件模型设计、保障运营设计，以及系统开发实现；之后，在模拟和执行两个阶段进行系统的试运行、优化、正式上线和项目验收。

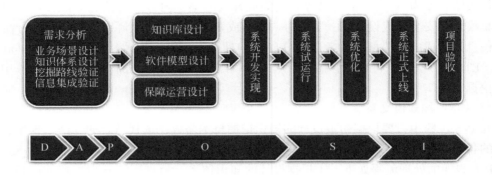

图 4-5　DAPOSI 的软件系统开发流程

1）O-10：设计软件模型

O-10 步骤的目标是设计软件系统，包括系统设计、功能设计、部署设计、测试设计。

软件设计中也包括知识库设计，不过 A 阶段已经完成知识体系设计，从知识体系映射到知识库设计是很简单的，主要用的是知识的分类设计和模板设计，所以在本步骤中知识库设计不作为重点描述。软件系统设计的方法，可以参照系统工程和软件工程，这在业界都是比较成熟的方法。

2）O-11：设计运营保障

企业知识工程建设的保障系统和运营系统合称为配套体系。保障系统包括三个内容。

（1）组织设计。建立知识运营团队，设立专职与兼职的岗位，明确职责分工与管理办法。例如，在业务应用场景中，帮助用户获取需要的知识，创建新的知识（如案例经验）并提交入库；在知识社交环境中，专人每天提炼精华内容，形成新知识并入库。

（2）流程与制度设计。设计与知识活动匹配的制度，引导员工正确地理解与知识相关的权利和义务；设计与知识活动匹配的流程，明确知识服务平台与业务流程系统的关系，引导员工正确地应用系统，并为用户参与知识活动提供相应的支撑。

（3）激励设计。完善相关激励制度，支持定期或事件驱动的奖励，为知识运营筹集财务或非财务资源的支持，促进新知识的产生和共享复用；为知识运营的管理者提供相应的管理要求与绩效考核办法；为用户参与知识活动提供相应的考核办法，如贡献知识、应用知识。

运营系统的主要工作内容是运营方案设计，即实现用户、内容和活动的一体化运营设计，并通过运营数据分析，驱动知识工程系统的持续优化。在 O-11 步骤中，要为客户长期运营知识工程而设计保障体系和运营方案。它的输入包括：项目实施方案、系统或模块设计说明书、客户单位的 IT 系统运营标准与规范、组织架构及职责说明、HR 激励与绩效考核办法、制度发布或条目更新管理要求等。输出是"××企业实施知识工程的保障体系设计说明书""××企业实施知识工程的运营方案设计说明书"。参照的方法主要是产品运营，内容包括用户运营、内容运营、活动运营、持续优化。

3）O-12：开发实现系统

项目组要在这个步骤完成整个系统的实现，既包括软件系统也包括配套体系，具体任务是：开发软件系统和系统测试；按照保障体系与运营方案的设计，完成全套保障体系内容开发和运营方案开发；准备系统试运行。

这个过程中参照的方法主要是软件工程的配置管理、验证、原因分析、供应商管理、集成产品与过程管理等方法和产品运营方法。

4.2.1.5　模拟阶段

模拟阶段的目标是在模拟环境中确认系统能够达到交付标准，满足客户对于系统发布的前提（如通过系统发布评审），正式上线运行，准备系统交付和项目验收。这个阶段的思路如图 4-6 所示。

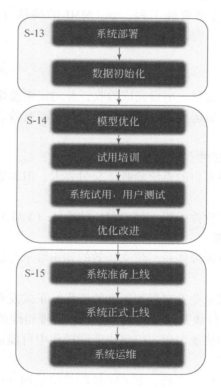

图 4-6　模拟阶段的思路图

1）S-13：系统初始化

S-13 步骤的目标是为在客户的模拟环境中运行系统做准备，包括准备需要的文档资料，搭建环境，并导入已梳理好的语义系统初始数据和试验用的数据。

S-13 步骤依据的方法可以参考软件工程，如 CMMI[①] 的确认（VAL）（Ahern，1988）。

---

① CMMI，即 Capability Maturity Model Integration，能力成熟度模型集成。

2）S-14：优化智能模型

S-14 步骤的目标是使用初始化数据验证关键的知识挖掘逻辑，并对需要训练的规则、算法进行调优，以达到最佳功能和性能指标；同时按照计划撰写软件配套文档，准备系统正式上线。

这里面可以参考的方法有：MLP、机器学习、深度学习、图像处理、大数据分析、软件工程［如 CMMI 的验证（VER）］（Ahern，1988）。

3）S-15：系统正式上线

S-15 步骤的目标是在模拟环境中确认系统能够达到交付标准后，正式上线运行，满足客户对于系统发布的前提，准备系统交付和项目验收。

S-15 步骤可参考的方法是软件工程，如 CMMI 的确认（VAL）和组织培训（OT）（Ahern，1988）。

4.2.1.6 执行阶段

执行阶段的目标是系统交付，项目完成验收，并约定系统维护的服务事宜；保障体系和运营方案正式发布，并开始运行，以推动知识运营长期有效。这个阶段的里程碑就是项目验收完成。

1）I-16：系统验收与交付

I-16 步骤的目标是按照客户的系统验收、交付要求，组织客户专家对系统进行验收测试和交付评审。

I-16 步骤参考的方法是软件工程，如 CMMI 的确认（VAL）（Ahern，1988）。

2）I-17：发布保障体系

I-17 步骤的目标是交付保障体系，建立长效的知识继承与创新的企业文化与相应的管理支撑措施。

实施过程如下：①按照企业发布管理制度的流程，正式发布本企业的"企业知识工程系统的保障体系""系统运行规范与工作标准"；②安排相应的培训，以便企业员工遵照执行；③安排一段时期内的热线沟通，以解决实际操作中可能遇到的各种问题，适当时增补或修订此制度和标准。

I-17 步骤参考的方法是软件工程，如 CMMI 的组织培训（OT）。

3）I-18：启动运营体系

I-18 步骤的目标是交付运营方案，并启动运行；项目结项，并开展复盘工作；按照与客户的约定，提供持续的服务。

I-18 步骤的实施过程如下：①按照运营方案制定具体行动计划，开展相应的活动，以确保知识常用常新，知识工程系统永葆活力；②组织客户方的项目结项正式评审；③与客户约定后续服务的内容、形式、支付方式、周期等事项，形成正式的合约文件；④组织项目复盘活动，为组织积累知识；⑤组织内部的项目结项会议。

I-18 步骤参考的方法包括两类：①产品运营：用户运营、内容运营、活动运营、持续优化；②软件工程：I-18 步骤参考的方法是项目管理，如 CMMI 的确认（VAL）（Ahern，1988）。

4.2.2　DAPOSI 的效果判断

无论是否采用 DAPOSI，中国已经有很多企业正在或已经实施了知识工程。然而各家进行知识工程的能力不同，知识对企业运营的支撑能力也不同，产生的价值差异很大。如何判断企业实施的效果呢？为了帮助企业较为客观而快速地判断自身定位，以便制定出最佳实施策略和方案，本研究参考 CMMI 的组织能力成熟度模型（Ahern，1988）和中国智能制造能力成熟度模型，设计了知识工程成熟度模型（Knowledge Engineering Maturity Model，KEMM），如图 4-7 所示。

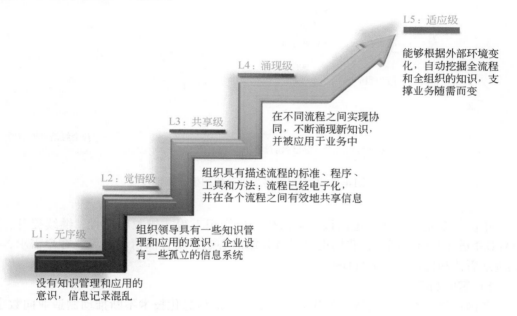

图 4-7　KEMM 图

KEMM 聚焦于企业在知识管理和应用方面的表现。由图 4-7 可见，L1 ～ L3 的重点在知识管理建设，L4 的重点在知识的工程应用和创新，L5 是企业知识中心建设的最终理想目标：智能化的知识系统帮助企业的业务自动适应市场的变化。

除 KEMM 外，还可以参考国家标准对企业实施知识工程的情况进行判断。《企业创新方法工作规范》（GB/T 37097—2018）规定了企业开展创新方法工作的要求，适用于实施知识工程的企业。与之配套的企业创新评价体系，用于评价企业了解自身能力的程度和执行效果，它包括一套规范性指标和一套有效性指标。

规范性评价聚焦在实施过程的规范性上，针对每一条评价标准，只需要给出企业是否符合标准的二选一结果。

有效性评价主要是从创新的绩效方面来做出量化的评价，包括三个维度：创新工作成效、创新人才培养和知识产权增值。知识产权增值与知识工程实施效果直接挂钩，评价指标包括：①知识积累，知识入库内容的总量与年度增长量；②知识创新，当年入库的知识且归类为创新型知识的总量；③组织建设，专职或兼职的知识管理员数量；④应用规模，知识中心的活跃用户数量、应用的项目或团队数量、应用单位自建的专题数量等。

4.2.3 DAPOSI 与时俱进

当今世界经济发展已经步入了知识经济时代，如图 4-8 所示，知识已经成为不可或缺的生产要素（赵安顺，2001）。

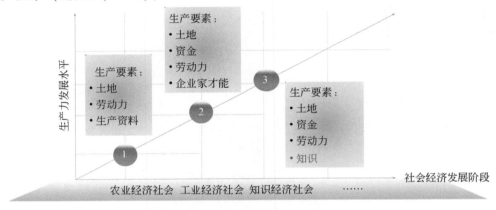

图4-8 社会经济各发展阶段的生产要素转变

中国的企业发展到一定阶段，必然要经历知识工程才能脱胎换骨、继续提升，所以 DAPOSI 适逢其时。同时，我们也要保持开放的心态，结合国情和市场、客户需求，与时俱进地看待和优化完善 DAPOSI。

1) 智能制造

各国都将发展智能制造作为其战略核心，借助信息化技术不断推动制造业向数字化、网络化、智能化发展，实现全面感知、实时分析、科学决策、精准执行、主动优化，向绿色化、服务化转型。在可以预见的未来，以智能制造为代表的新一轮产业革命，将是释放未来竞争力的关键。

中国电子技术标准化研究院发布的《中国智能制造能力成熟度模型白皮书》，提出了中国智能制造能力成熟度模型，如图 4-9 所示。可见，数字化对应 L1 和 L2，网络化对应 L3 和 L4，智能化对应 L5。企业知识中心的建设和 DAPOSI，恰好着力在 L4，能够帮助企业基于知识实现业务优化。

2) 工业互联网

近几年，智能制造领域有了新的关注热点：工业互联网。按照工业互联网的思路，是要把全产业链、全价值链的全要素进行全面互联、挖掘价值，推动我国工业转型升级。

与此对应，本研究对 DAPOSI 的三个目标有了新的理解，如图 4-10 所示，DAPOSI 三个目标与工业互联网的目标是完全相容的。

"业务流程可视化"关注的是使不可见的要素可见，"业务活动知识化"关注的是使不可互联的要素互联，"运营结果预知化"关注的是使不可计算的要素可计算。因此，

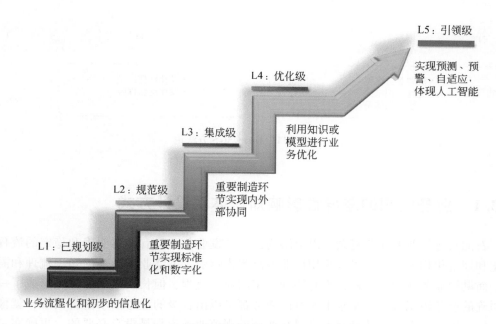

图 4-9 中国智能制造能力成熟度模型图

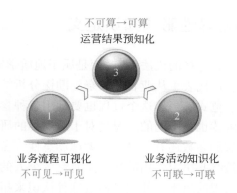

图 4-10 DAPOSI 三个目标与工业互联网的目标相容

DAPOSI 符合工业互联网的思路，能够帮助企业实现工业互联网的这部分内容。

4.3 DAPOSI-S 的行业化内容

对于石油石化行业来说，知识中心建设的差异性的根源来自业务的差异性，由此带来知识的差异性，从而导致一系列知识中心实现上的差异性。基于 DAPOSI 方法论应用于石油石化行业的知识工程实施，我们形成了 DAPOSI-S 方法论，如图 4-11 所示，定制化的内容主要在分析阶段和定位阶段。

本节将详细分析石油石化行业的差异性带来的知识中心实施中的行业化特点。

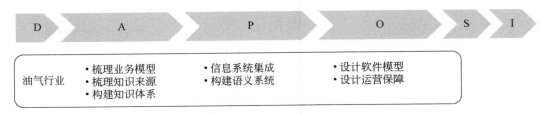

图 4-11　DAPOSI-S 方法论

4.3.1　业务组织的差异性影响知识体系设计方式

石油石化行业的业务复杂，以上游为例，开发业务还具有相对明确和稳定的流程，标准化和规范化程度较好，可以采用以业务流程为牵引，围绕业务活动的知识梳理和需求收集。而勘探业务就很不一样，没有明确稳定的业务流程，但长期以来业界也形成了一套相对明确的业务组织方式。基本上所有的业务都可以由各级的业务活动组合而成，就像搭积木一样。因此，在业务活动之上去寻找所谓的规范业务流程是没有必要的，也确实是没有的，但是我们可以围绕业务活动来梳理知识和需求，这是相对稳定的业务单元。

4.3.2　业务思维的差异性影响知识定义

以勘探业务为例，业界有这样的说法："勘探是属于地质学家的认识。"这既是对勘探业务的复杂性达成的共识，也代表了从业者的无奈。勘探分析综合性强，分析复杂，影响因子很多，没有统一标准、范式。当然这个过程也要运用各种参考资料，但即使面对同样的东西，经验不同的人的解读也是不同的。况且对于地质类的研究，有些即使能确定某些参数可供参考，但不同区域的参数还有差异，再考虑动态性，参数的可参考性需打折扣。

所以在勘探研究中，最终起决定作用的往往是研究者个人的隐性知识。那些好的研究者往往更具有哲学思想和宏观的思维，他们是通过这种认识来指导业务开展的，这就是不同级别研究人员认知水平的差异。这就带来了石油石化行业知识定义的差异性，因为我们更需要的是规律、模型、经验类知识，由这些知识来指导研究人员的业务开展。

4.3.3　数据的差异性影响技术实现方式

油气业务与数据支撑密切相关，数据资源总量和数据类型均呈现快速增长的状态。在数据类型方面，除结构化数据外，还有实时数据、图形文档数据、音视频数据、GIS 数据、专业格式体数据等多种类型数据；在数据量方面，近年来设备实时数据、音视频数据以及图形文档数据的总量增长速度较快。除此以外，各种数据量也差异很大，如体数据动辄几太字节；各种数据产生的速率差异也很大，有的一年产生一个，有的每秒都在更新。

同时，这些数据的来源也多种多样，除了石油石化行业的企业或组织内部，研究类业务还需要大量国外资源，它们也各不相同，如 IHS 公司提供的是基础数据库，C&C 提供的就多是认识、类比性的结果，IHS 公司提供的文献倾向于规律总结和认识。这些不同的数据源带来的不仅仅是知识内容需求不同，也带来了数据集成的不同要求。

凡此种种差异化的数据，要求为石油石化行业的数据采集和知识加工考虑相应差异化的实现技术。

4.3.4　业务差异性影响知识应用场景

通常知识的应用方式以搜索、推荐、问答最为普遍，这是所有知识中心都能够提供的应用和服务。然而如上所述，石油石化行业最需要的应用方式有两个要求：一是与业务融合的知识应用，融知识于无形，时刻为业务人员提供适合的知识；二是用规律、模型指导业务开展，促进业务的自动化、智能化，这是很具有挑战性的应用方式。

4.3.5　行业组织差异性影响知识运营方式

知识运营的内容结构在各行业、各单位都基本一致，然而根据组织特点的不同设计相适应的运营方式，运营体系才能落地扎根，生机勃勃地存活下去。

石油石化行业的企业或组织，都是大规模、高投入、高产出，以几个大型集团为支点，相关的行业、高校、研究机构和众多的服务单位共同组成这个生态圈。在知识运营建设中，要充分考虑本组织的特点进行设计。例如，对于石油石化行业的集团企业来说，知识运营的方式还是以总部推进、高层领导的持续支持最为有效。同时，在其下属的各级组织中，知识运营的设计仍然要充分考虑因地制宜，以集团政策为基础，融入本地特点，这样才能发挥最佳效果。后续章节按照 DAPOSI-S 的各个阶段来详细分析石油石化行业知识中心实施的主要内容。

第 5 章 | 知识中心建设的需求与定位

5.1 知识中心的业务需求

KM3.0 时代，国内各大石油企业纷纷将数字化转型、智能化升级作为各自的发展战略，并推出了一系列发展举措，提出了智能油气田、智能工厂、智能管道等建设目标，并将其作为信息化建设的重要组成部分和目标。中国石油建设了勘探开发梦想云平台，资料准备效率提升 60 倍，研究工作效率提升 20%；建立了油田生产物联网系统，实现部分环境恶劣生产站点无人化值守。中国石化开展了智能油气田建设，2018 年建成了智能油气田 1.0 版本，实现了自动化和智能化管理，如普光气田实现了气藏异常主动预警，通过预测模型持续优化，硫沉积预测准确率提高到 90% 以上，硫沉积解堵成功率接近 100%；气井见水预测准确率提高到 92% 以上，出水时间平均延迟 3 个月以上。

在石油企业智能化进程中，知识中心是重要抓手。人工智能技术与知识管理相辅相成，石油企业在引入人工智能特别是高级人工智能的过程中，离不开知识中心的支持。为了推进石油企业的智能化进程，知识中心建设必须从石油企业的需求出发，做到有的放矢。

5.1.1 油气业务流程知识需求

油气勘探开发整个生命周期由一项一项的业务构成，按照信息资源规划的方法对其进行业务分解，构建油气业务分类体系，以理清勘探开发全部业务及流程，全面分析知识管理涉及的业务和业务发展带来的对知识内容的需求，为全面业务数字化和智能化提供支撑。

油气业务分类是对勘探开发业务层级及相互关系、业务流程、业务活动、成果样例等数字化、规范化的表达，形成企业的完整勘探开发业务功能结构，以清晰地表达业务层级关系及业务流和数据流关系，为企业业务"数据化、知识化"提供基础和依据。

业务分类结构应包含业务域、业务流程、业务活动、成果样例（包括成果样例基本信息、制作使用软件工具、筛选条件、输入数据、输出数据）等。

业务流程知识主要描述执行业务过程中的相关知识。基于提出的业务流程知识，可以从知识的角度对管理企业的业务流程进行处理，这样，一方面可以利用知识管理的方法来管理流程；另一方面，在知识管理中明确流程知识的类型可以使对知识的管理更有针对性。另外，流程知识又是过程性知识的一种，可以通过流程知识更深入地探讨过程性知识。在油气勘探开发业务中，业务流程知识包括成果样例基本信息、输入数据（地质对象、基础参数、相关数据表)、算法和模型、制作使用软件工具、遵循的标准、组织/人员、输出数据等。

以石油石化行业上游业务为例,本书梳理了三维地震勘探资料处理、三维地震勘探资料解释、复杂储层测井评价、油气地球化学勘探、层序地层与沉积分析、盆地构造分析、烃源岩评价、储层评价、成藏条件与富集规律研究、油气藏描述、油气藏地质建模等 22 个业务域(图 5-1)。

以油气藏描述业务域为例,它包含构造地层特征描述、沉积与储层描述、油气藏特征描述、油气藏三维地质建模、储量计算与评价、剩余油(气)描述共 6 个一级业务流程。以储量计算与评价一级业务流程为例,它包含了储量计算参数取值、储量计算、储量评价共 3 个末端业务流程。以储量评价末端业务流程为例,需要的知识包括储量分级分类面积图基本信息、××油气田储量综合评价表、有效厚度图、××油气田××区块储层物性统计表、××油田××区块试采井采油指数统计表、××油气田××区块地质储量计算结果表等输入数据,石文、GeoMap、Petrel 等软件,储量分类(按可采储量规模,分为特大型油藏、大型油藏、中型油藏、小型油藏、特小型油藏;按可采储量丰度,分为高储量丰度、中储量丰度、低储量丰度、特低储量丰度)等标准,以及油气田储量综合评价表等输出数据等。

综上所述,不同的业务流程需要的知识是不一样的,它们的特点是:①每个业务流程需要的知识的内容是与这个业务流程紧密相关的,有的业务流程更关注过去的知识,有的业务流程更关注现在的知识,有的业务流程则需要未来的知识;②每个流程需要的知识的形式是多种多样的,可能是图册、数据、图表、论文、书籍、专利、项目成果报告等;③每个业务流程输出的知识是后端业务流程需要的知识。

5.1.2　智能化的应用场景需求

"场景"一词常应用于戏剧领域,指在一定的时间、空间内发生的一定的任务行动或生活画面(沈贻炜,2012)。场景是交互系统中极其重要的要素,研究在一定场景下的用户行为,对用户行为逻辑相应的场景进行规划和设计,是交互设计的重要目标。

在 KM1.0 至 KM2.0 发展阶段,越来越多的现代企业为了快速发展和扩张,纷纷启动知识管理实践。例如,龙湖地产有限公司总结出一套"产品标准模块",并固化在系统上,这成为其实现快速区域扩张的"密码";万科企业股份有限公司(简称万科集团)内部推行一套"组织学习"的机制,并搭建知识共享平台,鼓励个人将头脑中的隐性知识沉淀为组织智慧。这些公司的知识管理实践,都可以称为"图书馆"模式,属于传统知识应用方式:企业建立一些文档库(如同图书馆的分馆,以及分馆内各个类别的书架),将企业的显性或隐性知识分门别类地放到文档库中,员工遇到问题的时候,再到各个库中去搜索和查询相关的资料(张凌,2018)。

"图书馆"模式的好处是,实现技术比较成熟,平台搭建比较快速、轻松,能在短期内见到一定成效。但是,对于每天忙于日常业务工作的企业员工而言,如果没有强大的搜索引擎的帮助,他们不知道怎么找、上哪里找,找不到想要的知识,久而久之,员工对知

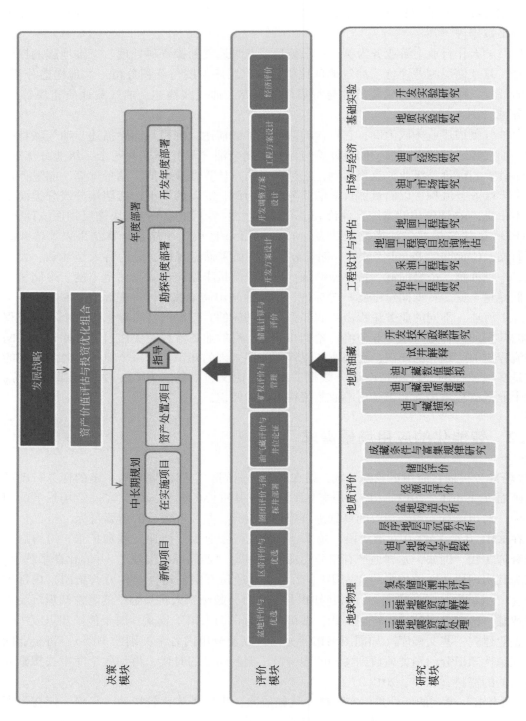

图5-1 石油石化行业上游研究评价决策业务域

识库的关注度会降低，从而知识的积累量也将呈现日益递减的趋势。因此，我们有必要思考一种新的知识服务模式。

企业员工每天都在处理自己的日常工作，都会面对一些比较固定的工作场景。设想，员工在各个工作场景中处理事务时，知识管理系统会自动推送与该工作场景相关的各类知识并将员工新产生的知识自动沉淀和积累，进而有效提升工作效率。传统知识应用方式利用效率较为低下，因此智能知识管理系统在应用时，需要考虑知识应用的业务人员的工作习惯，尽可能地将知识与其工作场景和业务流程密切联系起来，实现知识同业务的紧密结合。

知识应用的最高境界，就是石油企业员工在处理自己业务的同时可以学习并了解与此工作内容相关的知识，做到合适的人在合适的时间能够获得合适的知识，知识管理系统也可以根据员工的个人特点自动地推送业务知识，为其提供可持续的价值体验，这就是知识场景化服务（宋建武，2018；常亮等，2019）。

华为很早就开始了基于研发流程、项目管理的知识服务场景实践，提倡在项目全流程开展做前学、做中学、做后学三种知识应用方式，而在研发的每个迭代小循环中也是同样的应用方式（图5-2）。做前学，指做事之前学习企业已有的知识，如指导书、规范、模板、样例、最佳实践、精品课程等中的知识；做中学，指在业务活动中整合这些参考的知识，提炼要点、核心内容，形成新的知识并发布；做后学，指创建新的工作产品或知识，如案例、经验、工作报告等中的知识。通过这样的研发全程开展项目的知识管理和应用，试点版本交付效率、过程能力等都有大幅提升。

知识场景化服务，可以考虑从以下方面入手。

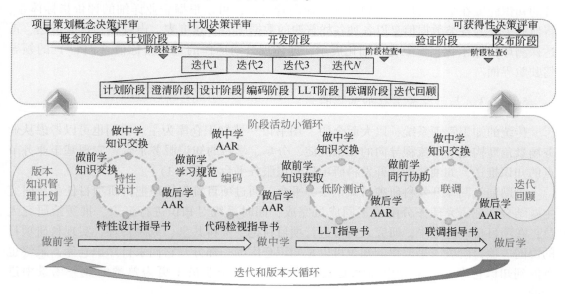

图 5-2　华为公司基于项目管理系统的知识服务场景
LLT 为 Low Level Test，即低级测试

5.1.2.1 形成各种业务场景的知识地图

相对于大而全的知识仓库而言，我们可以建立更具指导性的流程导向的知识地图，如项目开发流程知识地图、设计过程知识地图、新项目公司成立知识地图等，以及设计岗、营销策划岗的知识地图等岗位知识地图（Von Krogh et al.，2001）。这些知识地图可以是静态的，也可以是动态的（陈强等，2006）。

这些知识地图实现后，可以独立地以图形化的方式直接供业务人员查看和学习；也可以与现有的 IT 系统结合展示，添加链接指向具体的知识文档。

5.1.2.2 基于现有 IT 系统的业务场景

石油企业员工经常使用的 IT 系统承载了很多业务场景：经营管理类软件系统，如项目管理系统中的立项、中检、结题等的流程管理、项目讨论等，是员工经常遇到的办公场景；LandMark DSG、Discovery、GeoFrame 等油气勘探开发专业软件系统，运转着勘探开发的业务流程和业务数据，支撑了绝大部分勘探开发业务工作场景；而企业门户则可以按照岗位角色配置相关的功能和内容。

对于经营管理软件和勘探开发专业软件中的典型工作场景，我们可以采用一些知识集成的技术，如知识插件、知识整合等方式，在启动这个工作场景时，将关联的制度、流程、模板、以往的类似任务、相关专家等自动关联在同一个页面上；或者在不同的场景页面，根据我们梳理的逻辑，自动从知识仓库中搜索相关知识，推送到操作界面。

在企业门户页面，可以根据不同岗位员工的需要，将他们使用频率最高及最有可能参考的知识配置在个人门户上，如对于企业高管门户，可以根据企业详细的评价指标体系，将他们关心的各类数据信息以各种各样普遍的数据图表（速度表、声音柱、预警雷达、雷达探测球）艺术化、形象化、细化展示，即体现公司运作的重要指标值（KPI[①]）的领导驾驶舱界面。

5.1.2.3 基于业务流程的知识推送

传统的知识管理系统，以大而全的"图书馆"式知识仓库为主。我们也可以考虑从业务场景角度构建业务流程导向的知识沉淀、分享、学习的知识服务平台，实现基于业务节点的知识推送，如油气勘探开发科研项目知识服务平台（图5-3）。

借助油气勘探开发科研项目知识服务平台，通过项目流程管理把科研项目任务与研究主题结合，把研究任务分配给不同成员完成，同时系统对知识进行汇聚，推送给研究人员；在项目科研过程中，研究人员可进行项目讨论、资料共享、成果管理，实现科研项目的协同。项目阶段成果取得的知识可以是知识仓库的一部分，它们来自知识仓库，最终也沉淀到知识仓库，只是应用和沉淀成果的操作是在企业员工更为熟悉的业务场景中进行的。

除此之外，在 KM3.0 智能知识管理阶段，石油企业知识管理者，需要继续深入探讨

---

① KPI，即 Key Performance Index，关键绩效指标。

图 5-3 油气勘探开发科研项目知识服务平台界面示例

如何把人工智能与勘探开发业务结合起来。总结目前看到的一些研究和实践，AI 时代下知识管理的应用场景，可以重点从以下 5 个方面去突破（吴庆海，2019）。

（1）智能知识标引：涉及用户画像、自动标引、自动分类、分面聚类等；

（2）智能知识搜索：涉及智能提示、语义搜索、知识图谱、精准答案等；

（3）智能知识创造：涉及知识碎片化、原子化、协同共创、内容优化等；

（4）智能知识推送：涉及千人千面、场景感知、深层挖掘、精准推荐等；

（5）智能决策支持：涉及深度学习、智能问答、场景助手、商业智能等。

当然，由于油气勘探开发业务流程不同，场景应用对知识内容的需求大相径庭，上述每一个方面都可以展开到许多子场景，都可以进行深度挖掘。适当地运用场景信息，能够提高知识管理系统对用户需求的理解，为用户提供更便利的操作和更准确的结果，这是场景化知识应用的核心需求。

5.1.3 组织智慧知识传承需求

知识是企业的基因。企业基因是由美国管理大师、密西根大学罗斯商学院教授诺埃尔·蒂奇（Noel Tichy）提出的，他把企业比喻为一种活的非自然生物体，与生物一样有自己的遗传基因。正是这个基因，决定了企业的基本稳定形态和发展乃至变异的种种特征。他在《企业生态与企业发展》中讲到，"企业的遗传基因就是知识，包括技术、制度、文化等，知识的继承和创新，决定了企业生态位的大小"。因此，知识的继承与创新，对于企业而言非常重要。

组织智慧的知识传承对象，主要有两类：一类是人，让一代一代的组织成员能够继承组织的已有知识，具备完成业务的知识和能力；另一类是知识以及知识活动融入组织的流程、制度、文化、工具等，让知识扎根于企业。这可以说是企业的知识管理实践的需求，同时也可以作为企业知识管理的终极目标。

在培养员工能力时，通常要考虑以下几种需求。

5.1.3.1　新员工入职上岗的需求

新员工的知识内容需求通常是比较基础的，如企业的制度、流程、岗位职责，业务的基本原理、操作流程、工作方法，以及参与项目的基本情况等。有些企业会针对新员工进行批次式培训，那么相关的培训材料、讲师辅导材料等，也是新员工所需要的知识。在新员工上岗的适应期，企业往往会安排指导人员，进行一对一辅导，其中涉及的新人获得指导人员的经验的过程是典型的隐性知识显性化过程，以及知识在组织内不同人员之间传播的过程。

在应用方式上，除了搜索这种基本的应用外，可以基于培训班制定新员工专题，将相关的学习材料再次统一管理，所有学员以及老师之间的交流共享也可以在此开展。

5.1.3.2　老员工职业持续发展的需求

对于老员工来说，基于不同的职业跑道和个人定位，其所需要的知识会相差很大，不适合设置类似新员工专题来应用知识。不过，可以借助开放式知识应用模式，让老员工主动地跟踪技术专题的前沿发展，不断积累个人新知识；借助封闭式知识应用模式，参与项目，积累经验。

无论是新员工还是老员工，都有知识社交的需求，他们在与同行或专家的交流、共享中获得知识、学习和成长。特别是在油田的业务中，当出现突发状况、现场人员急需专家指导时，如果建立了相应的人脉，就能够快速找到具有能力指导或处置的人，这将大大提高处置效率，为企业挽回巨大损失。知识人脉的建立，需要企业提供相应的环境和手段支持。

从企业或组织角度看，知识管理能不能吸引用户使用，最关键的是两个问题：一是知识库里的知识，是不是全，是不是新；二是系统用起来是否成本太高，包括操作是否方便、访问方式是否随处可得、响应是否快速等。这里面一部分是对知识管理系统的需求，一部分是对组织环境的要求，如新知识的不断积累，除了系统能够自动汇聚相应的信息以外，有些知识一定是需要人为总结、提炼，再经由业务系统或者知识管理系统创建入库的。如何保障员工愿意贡献知识，愿意分享知识，就需要企业或组织建立知识共享的氛围，有制度保障必须做，有流程引导如何做，有激励措施拉动愿意做。而这背后，又是对运营的需求，要有企业的员工专门关注于此，思考如何让知识管理在企业中长久持续运转下去，如何让业务人员更好地利用知识，如何让员工心甘情愿地创造新知识，这就是知识管理的组织保障。

总而言之，组织智慧的知识传承需求，既有对知识管理系统的建设要求，又有企业或组织的管理要求，二者相辅相成，才能支撑企业或组织转变为知识型组织，让知识成为企业的遗传基因。

5.2　知识中心的建设目标

石油企业构建知识中心需要进行可行性研究分析，一般流程如图 5-4 所示。

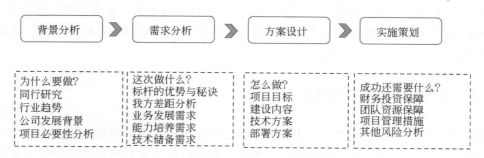

图 5-4　知识中心建设项目可行性研究分析的流程与内容图

在可行性研究过程中，会得出一些初步的结论和项目建议，其中最重要的是对知识中心建设项目目标的设定。如图 5-5 所示，制定项目目标，需要分别从总体目标、长期目标和短期目标三个层面自上而下、从大到小地理解和明确本项目的建设初衷和目标。好的项目目标能够权衡企业长期与短期的利益，能够兼顾投入与产出，能够引导出合理的业务范围和实施计划，可以说是项目实施的核心和基础。

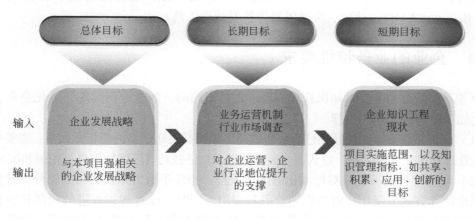

图 5-5　制订项目目标的思路图

根据知识中心的定义，石油企业需要从服务于企业发展战略及核心能力的发展角度，结合自己的业务需求，制定总体目标、长期目标和短期目标。

总体目标和长期目标方面，根据企业的业务发展战略和管理要求的不同，石油企业知识中心建设的目标会有所不同。

5.2.1　企业快速规模扩张

在石油企业兼并重组或大规模扩张的情况下，如何实现"成功模式的快速复制"将成为企业要解决的一个核心问题，如迅速建立新企业的管理体系、使新进员工快速学习等。在这种情况下，对已有管理体系和知识经验的梳理和标准化是成功移植的基础，共享的学习平台则是知识中心解决方案的重点。

5.2.2　企业需要集中管控

业务分散管理的策略转变为集中管理，核心就在于知识流程图的梳理，即通过将项目管理过程、业务流程和知识管理相结合，明确不同流程环节需要输出的知识及需要参考的东西，通过模板样例使知识沉淀标准化，将知识的积累和应用与业务过程相结合，通过统一的知识服务平台同时实现业务流程管理和知识管理。

5.2.3　企业需要强调创新

创新是知识密集型企业的迫切需求，如何激发员工自发、主动地进行经验教训总结，以及进行隐性知识技能的挖掘和分享也都是管理的重点，这些需借助事后回顾（After Action Review，AAR）、社区、头脑风暴等各类管理工具。

5.2.4　企业的业务特性要求

业务不同的石油企业对知识管理的要求也是不同的，如企业研究院、炼化企业、加油站等对知识管理的需求不一样。

（1）研发型企业。关注复用已有科研成果，以提高科研创新的质量和效率；需要利用各类知识管理方法工具的引导，对认识、经验教训、技能技巧等隐性知识进行挖掘和沉淀。

（2）制造型企业。关注对标准化的工艺流程、操作手册等知识的结构化分类管理，通过知识地图等方式方便用户对知识的获取和应用。同时，设置知识改进的机制和流程，实现生产过程中的技术改进建议需求等反馈，从而促进现有标准化工艺流程、操作手册的更新。

（3）营销型企业。首先，需要解决各类市场信息、客户信息等的及时传递问题，实现跨地域企业间的信息共享，以实现对市场保持快速的反馈。其次，通过销售过程的规范化，实现知识如各类产品的知识、销售技能、客户反馈信息等的推送，同时结合销售工作的任务管理，对销售人员进行有效管理。最后，针对各类营销分析报告，需要建立稳定的分析模型和固定周期的经营分析体系，在分析的过程中不断提炼和发现市场及运营规律，从而逐渐形成标准和经验值，通过持续的经营分析，沉淀管理智慧，从而有效支持管理决策。

（4）服务型企业。关注服务流程的标准化、自动化和精准化，利用不断积累的知识库取代专家模式，促进自助式知识应用，如智能客服，从而不断改进流程运作效率，提高客户满意度。

短期目标方面，通过知识中心建设，提高石油企业的知识管理核心能力。这些能力包括：知识识别能力，知识采集、整合能力，知识存储、加工、共享能力，知识应用能力，以及员工转变促成能力等。通过能力建设，达到以下目的。

（1）知识中心的构建要求速度快、查询准，进而在最大限度上缩短员工的查询时间，并有效实现知识共享。构建业务部门、支撑部门、生产部门、销售部门等的沟通渠道，及时将相关知识作出注解后纳入知识库中，以增加知识存储，实现知识沉淀。

（2）不同部门的员工可以通过知识服务平台，将日常工作中遇到的各种典型问题、好的解决问题的方法、最新的业务知识积累到知识库中，当有类似的问题出现时，员工可以直接在知识库中进行查找，进而以最快速度解决问题，同时保证解决问题的质量。

（3）围绕各自的业务、管理、文化等诸多领域进行知识库的建设，以知识库作为建设的核心内容，运用目前先进的 IT 技术手段，促进管理制度的完善，促进学习型文化的导入与实施，加强知识分享在企业中的完善和发展，最终使得企业竞争力得以提高。

（4）在企业内部，人员岗位发生变动是不可避免的。通过知识中心建设，将岗位经验进行沉淀和积累，使原员工的经验得以妥善保存，使新上岗的员工可以尽快熟悉和掌握相关技能，以更好地适应工作岗位。

另外，石油企业在制定知识中心建设目标时，需要考虑企业的管理水平和信息化水平。

对于一些管理水平较低、管理体系不规范的企业，知识管理更多的是要推进业务的标准化，如项目型企业的知识管理，需建立各个阶段的知识交付物模板、检查列表、参考样例等，将知识管理的方法理念融入项目管理过程中，同时通过建立一套新的信息系统固化其运作过程。

对于一些管理水平和信息化水平都相对较高的大型企业，从应用层面来看，通过业务分析建立知识体系并提供高效智能的信息采集和知识加工工具手段是知识管理落实的重点；而从系统层面来看，数据标准化、信息整合和内部知识库的联合是知识管理实施的主要难题。一方面，大型企业信息化起步早，历史遗留系统很多，造成很多"信息孤岛"；另一方面，大型企业规模大，大的信息化变革涉及巨大的成本，不能像小企业一样直接使用整套的标准软件包，因此其知识管理只能采用系统集成的方案。多个系统间的信息/知识集成，一方面需考虑各系统间知识属性的一致性，涉及数据标准化工作；另一方面，统一的信息门户和分层的权限控制等也是比较大的难题。进一步提升信息资源的整合水平，需进行知识管理的统一规划，识别各领域知识特征和关联，结合信息化现状，制定知识管理的总体推进策略，避免局部优化和知识管理系统的重复建设投资。

5.3　知识中心的建设组织

石油企业在确定了知识中心的建设目标后，为了保证项目建设的顺利实施，还需要确定知识中心的建设组织（项目团队）。这是因为知识中心项目涉及企业多层次多领域多岗位，仅靠项目实施团队是很难完成的，必须形成供需双方的联合团队，明确团队人员及职责、组织架构图、对外汇报机制，以及对内沟通机制等，得到相关人士的认可与支持，才能启动项目。

企业的规模不同，导致组织架构差异很大。集团型企业，开展知识中心建设涉及集团和企业两个层次的组织，如果涉及外部协作单位，还需要与外协方进行协同，其项目组织相对比较复杂；中小型企业只需考虑企业层面的建设组织。

另外，针对知识中心建设，很多企业采取了先试点再推广的策略，以试点企业、部门或业务为突破口，让员工切身感受到知识管理的意义与价值，并通过对试点应用的经验教训进行总结，为后续的全面推广应用做好准备。关于试点企业、部门或业务的选择，既然是知识管理，企业往往会选择内部知识最密集的部门进行试点，如技术部门、研发部门、设计部门等，虽然同属同一类型的业务，但不同企业的人员结构不同、对知识管理的认知也不同，所以知识管理应用与实践需要采取不同的方法，否则将会导致试点失败或效果不佳，直接影响知识管理在企业的全面应用。

综上所述，石油企业在知识中心建设阶段的组织结构一般由项目领导组（项目领导层）、项目管理组（项目管理层）、企业项目组+项目建设组（项目实施层）等构成，如图5-6 所示。

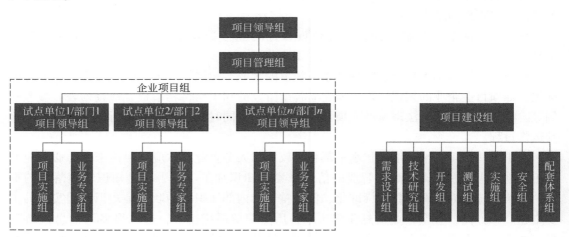

图 5-6   知识中心建设阶段的组织结构示例

项目领导组是项目的最高领导和决策机构，其职责通常包括：
（1）负责贯彻执行集团领导或企业领导的决策；
（2）负责定期向集团领导或企业领导进行项目工作汇报；
（3）负责项目总体管理、检核项目执行的质量、进度、资金使用情况；
（4）负责协调解决项目中出现的重大问题；
（5）负责审核项目的业务方案。
项目管理组对项目领导组负责，其主要职责包括：

（1）负责贯彻执行项目领导组的决定；

（2）负责项目综合管理，协调各组的关系，对项目的质量、进度、费用进行检查、评估，协调解决项目中提出的问题；

（3）负责组织审核项目各阶段性成果，组织项目里程碑的验收和相关方案的评审；

（4）负责项目管理工作中的相关标准及管理制度的制定；

（5）负责对项目进行检查或评估，定期向项目领导组报告项目的执行情况。

项目实施组包括建设单位的项目建设组和应用单位的企业项目组。在知识中心项目实施过程中，业务专家组是重要的组成部分，无论其成员来自企业内部或者是外聘的行业顾问，只要具备专业的知识和经验要求就可以。这些熟悉业务的专家，贡献他们的专业知识，引导业务分析、知识体系和应用场景设计，确保知识中心无论内容还是形式，都符合行业和专业特色。反之，业务专家组的人员缺失，很大程度上会使知识中心变成一个信息化系统的空壳。业务专家组的职责包括：

（1）参与知识体系的审核，负责应用过程中知识体系的验证与完善；

（2）负责系统需求的提出及确认，负责测试方案与用例的确认；

（3）参与保障运营体系的梳理与完善，参与体系内审；

（4）负责本单位系统上线培训和辅导业务人员开展应用。

项目实施组负责企业或部门知识管理的具体实施，其职责通常包括：

（1）负责提出本单位或部门的知识管理业务需求和功能应用要求；

（2）负责确认需求、功能设计、知识体系、配套体系，参与相关审查及评审；

（3）负责组织本单位或部门的用户测试；

（4）负责本单位或部门知识的审核、发布及知识库的建设；

（5）负责知识管理在本单位或部门的用户培训、上线运行及推广应用。

项目建设组主要由信息化专家组成，负责企业或部门知识管理的软件设计与实现，其成员来自企业内部或者外聘的 IT 技术专家，包括需求设计小组、技术研究小组、开发小组、测试小组、实施小组、安全小组和配套体系小组等，各个组的职责如下。

（1）需求设计小组主要职责：负责知识管理业务和应用需求的调研、分析及功能设计。

（2）技术研究小组主要职责：负责知识加工等核心技术研究及工程化落地，以及知识体系的优化与完善。

（3）开发小组主要职责：负责平台架构提升与完善，以及功能的详细设计及开发。

（4）测试小组主要职责：负责平台的功能测试及性能测试。

（5）实施小组主要职责：负责各知识源调研、分析、采集、加工，以及知识服务平台的实施部署；负责组织管理员用户培训与测试，以及平台使用过程中的问题、新需求的收集及技术支持。

（6）安全小组主要职责：负责安全设计及安全实施工作。

（7）配套体系小组主要职责：负责软硬件的采购部署及运维支持；负责配套体系的设计及完善；参与配套体系的落地运行工作。

第6章 勘探开发知识体系的设计

知识体系是人与机器交互的基石，要服务于机器阅读，理解人类的文献知识，实现知识的自动采集、加工和检索等。通过油田企业的知识需求分析，结合对知识工程的理解，本章提出勘探开发知识体系的概念，在分析国内外油气业务知识资源的基础上，设计勘探开发知识体系，包括其构成和设计方法等，为勘探开发知识采集加工奠定基础。

6.1 知识体系概述

人类社会由农业社会、工业社会进入信息社会过程中，知识发挥的作用越来越大，对个人和组织的作用也日益突显，因此知识成为企业核心竞争力之一。知识体系主要作用就是有效地组织知识，使其发挥更大的价值，知识体系设计的重要性不言而喻。

6.1.1 知识体系定义

目前，无论是学术界，还是企业界，对知识体系均没有统一的定义。

日本管理学教授野中郁次郎在其经典专著《创造知识的方法论》中提到，知识体系属于显性知识的一种。我国知识管理专家田志刚在《卓越密码：如何成为专家》中提出，知识体系指相关知识互相联系构成的统一整体。

本书聚焦知识工程领域在石油石化行业中的应用数十年，结合自己的实践经验提出了石油石化行业知识体系的定义，即知识体系是按照一定原则对知识进行归纳和划分而形成的全局统一的体系结构，包括知识分类、知识关系、知识属性以及对分类属性进行描述的行业字典。知识体系分析与设计将遵循计算机语言的规则，实现人与计算机概念的相同理解，是人–机交互的基石。

从知识体系与数据处理流程图可以看到，知识体系贯穿知识全生命周期，包括数据收集、数据存储与管理、数据分析与可视化的全过程，是行业学科研究与大数据、人工智能技术创新融合的关键（图6-1）。

知识体系相关的术语及定义描述如下（本书定义术语除个别引用外，均属于油气勘探开发领域内相关术语，下文中提到的业务均指油气勘探开发相关专业）。

（1）知识体系：按照一定原则对知识进行归纳和划分而形成的全局统一的体系结构，包括知识分类、业务对象、知识属性及知识关系。

（2）知识分类：按照选定的属性（特征）区分分类对象，将具有某种共同属性（特征）的分类对象集合在一起的过程。

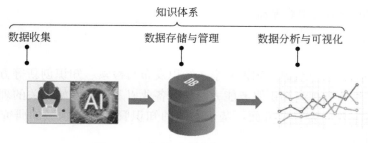

图 6-1　知识体系与数据处理流程图

（3）业务分类：从业务域的专业维度对知识进行归纳和划分而形成的一种知识分类结构。

（4）业务对象：与油气勘探开发业务相关的对象，既包括具有空间位置属性的业务对象，如盆地、构造单元、井等，也包括没有空间属性的对象，如材料、工具、工艺、技术等。

（5）作用对象：指开展油气勘探开发业务的主要目标对象。

（6）参与对象：指开展油气勘探开发业务的主要目标对象之外的相关对象。

（7）知识类型：基于领域内业务知识需求而划分的知识类别，如科研成果、项目案例、项目经验等。

（8）知识模板：是一种承载知识基本属性的载体，可描述不同类型知识的基本特征，可通过模板中的属性构建知识的关联关系。

（9）知识关系：将勘探开发知识体系组成的各要素，如知识分类、业务对象及知识类型等建立起关联关系，来构建知识间关系，形成知识与知识间关联网络。

6.1.2　知识体系内涵与外延

6.1.2.1　内涵

本书中的知识体系是指在油气勘探开发业务域，对油气勘探开发领域知识进行系统化总结，并按照一定方式组织，使之能够完整呈现油气勘探开发领域本质和规律性的体系。

知识体系通常分为两大类。

（1）知识本身的知识体系：指已经成熟的知识之间的内在关系。例如，经济学的知识体系、力学的知识体系、地质学的知识体系等。它是客观存在的，与个体关系不大。

（2）与人有关的知识体系：主要指个体的知识体系、完成某项工作需要的知识体系（如项目知识体系、岗位知识体系、完成某项任务的知识体系等）。

本书知识体系研究团队在多年行业应用中，基于石油石化勘探开发领域学科的知识体系（如沉积岩石学、岩石物理学、层序地层学等）、油气勘探开发领域具体业务活动的知识体系（如挖潜、上产、措施等）以及个人知识体系（如测井工程师、地质学家、钻井工程师知识体系等），进行知识体系的分析与设计，并将几种类型的知识体系按照知识分类、知识属性和知识关系的维度进行组织，使之既满足人类对知识的认知，又遵循计算机规则语言，为知识智能化服务奠定基础。

6.1.2.2　外延

为了寻求知识获取与组织、知识共享、知识发布与检索、知识创新等方面的突破，以促进隐性知识显性化和提高知识服务能力，各行各业以及学界开始相关的理论研究与实践应用，研究热度主要分为三个方面：基于本体的知识管理相关领域的研究、知识体系构建、知识图谱研究。

美国是最早开始知识体系梳理的国家。1988 年，美国联邦航空管理局基于为软件工程师提供岗位公认的知识结构，向联邦政府提出了关于开发"软件工程知识本体结构"的项目建议，于 1999 年 4 月形成报告，报告一经发布便引起了软件工程界、教育界和政府的兴趣，人们也普遍接受了该认识。1999 年 5 月，国际标准化组织（International Organization for Standardization，ISO）和国际电工委员会（International Electrotechnical Commission，IEC）第一联合技术委员会为顺应这种需求，启动标准化项目——"软件工程知识体系指南"，旨在为软件工程学科的范围提供一致的确认，为支持该学科的本体知识提供指导。近年，各行各业为解决知识组织管理体系落后，知识服务开发成本高、更新维护困难，以及用户知识需求不能得到满足等问题，纷纷探索知识体系研究和构建工作，希望在本行业学科对知识达成一致的理解，以便更好地提供知识服务。同时，从国内外开展知识体系研究的方式来看，知识体系的研究及构建方法与本体密切相关。

知识图谱是以结构化形式描述客观世界中的概念、实体以及关系，以更接近人类认知世界的形式表达信息，提供一种更好的组织、管理和理解海量信息的能力。目前，基于知识图谱的知识搜索和问答应用体现出强大的活力，逐渐成为人工智能领域核心技术之一，受到越来越多企业的青睐。发展至今，知识图谱技术体系基本成熟，涵盖知识建模、知识抽取、知识融合、知识存储、知识计算及知识应用六要素（图 6-2）。其中，知识建模的输入主体为本体成果的输出，包含分类体系、关系体系和属性特征体系等内容。

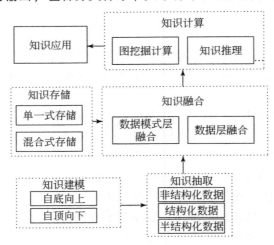

图 6-2　知识图谱技术体系

资料来源：《2019 工业智能白皮书》

由此可见，知识体系是在本体基础上，更加灵活地汇聚领域内公共知识，知识图谱是在知识体系成果基础上的具体应用。

6.1.3　知识体系意义与价值

知识体系对个人、组织甚至机器来说主要体现以下三个方面的价值。

6.1.3.1　辅助学习

如果某个领域已经沉淀出全局性的知识体系，那么无论是新人还是想对该领域建立全面整体认知的人，均可建立系统化的、明确的学习方向和目标。相对于在浩瀚的知识海洋逐步摸索或零散地东拼西凑，拥有领域完整的学习框架，可规避不必要的精力耗费，大大提升学习效率

6.1.3.2　辅助记忆

无论是个人、组织还是机器，存储能力都是有限的，抽象的概念、模型、框架等高层次的内容，可协助我们记忆更广泛的知识内容。研究表明，越抽象、联系越多越容易记忆。领域知识体系就是对某个领域知识进行抽象、凝练而形成的框架性知识，是一种领域语义模型，可协助我们建立长期的、更加广泛的记忆。

6.1.3.3　高效提取知识并解决问题

学习和记忆知识本身没有实际意义，它们是为了解决实际问题打基础，根本目的是解决问题。现在流行结构化思维、结构化对话、结构化面试等，说明结构化非常重要，能够协助人们快速、高效地解决问题。例如，相对于杂乱无章地放置书籍，当按照学科、书名首字母排序等分门别类地放置书籍时，在几万本或几十万本书籍中查找书籍的效率一定会高很多。领域知识体系是某个领域结构化和体系化的框架的知识。无论对于个人、组织，还是机器，如果存储的是结构化的知识，那么在使用的时候提取会非常高效，解决问题也会非常及时。

6.2　勘探开发业务知识资源分析

知识体系是对领域知识在概念层次的抽象和凝练，重在识别领域概念及其关系，同时赋予概念属性特征，以支撑信息化、智能化发展。在实际工作中，各组织、企业一般将知识体系融入底层模型中（类似传统的业务模型或数据模型），以支撑顶层的知识应用，如语义检索、智能问答等应用。因此，知识体系可以理解为：对人来说是某个领域的系统化的知识结构，对计算机来说是指导知识驱动应用的一种概念逻辑模型。

模型是人们为了方便研究、理解和解决客观世界中存在的种种问题而对客观现实经过思维抽象后用文字、图表、符号、关系式以及实体模样描述的集合描述所认识到的客观对象的一种简化的表现形式。其中，业务模型是从企业信息化的需要出发，针对企业的业务

和管理所做的一种体系性抽象和描述，业务模型体系为信息系统的设计和开发提供科学、合理的导向和依据。数据模型是数据库中用来对现实世界进行抽象的工具，是数据库中用于提供信息表示和操作手段的形式架构。一般来讲，数据模型是严格定义的概念的集合。这些概念精确描述了系统的静态特性、动态特性和完整性约束条件。

知识体系和传统意义上的模型都是对客观事物进行抽象凝练，因此二者所凝练的知识点具有相似性。但是二者在知识组织和具体应用上有所差别。知识体系是以对象为中心直接支撑面向用户的知识应用，业务模型是指导信息系统的设计，数据模型是支撑数据存储及操作，业务模型和数据模型大多以活动为中心进行设计。目前，在油气勘探开发领域，国内外基本没有成熟的知识体系资源可供参考。因此，模型是知识体系分析与设计所参考的非常重要的知识资源，本章的知识资源分析也将重点从国内外的业务模型或数据模型进行分析。

6.2.1 国外油气业务知识资源分析

在石油石化行业内，获得普遍认可的国外数据模型主要是 POSC Epicentre 数据模型和 PPDM 数据模型。

6.2.1.1 POSC Epicentre 数据模型

1990 年，美国的 BP 石油（BP Exploration）、雪佛龙（Chevron Corporation）、埃尔夫（Elf Aquitaine）、美孚（Mobile Coporation）及德士古（Texaco）五大石油公司联合发起并成立了 POSC 组织，该组织是目前权威的石油数据标准化组织。它定义的数据模型从 1.0、2.0、2.1、2.2、2.3 一直发展到今天的 3.0 规范，日渐成熟。

Epicentre 数据模型是面向对象的模型，在模型中实体的组织结构是网状层次结构。这个模型的核心设计理念为"活动—对象—属性"，所以这个数据模型是以活动为中心而非以对象为中心，这是它区别于传统数据模型理念的地方。在油田勘探开发的整个生命周期中，通过活动、对象、属性以及三者之间的关联关系合理地构建具有特定结构的数据体系，从而有效地再现勘探开发领域涉及的业务活动及其所产生的相关数据。活动、对象以及属性三者间的关系如图 6-3 所示。以活动为中心，对象可能是活动的参与者，也可能是通过活动过程而新产生的。

Epicentre 数据模型认为，属性就是用来描述活动以及对象本身的静态特征的，同时活动与活动之间、活动与对象之间以及对象与对象之间的临时关联关系也以属性的方式进行描述。一个活动可能包含若干个对象，一个对象也可能参与若干个活动；一个活动又可能会包含若干个子活动，而每一个子活动又涉及若干个对象，同时这个活动也可以是一个大活动的子活动；一个活动或者对象可以有若干个描述本身的属性；活动作为勘探开发领域中业务过程或者活动的代名词，当一个活动作用于一个或者多个对象时，会产生新的属性，也可能会产生新的对象，这些新的属性或者对象可以是一个，也可以是一组，每一个新对象又会有新的自身属性；在活动过程中，涉及的所有关联关系也都有对应的临时关联属性来描述。

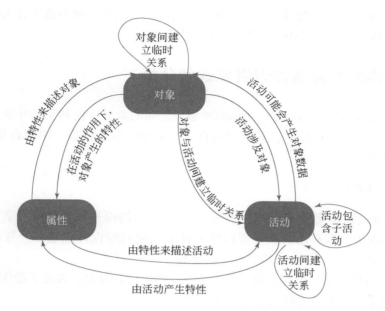

图 6-3　对象、活动、属性关系图

整个模型的定义反映了石油勘探与开发中的各种业务关系及技术关系。

Epicentre 数据模型是一个完整的石油工业数据模型标准，其主要特点如下。

（1）包含规范、方法论、元数据、子集与扩充、关系数据库等内容。

（2）采用面向对象设计思想，使用 Express 语言描述，覆盖了勘探开发的所有领域。

（3）由于内容范围很广，故提供了如何使用其子集的方案。

（4）定义了空间模型数据和网格化数据类型，可以实现基本空间数据类型的存储。

Epicentre 数据模型提供了一些标准参考值。标准参考值分为三类：FIXED、OPEN、LOCALE。FIXED 表示该值是固定的，不得扩充和修改，如管柱类型只有套管、油管两种；OPEN 表示 Epicentre 数据模型定义了一些标准值，但用户可以根据实际需求对其进行扩充，如坐标系、颜色等；LOCALE 表示 Epicentre 数据模型不做任何定义，其内容完全由各用户决定。

6.2.1.2　PPDM 数据模型

公共石油数据模型协会于 1989 年成立，是一个全球化、非营利的标准化组织，目的是为能源行业建立公共的数据管理标准。PPDM 数据模型是一套开放、可用、业务驱动的数据模型，涵盖石油行业上游勘探、开发、生产、集输、相关交易等领域。PPDM 数据模型以开放标准管理，数据标准不依赖软件供应商的固有标准，同时提供完整的逻辑模型描述、完整的逻辑模型 ER 关系、应用实例等，涵盖 52 个领域，包含超过 1700 张数据表。PPDM 数据模型标准化体系包括元数据和命名规则。

（1）元数据：PPDM 数据模型定义一组元数据表保存数据模型中的结构信息，包括表、字段、约束、域和测量单位等。

（2）命名规则：建立命名规则，保证同一内容的一致性，命名遵守有实际意义、模型中前后一致，以及使用业务中的专业术语的原则。

6.2.2 国内油气业务知识资源现状分析

国内，中国石油、中国石化、中国海油根据公司的业务特色和实际业务开展工作，分别建立了各自的业务数据模型，其中中国石油的 EPDM 数据模型、中国石化的 SPBPM 数据模型尤为典型。

6.2.2.1 EPDM 数据模型

中国石油的 EPDM 数据模型是在中国石油 2002 版勘探开发数据模型字典等成果基础上设计的，吸收了国际石油数据模型标准先进的面向对象设计思想，业务覆盖了地球物理、钻井、录井等 13 个专业。其主要特点如下。

（1）核心结构清晰、严谨，包括一个主干、六个核心对象，覆盖了勘探开发业务全生命周期，形成了一个紧密关联的有机整体。

（2）高度抽象的作业对象类"地质单元"可以表达复杂的、各种级别的勘探构造单元和油气开发单元，各种级别之间的关联关系通过地质单元的自关联表实现，基于此可以很好地管理子地质单元及地质单元之间的关系。

（3）支持满足国际化需求，支持多井筒、多层段的数据管理，可更科学地处理侧钻开窗、多分支井等问题。

（4）支持井的历史数据回算，支持历史状态数据的查询，支持开发月报历史数据回算。

（5）其面向对象设计思想在分析化验专业和地质油藏专业得到了充分体现，能够将过去烦琐复杂的分析化验项目和各种不同分层方案下的层位很好地进行抽象和统一管理。

6.2.2.2 SPBPM 数据模型

为了解决"烟囱式"建设带来的标准不统一、数据共享困难等一系列问题，中国石化采用研发式进行勘探开发全业务数据模型体系研究，通过综合 Epicentre、PPDM 两个数据模型优势，以 Epicentre 为基本框架，结合中国石化全业务分析与 PPDM 好的处理方式，进行优化和扩展，形成一体化数据模型——SPBPM 数据模型（中国石化石油天然气勘探开发数据模型标准研究与建设项目组，2008）。

其主要特点如下：

（1）继承了 Epicentre 数据模型和 PPDM 数据模型的优点，如面向对象的设计、对业务的适应性、数据版本管理、多语言、多量纲、多坐标系统、扩展性与稳定性等。

（2）参照 PPDM 数据模型对相对固化的业务数据进行属性实体的扩展，使其可读性更强、应用效率更高。

（3）对体数据通过 ProtoBuffer 技术进行存储，并封装操作接口，与工业标准 Segy（一种地震数据体文件格式）、Las（一种测井曲线数据文件）等组成完整的体数据存储解决方案。

（4）实现版本管理与增量投影技术，使其能够不断扩展并平滑升级，满足持续发展需求。

6.2.3　其他知识资源分析

前面重点分析了知识体系设计所能参考的国内外勘探开发领域业务模型和数据模型，后续知识体系设计将重点参考知识资源框架及框架下的知识点，知识点如属性字典等需根据本土情况进行裁剪转换，属于结构化资源范畴，也是知识体系主干设计重点参考内容。

本小节将重点介绍除业务模型及数据模型外可参照的知识资源，如油气企业业务系统、企业管理系统、外购资源、资讯，以及用户本地资源等，其属于非结构化资源范畴，是对知识体系主干设计的补充完善。

（1）油气企业业务系统，如中国石化地质资料管理系统是对地质领域非结构化专业成果文档的管理，含文档类型（报告、附图册等）、作者、单位、专业词汇（如水泥石腐蚀、防窜水泥浆、堵漏型隔离液等）等基本信息及文档详细内容，可以对知识体系业务分类中钻井对象类材料进行细分类补充。

（2）企业管理系统，如科研管理系统，是对企业项目基本信息及项目资料如立项报告、开题报告、验收报告等进行管理，其中项目资料是行业重要的知识资产，也是专业核心内容的沉淀，含项目名称、立项时间、项目来源、责任人、承接单位、所属专业等及其附件报告，可以对项目维度的分类体系进行补充。

（3）外购资源，如中国知网、万方、SPE 等可以反映领域前沿技术研究、方式方法等内容的结构化文档，可以对行业技术、方法等分类系体系进行补充。

（4）用户本地资源，大多沉淀了行业隐性知识，如开发设计方案、措施案例及经验总结等，对本类资源进行充分挖掘，完善知识体系内容，可对指导实际应用起到重要作用。

6.3　勘探开发知识体系设计

6.3.1　勘探开发知识体系构成

本书依据面向对象的分析理论与领域本体理论进行知识体系框架设计，同时结合勘探开发行业特点将勘探开发知识体系分为知识分类、业务对象、知识关系、知识模板以及行业语料五个部分（图6-4）。其中，知识分类主要从专业学科维度和所从事的业务活动维度进行划分；业务对象实质属于知识分类一种，但在勘探开发领域的日常工作中常常作为主线组织数据，如报表、周月报等，所以本书单独将其作为勘探开发知识体系的一个要素；知识关系包含关系类型和关系细类，关系类型主要从抽象角度进行划分，关系细类主要从领域实际需求角度进行细分；知识模板是承载知识分类、业务对象和关系分类等几大要素属性的载体；行业语料主要包含行业字典、行业特征语料库等，是对以上几大要素的补充说明。

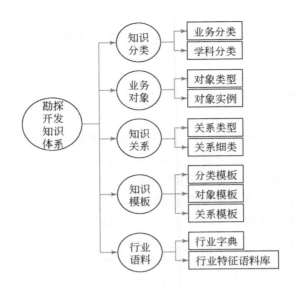

图 6-4　勘探开发知识体系构成要素

6.3.2　勘探开发知识分类设计方法

知识分类是指知识体系要素的概念按照不同维度形成层次化的分类模型，在同一维度中各个分类项之间是彼此独立、互不相容的。知识分类是知识元素一种严格的知识组织的方式。

6.3.2.1　原则

基于业务分析和信息源调研的结果，需要对这些知识进行分类，有效的知识分类需依据一定的原则进行精心设计。

1）知识分类设计需有依据

在开展知识分类设计时，尽量依据符合企业知识特点的、已形成标准规范的指南或模型，以保证知识分类成果的权威性和适用性，同时有效避免开展分类设计时的重复工作，减少不必要的实施工作量。

需要注意的是知识分类设计是基于已有的成果，但并不完全局限于既定成果，因为随着工作的不断开展和深入，新的知识会产生，某些旧知识会被调整甚至作废，用户的知识需求也会相应发生调整和变化。因此，知识分类设计应在原有成果的基础上，紧密结合用户当前的知识需求，以保证知识分类的时效性。整个知识分类的设计，需要和多个典型用户多次沟通，不断地挖掘提炼他们的知识需求，并反复确认，形成当前的、有所依据的、适用的知识分类设计。

当然，知识分类设计并不是一蹴而就的，为了保证对知识的有效管理，支撑知识的应用需求，知识分类成果需要随着业务和知识需求的变化做相应的调整。

2）知识分类的粒度要适当

知识分类设计需要选择适当的粒度，这也是决定知识分类设计效果的重要因素，粒度选择过粗或过细，都不能达到对知识进行有效管理的目标。因此，对知识分类粒度的选择需要着重考虑具体项目中知识分类的应用需求。例如，在勘探开发领域，如果项目应用为知识检索，则知识分类的粒度可以到二级或者三级，到业务划分层级就可以满足；如果项目应用为辅助决策，如沉积相识别，则知识分类需要划分到业务活动下的知识点，可能到五级或者六级。

6.3.2.2 流程

知识分类设计首先调研行业、企业权威数据或知识模型，对知识范围建立全局了解。然后，在此基础上和典型用户沟通获取更细致的知识应用需求。最后，需要开展知识分类的梳理，针对建立的初步成果与专家用户反复沟通、调整、确认。

6.3.2.3 方法

根据石油石化企业的特点，知识分类重点从业务分类和学科分类两大维度进行细分。

1）业务分类

业务分类重点参照石油石化行业知名的 PPDM 和 SPBPM 数据模型以及油气勘探开发领域业务流程体系，以"业务域划分—业务划分"为主要步骤进行业务分类的构建。

业务域是对企业中的一些主要业务活动领域的抽象定义。勘探开发业务域的划分以某种与石油相关的主题为指导，从整体上对油气田主要业务进行划分，它既不是现有机构部门的照搬，也不是基础业务的整理，而是概括的、总结性的划分（郑凯洲，2016）。

业务域及业务划分的具体方法。首先，根据专业划分业务域。某一专业在油气勘探开发中承担了某一确定领域的业务，具有明晰的业务边界。例如，物化探、钻井、采油、分析化验等，不同专业间具有明显不同的业务范畴和业务特性。其次，根据油气勘探开发生命周期划分业务域。油气勘探开发存在着明显的阶段性，且有较明显的阶段性标志，如勘探阶段、开发阶段、废弃阶段等，同一阶段内的若干子业务往往具有一定的相关性，如钻探阶段的钻、测、录、试等。最后，根据油气勘探开发管理阶段划分管理业务域。油气田不同生命周期或阶段，存在着一些重要的阶段性管理业务，其油气田管理手段和管理方式都不相同，管理内容也不相同，如勘探规划部署业务、勘探综合研究业务、开发部署规划业务等。管理业务可能集中于油气勘探开发的一个或几个阶段，也可能贯穿油气勘探开发的全过程（肖波等，2012）。

（1）业务域划分。业务域的划分以方法生命周期为主线，将专业业务域与方法管理业务域有机地串联起来，尽量符合油气勘探开发管理的约定俗成的管理习惯，做到不同业务域间的业务不重复，并保证能覆盖所有的勘探开发业务。

根据以上原则和方法，可以把油气勘探开发业务划分为勘探规划与部署、物化探、井筒工程、分析化验、综合研究、开发规划与开发方案、油气生产、油气集输等一级业务域。

（2）业务划分。业务域包含独立的一个个业务和更细的子业务。每个业务包含该业务的业务流程，业务流程中包含更细的子业务流程。按照同样的原则，可以将业务逐级细分下去，直至不可细分的业务功能单元为止，这些业务功能单元被称为业务活动。业务的划分要依据不同业务域业务的特点进行。第一，按照业务类别进行划分。例如，勘探规划部署业务域包含勘探规划、勘探部署两大业务。第二，按照业务的专业或职能进行划分。例如，井筒工程业务域包含钻、测、录、试等业务。第三，按照施工方法和工作目标进行划分。例如，物化探业务域包含二维地震勘探、三维地震勘探等业务。第四，按照业务主题和阶段进行划分。例如，综合研究业务域包含构造研究、资源评价、油藏描述与评价、剩余油研究、油藏数值模拟等业务。

大的业务包含更小的子业务。按照同样的业务划分原则，可以对业务继续细分。业务的划分要覆盖业务域中的全部业务，直到将该业务域中的业务全部细分出来。

知识分类各业务层级划分示例见表 6-1，综合研究业务域包括多个一级业务，如规划与部署、地质研究等；一级业务又包括多个二级业务，如规划与部署包括勘探规划与部署、开发规划与部署，地质研究包括地层研究、构造研究等。这些业务的具体分类均可根据实际业务需求进行拓展、完善。

表 6-1　业务分类示例

业务域	一级业务	二级业务
综合研究	规划与部署	勘探规划与部署
		开发规划与部署
	地质研究	地层研究
		构造研究
		烃源岩研究
	……	……
……	……	……

2）学科分类

参照学科分类的国家标准及领域权威专业书籍对学科进行逐层细分。需要注意的是，如果应用学科的学科细分类与基础学科的学科细分类相同，则需要在细分的知识点后标记所引用基础学科的知识点。

6.3.3　勘探开发业务对象设计方法

业务对象（或研究对象）是指在油气勘探开发中与业务相关的对象，如地质对象。在油气勘探开发业务研究中，即使开展的是同一业务，业务对象不同，其业务流程、研究方法和技术手段也千差万别。例如，地质建模业务，对于不同储层类型油气藏，如裂缝型油气藏与缝洞型油气藏，其地质建模的方法和技术手段，以及需要收集的资料类型及使用的知识等差别巨大。因而，业务对象的分析梳理对石油企业知识中心建设意义重大。

油气勘探开发业务对象，既包括具有空间位置属性的业务对象（定位类业务对象），如构造单元、井等，又包括没有空间属性的对象（非定位类业务对象），如材料、方法、专题技术等。业务对象是知识分类的一种特殊维度，其设计遵循知识分类设计原则和流程。具体方法和步骤如下：①顶层对象确认：参照 POSC Epicentre 数据模型，对油气勘探开发领域大家重点关注的业务对象进行梳理分析、归纳和总结，划分、定义顶层对象。初步定义地质对象、生产管理对象、设施工具、材料、技术、组织机构、行政区划七大类顶层对象。②对象类型划分：基于顶层对象，结合油气勘探开发领域实际业务特点继续向下细分。顶层对象、对象类型可根据实际业务需要扩展。

6.3.4　勘探开发知识关系设计方法

知识关系用来表达知识要素之间的各种关联关系。知识关系的类型从数学抽象角度来说分为包含、相交、相邻和相离，适用于各行各业的知识关系划分（图6-5）。本书重点讨论勘探开发行业关系的细类划分方法。

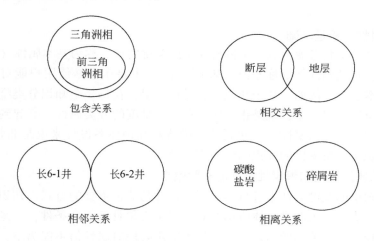

图 6-5　关系类型

确立知识的关联关系对整体的知识体系设计来说是非常重要的环节，也是梳理知识体系的最终目的，即支撑知识图谱的应用（孙世光，2013）。梳理知识的关联关系，需要考虑它的度，关系太少，图谱太单调，达不到支撑知识有效关联的效果；关系太多，图谱会充斥很多没有太大实用价值的知识关系，同时会对用户获取有效知识造成干扰，因此知识关联关系的梳理并不是越多越好，关键是考虑它的有用性。所以，建议知识关系的设计在知识体系构建原则及方法的基础上，紧密联系用户，知识关系的设计多从用户应用的角度开展。

知识关系设计首先调研行业、企业已有的知识关系成果。然后，在此基础上从典型应用场景的角度，与典型用户沟通获取知识关系的应用需求。最后，开展知识关系的梳理，针对建立的初步成果与专家用户反复沟通、调整、确认。具体步骤如下。

（1）知识关系调研：利用专著、网络、期刊文献等查阅可用于知识关系构建的关系类型，如父子关系、适用关系、所属关系等。

（2）知识关系筛选、确认：按油气勘探开发领域业务特点，分析业务对象、业务分类、知识类型间的业务关系，系统总结、梳理各要素间关系，经业务验证，确认知识关系。此过程中要充分和行业专家及典型场景结合，如专家提供的场景是从塔里木盆地出发，希望能知道与塔里木盆地相关的项目、成果报告，以及哪些人做过塔里木盆地研究工作。那么从这个场景中就可以提炼出，业务对象塔里木盆地与分类项目、报告以及人的关联关系。

6.3.5　勘探开发知识模板设计方法

知识模板用于描述知识要素的基本特征，每一个特征被称为一个属性。知识的属性主要包括内容属性、分类属性、关联属性、管理属性等。知识模板用于支撑知识的多种应用，如内容属性中关键信息的展示，即知识卡片，用于满足用户对知识内容的简要获取需求；分类属性用于支撑快速搜索；关联属性用于构建知识间的关系；管理属性用于支持知识运营，如统计分析。

6.3.5.1　原则

1）基本属性分析是基础

知识属性设计主要考虑两点。①体现知识的关键特征，称为基本属性（这里将内容属性、分类属性、管理属性等统称知识的基本属性），主要作用是使用户能对给定知识类型有整体上的基本了解。例如，基于知识分类设计成果，在每一个知识分类维度中，分类树的叶子节点对应的知识类型，就是相应知识在这个维度的分类属性。②起到与其他类知识建立关联的作用，即关联属性，关联属性的确认对知识体系设计来说是非常重要的环节，它直接影响知识体系所支撑的知识图谱的应用效果。

2）知识源质量影响知识属性设计的实际效果

通过分析知识的关键属性来进行知识属性设计是非常重要的方式，知识属性设计的输出是知识模板。决定知识图谱具体应用及有效展示必须具备两个条件，一是在设计阶段已经设计出了比较全面、关键的属性；二是进入应用阶段时属性值不能为空，必须有实际的属性值做支撑，否则设计出的知识属性就是华丽的"空中楼阁"，没有实际的应用意义。因此，设计知识模板非常重要的一点是所设计属性的对应值的来源，即是否能够获取有质量的属性值数据，而这就要分析可获取的知识源情况。主要从以下几种知识源考虑。

（1）企业客户已拥有的数据资料。一般情况下，企业客户会有一些历史资料，如果数量不是很大，可以人工分析、提炼，这样可以保证属性值的准确性，如中国石化知识管理系统的对象实例数据基本由中国石化石油勘探开发研究院客户提供，基本覆盖了知识体系需要的70%的属性值。如果提供的是数据库或者其他信息系统，数量比较庞大，如中国石化源头库系统，基本涵盖了中国石油石化行业的所有数据资源，面对大量数据，开展人工整理费时费力，成本也比较大，因此需要分析数据库结构，如数据表中的关键字段，通过开发接口实现属性值的采集，这个环节需要注重数据的质量问题，开展数据清洗与校验工作。

（2）公共数据库或知识库。一些网络资源中心也提供非常丰富的数据资源，为属性值的采集提供重要的手段，但是公共数据库覆盖的数据资源量大，分布行业广泛，需要配备一定的知识采集、加工手段实现属性值的获取。实现有效采集的前期，必须组建专业团队确立准确的采集、加工规则，形成准确的采集、加工模型，为保障采集数据的准确性，数据在采集后需要专业人员的校验。加工规则、模型确认和校验等关键环节需要反复多次才能达到比较好的效果。

（3）需要专家逐个确认的知识。要考虑这部分属性来源的数量、稳定性、专家审核的可操作性。如果数据来源不稳定，质量标准依赖主观判断，审核工作投入难以保障，也许暂时不处理，留待后期知识加工能力足够时再处置是更好的方案。

3）反复验证

在设计属性并确认数据质量可以满足要求后，千万不要忘记至关重要的环节：验证。尤其是客户的验证，因为所有的设计对用户有用才算真的有用，同时客户的验证也影响着知识体系设计的适用性及项目的交付。验证过程，也是反复多次的。

6.3.5.2　流程

知识模板设计首先要调研行业、企业已有的知识关系成果及专家经验，梳理出知识的基本属性和关联属性。例如，在设计业务对象——油气田的属性时，需要了解其具体名称、地理位置、规模、现状等基本信息，设计出油气田中英文名称、地理位置、油气田面积、开发现状等基本属性，同时也要了解其归属哪个盆地、哪个构造，以及其隶属单位及同类型油气田等，设计出单位名称、盆地名称、构造单元名称及油气田类型等关系属性，完成与该对象相关的层级关系及相关关系构建（表6-2）。然后在此基础上，与信息源分析成果比较，筛选出可实现的属性，即通过人工或采集手段能获取的属性值。最后，针对建立的初步成果，与专家用户反复沟通、调整、确认。

表 6-2　业务对象——油气田的属性模板

对象类型	属性名称	属性类型	关系类型
油气田	油气田名称	基本属性	
	英文名称	基本属性	
	油气田代码	基本属性	
	地理位置	基本属性	
	发现年度	基本属性	
	油层名称（储层）	基本属性	
	油气田面积	基本属性	
	开发现状	基本属性	
	原油气田名称	关系属性	相似（同名）
	单位名称	关系属性	所属
	盆地名称	关系属性	所属
	构造单元名称	关系属性	所属
	矿权区块名称	关系属性	所属
	油气田类型	关系属性	相似（同类型）

第7章 | 勘探开发知识采集

知识采集是一种组织行为，是将外部数据和信息转变为可以处理的知识表达形式的过程，是将某种知识源中的信息抽取出来的增值活动，是石油企业知识中心建设的一个重要组成部分，对知识中心的建设起到基础支撑作用。

勘探开发知识源系统位于知识中心之外，知识采集是知识中心与知识源系统之间的桥梁，是知识获取的一种途径，即通过数据的获取和清洗处理为知识加工提供半成品的知识原料。石油企业内外部各种知识源系统中的文档和数据通过知识采集集中起来，通过知识加工最终成为业务人员需要的知识并存入知识库，这是整个知识中心建设的前端活动，是整个知识管理的出发点。知识中心所有知识的存储、加工、管理和应用，都是建立在通过知识采集获取到知识的基础上。勘探开发知识采集主要包括两个方面：①通过知识源分析，确定知识资源需求、知识获取的内容及来源途径，见7.1节；②针对不同知识资源类型，确定知识获取方式并完成技术实现，见7.2节。

7.1 勘探开发知识源分析

7.1.1 勘探开发知识资源类型

知识资源按传统理论主要界定为显性知识和隐性知识两大类别（野中郁次郎和绀野登，2019），按通用类型划分为事实型知识（如人物知识、事件知识等）、数值型知识（如观测数据知识、统计数据知识等）、概念型知识（如术语知识、定律知识等）、原理型知识（如学术理论知识、机理知识等）、技能型知识（如策略知识、方法知识等）、规则型知识（如法律法规知识、标准知识、制度知识等）、自定义型知识七大类[①]。

勘探开发的知识资源也通常涵盖上述类型，但知识资源的载体各不相同，无法按照通用类型去划分知识资源并得到知识获取方式和实施知识采集技术。因此，我们结合通用理论和勘探开发领域背景，根据载体形式的不同，将勘探开发知识资源划分为勘探开发业务知识源、管理知识源、外购知识源、公开知识源、个人知识源五大类，针对这五大类去分析其知识资源的需求、知识获取的内容和知识来源途径，以及最后采用什么技术去实现。

---

① 资料来源：《新闻出版 知识服务 知识资源通用类型》（GB/T 38380—2019）。

7.1.2　勘探开发业务系统

勘探开发的业务活动覆盖了物化探、井筒工程、分析化验、油气开发生产、综合研究、地面海洋工程等多个业务和主题域，是在实际业务生产过程中可独立组织实施的不必再分的最小业务活动。勘探开发的业务活动过程中有很多的条件与约束，如地球物理、地化分析、沉积构造、钻井采油、油藏、井筒等业务涉及各种业务逻辑和规则，这些逻辑和规则通常需要 LandMark 解释系统、Petrel 地质建模软件、Eclipse 油藏数值模拟软件、Discovery 油藏描述一体化软件等一系列专业软件的技术支持。

例如，在综合研究的开发地质研究过程中，可以利用 Petrel 地质建模软件（李蓓蕾等，2013）进行三维地质建模，通过建模软件充分利用钻井、地震、测井、地层对比等信息，结合夹层反演结果，在岩相描述曲线、孔渗曲线的基础上，通过对不同建模方法的选用和对各个随机模型进行的对比评价分析，加强对地质内部细节的认识，更加了解地质属性空间分布，然后将油气藏的地质模型可视化，形成接近油气藏实际地质特征的全三维精细地质模型，在这个过程中，专业软件的技术支持发挥了极大的作用。这类专业软件通常被简称为勘探开发专业业务系统。勘探开发专业业务系统具有以下特点：①面向某一个或几个具体的业务活动；②能够为业务过程提供各种先进、专业的技术支持；③拥有极大的业务和技术门槛；④能够产出专业的分析成果。

知识中心的建设目标并非替代业务系统，而是针对勘探开发的业务系统，我们将其作为一类重要的知识源，将其产出的专业成果经过加工处理后形成一类知识存入知识库系统，通过这种知识成果的复用，能够更好地对员工的工作产生帮助。

这类知识源的知识资源内容通常以非结构化的文本、图表形式存在。存储方式也多样，有数据库形式存储、有加密文档形式存储等。

7.1.3　企业管理系统

石油企业的管理系统大致涵盖了企业管理的方方面面，如行政管理、科技管理、管理信息系统、ERP 系统等。针对石油企业的特点，具体可以细分为如下相关的企业管理系统。

1）业务管理和决策支持系统

与上述专业业务系统为业务活动提供专业技术支持不同，业务管理和决策支持系统通常是对更多业务范围内的相关流程、方法、信息、生产报表、业务规范等内容的管理，如勘探决策支持系统、开发决策支持系统、开发部署管理系统、采油工程决策支持系统、钻井决策支持系统、开发方案辅助设计系统、作业管理系统等，在业务规范化、辅助设计总结、流程管理、辅助决策等方面发挥作用。

2）标准管理系统

标准管理系统通常管理石油企业内部产生的企业标准，行业标准，以及跟本行业有关的各类国家标准。

3）业务资料管理系统

业务资料管理系统通常管理业务资料和档案数据，以管理对象作为系统的命名方式，如档案管理系统和地质资料管理系统，其中地质资料管理系统管理勘探地质研究和油气藏工程的报表和地质成果报告、图表、图册。

4）数据管理系统

数据管理系统通常会建设数据中心及专业数据库、项目数据库系统，管理企业生产过程的各种数据和项目数据。这些管理系统管理的知识资源通常以关系型数据库存储的元数据、文件服务器或非关系型数据库存储的标准原文为主要存储和存在形式。

7.1.4　外购专业资源

除了这些内部系统外，石油企业通常会外购一些专业资源，这些专业资源通常包含广大油气勘探开发工作者所需的大量知识。

石油企业外购的专业资源来源有中国知网、维普等知识资源服务机构，也有能源或石油行业内的产业情报服务机构；内容包括期刊、文献、会议论文、电子图书、行业专利、能源产业报告等。对于石油企业的知识中心建设而言，这些都是宝贵的知识资源，具有帮助勘探开发科研人员在实际业务过程中了解行业现状、剖析和参考业界技术方向等重要作用。

外购专业资源通常有以下几类。

（1）按资源类型和资源内容数量收费，通常是数据库的镜像；

（2）按用户账号收费，通常采用客户端或者是网页；

（3）电子（或加水印或不加水印）资源原文，以光盘形式存储；

（4）纸质资源。

7.1.5　互联网行业资讯

在信息爆炸的时代，外部互联网的数据也是石油企业用户需要获取的知识资源之一，统称为互联网行业资讯，具体如下。

（1）百科类知识、行业科普类知识是行业基础知识内容的代表，来源有 Spe、PetroWiki、AAPG WIKI 等；

（2）情报资讯，包括主流媒体发布的科技动态，以及行业相关机构发布的行业发展，来源有国际能源署、美国能源部、英国能源工业协会等。

互联网行业资讯通常以网页形式存在，内容包罗万象，形式多彩多样，资讯信息的监测和知识资源的采集通常具有采集范围广、技术难度大、资源多样、需要不定时增量更新等特点。

7.1.6　用户本地资源

除了用内部系统管理的知识资源和外部的资源外，石油企业还有一大部分知识资源来自用户。用户在业务和工作过程中积累了大量的显性文件资源和隐性知识内容，具体包括：①在业务和工作过程中形成的成果报告、试验数据、工艺规程等文件资源；②隐含在专家头脑中的经验、案例总结等知识资源。

上述内容主要以两种方式存储：①用户本地电脑存储，一般以个人工作文件夹方式存放，具有来源分散、结构内容因人而异、不容易统一等特点。②石油企业围绕隐性知识的发掘管理通常也会做一些信息化建设的工作，表现为技术论坛、腾讯通 RTX（Real Time expert）、博客等，通过为员工提供知识交流的技术平台来方便隐性知识的传播，这些也是勘探开发知识资源之一。

综上所述，经过多年的信息化建设，石油企业已逐步建立了以数据库建设为中心的数据管理体系，积累了丰富的数据资源。这些海量的数据中潜藏着广大油气勘探开发工作者的大量知识，随着数据量的快速增长，使用传统的数据分析方法发现这些知识的难度也越来越大，"丰富的数据与贫乏的知识"的矛盾日益显现。

另外，石油企业虽然已建立了各种类型的知识源系统进行信息的管理，但系统往往以保存资料为目的，所管理的内容是分散的，功能上既不能满足关联检索、精确检索等方面的需求，也无法主动将知识推送至相关用户供其查阅，并缺少与人的互动，不利于知识的共享和重用。同时，由于缺少整理提升机制，在隐性知识显性化方面还需要做很多工作。

所以，在这些知识源系统进行分析的基础上，我们需要针对不同的知识资源类型采用不同的方法和技术去实现知识资源的采集，以达到知识资源汇聚的目的，然后在知识中心建设环节解决这些难点和痛点。

7.2　勘探开发知识源采集技术

7.2.1　采集技术的需求分析

7.2.1.1　业务需求

通过对业务需求的分析，勘探开发知识资源采集涉及的相关单位主要包括知识源系统主管单位、知识源系统运维单位、知识源系统开发单位、石油企业知识中心，因此集成知识源系统的干系人在集成建设过程中会有自己的想法和要求。

知识源集成是石油企业知识中心的有机组成部分，因此石油企业知识中心对知识源集成子系统有系统的要求。

下面从四个方面来阐述知识源采集技术的业务需求。

1）知识源系统主管单位

（1）知识源集成的采集工作不能严重干扰本知识源系统的正常运行；

（2）知识源集成不能篡改、删除和破坏本知识源系统的数据和文件内容；

（3）知识源集成访问本知识源系统的数据和文件内容时必须符合本知识源系统的安全性和保密性的要求。

2）知识源系统运维单位

（1）知识源集成的物理部署不能影响本知识源系统的应用服务器、数据库服务器的正常运行；

（2）知识源集成的网络安全性要符合本知识源系统的网络安全要求；

（3）知识源集成不能占用过大的网络带宽；

（4）除去正常的服务器、网络、系统软件和应用软件的维护，知识源集成不应该加重知识源系统运维单位的维护工作量。

3）知识源系统开发单位

（1）知识源集成的方式不能破坏和影响本知识源系统原有的系统架构；

（2）知识源集成的数据访问不能破坏和影响本知识源系统原有的数据结构；

（3）知识源集成的接口不能随意修改和增加，如果因知识中心的需要，必须修改接口，需要得到上述知识源系统开发单位的一致同意，并形成版本管理。

4）石油企业知识中心

（1）知识源集成完成知识管理的采、存、管、用四大应用功能的采集功能；

（2）按照知识模板的要求，针对每一个具体知识源系统，制定相应知识采集模板；

（3）满足石油企业知识中心安全性等其他方面的要求。

经过上述分析可以最终得到需要集成采集的勘探开发知识源系统的清单及其详细的信息。通常情况下，石油企业知识中心的知识源清单既包括企业内部的各类管理系统，也包括企业外部来自互联网的各类专业网站，以下是常见的两类知识源系统示例（表7-1和表7-2）。

表 7-1　地质资料管理系统示例

类型	有原有文件
业务内容及范围	主要用于对地质资料的管理和查询，包括地质资料案卷、目录、图片、全文，地质图库，以及各个油田的资料等
有无业务数据	有
业务数据的形式	数据库结构化数据
有无文档	有
文件格式	PDF、PPT、WORD、EXCEL、TXT、GIF、JPG、TIF 等
是否需要文件分割	否
有无元数据	有
有无密级	有
主管单位	地质资料中心
运维单位	信息所
有无业务对象描述	有
业务对象描述方式	数据库表中字段

表 7-2　中国知网期刊数据库镜像库示例

类型	无原有文件
业务内容及范围	电子期刊科技论文的检索与阅览，包括中国学术期刊网络出版总库、中国优秀硕士学位论文全文数据库、中国博士学位论文全文数据库

类型	无原有文件
有无业务数据	无
业务数据的形式	—
有无文档	有
文件格式	PDF、CAJ、HN、KDH
是否需要文件分割	否
有无元数据	无
有无密级	无
主管单位	信息所
运维单位	信息所
有无业务对象描述	无
业务对象描述方式	—

7.2.1.2　系统需求

明确知识资源采集业务需求之后就需要将其转换为知识资源采集的系统需求，这个过程属于 DAPOSI 中分析阶段的设计知识体系，知识体系即知识的系统化、组织化和序化，是根据业务分析和知识源调研的成果，设计企业的知识体系框架，形成系统的 DIKW[①] 模型。其中，对于知识资源采集的系统需求来说，最重要的成果就是每个知识源系统的知识资源采集模板。知识资源采集模板的制定原则如下。

（1）知识源系统中存在的原始业务属性，在知识模板中有体现的需要采集；

（2）知识资源采集模板中应去掉需要知识加工产生的内容（如知识类别等在知识源系统没有的内容），应增加知识源定位信息（知识源系统名称、管理单位）和知识源系统描述信息（密级、权限）（这些信息主要是帮助业务人员知道如何申请查阅原文件），构成信息资源采集模板。

7.2.1.3　采集技术实现

DAPOSI 前两个阶段都是需求分析的过程，最后需要通过 IT 技术将其软件化并实现落地。

石油企业知识中心建设涉及石油企业内外部各种知识源系统，存在多样、复杂、技术不统一、内容不统一等现状问题，所以技术上需要针对不同的知识资源类型和技术特点，采用不同的技术和手段去实现（周瀚章等，2018；丁祥武等，2017；于洁，2017），实现技术包括数据库采集技术、网页采集技术和文档采集技术三大类，其详细介绍如下。

---

① DIKW 模型是一个可以很好地帮助我们理解数据（Data）、信息（Information）、知识（Knowledge）和智慧（Wisdom）之间的关系的模型。

7.2.2 数据库采集技术

数据库采集技术主要采用的是 ODBC Connector，专门负责将知识源系统的数据库中的数据表或视图中的内容抓取下来，按照系统元数据的配置，将数据整合成 IDX 或者 XML 格式。

ODBC Connector 的抓取过程主要分成 3 个步骤。

（1）ODBC Connector 按照系统元数据的配置执行，将所有采集任务里罗列的表单数据抓取到采集服务器本地；

（2）ODBC Connector 将采集的数据按照系统元数据配置的格式模板（即信息采集模板）生成 IDX 或者 XML 格式文件；

（3）将 IDX 或者 XML 格式文件分批上传给装载器，上传的方式有在线上传和离线上传。

ODBC Connector 具有的采集功能如下。

（1）增量采集，第一次完全信息采集之后，ODBC Connector 不再对所有数据进行采集，ODBC Connector 会根据采集日志状态，来对新增、删除或者修改的数据库信息进行增量同步。ODBC Connector 支持用户自定义采集策略和规则，如表字段、视图内容、多表联合、循环间隔、采集时间等，对数据库进行信息采集。

（2）自动采集，ODBC Connector 可以作为系统进程或者后台服务运行，按照用户设定好的规则，自动完成采集任务。ODBC Connector 支持 SQL 语句的调用，可使用 select、where、like 等语句对采集范围进行限制。

（3）支持大字段格式，ODBC Connector 支持对数据库中的大字段内容、数据库中存放的各类文档（如 PDF、OFFICE、HTML 等）的内容进行抽取和处理。

（4）支持多表联合，可以从多个关联表中整合数据条目并进行数据采集。

（5）支持并发采集，用户可自定义多个采集任务同时进行，提高采集效率。

（6）支持分布式采集，用户可根据数据库分布情况，部署分布式的 ODBC Connector 模块。

ODBC Connector 主要包含三种配置文件：主配置文件、任务配置文件和任务数据模板。这三种配置文件可以人工修改，也可以由知识源集成的管理与操作服务在运行时根据系统元数据动态地修改。

（1）在主配置文件中，可以定义 ODBC Connector 的采集任务，任务可以是多个。主要配置任务名，以及任务涉及的数据库服务名、连接用户名、密码、IP 地址以及任务的配置文件名信息。

（2）在任务配置文件中，主要定义采集的类型，配置抓取文件地址，配置目标表单名或视图名，设置主键、select 语句、where 条件等，并指定采集后的数据使用的任务数据模板文件。

（3）任务数据模板（HTML 或 IDX 后缀）文件中主要包含各个标签的名称与数据表字段的对应关系。

这三重配置层次清晰、各司其职，按照用户和系统的需要，将格式化的数据信息采集到采集服务器。

从数据的处理逻辑来分析，可以更好地说明 ODBC Connector 的工作流程。

首先，ODBC Connector 通过 DSN 或 JDBC 的方式，连接到 SQLServer 数据库，将数据库表中的内容插入任务数据模板中对应的标签条目中，以文件的形式存储在本地临时文件夹中。

然后，对临时文件夹中的文件进行配置文件中指定的后期处理，将临时文件中的内容进行需要的调整之后，生成 IDX 文件。

最后，ODBC Connector 将 IDX 文件上传至装载器。

ODBC Connector 作为一个采集层，是一个非常重要的角色，它能够根据配置，调整数据内容，适应灵活的数据需求。

7.2.3　网页采集技术

网页采集技术，通常采用的是爬虫技术。爬虫又称网络爬虫，是按照给定的规则在互联网上抓取信息的程序或者脚本，是一种自动采集网页页面内容，以获取或更新这些网站的内容的网页采集技术。

勘探开发信息资源的网页采集技术主要选择的是网络爬虫中的聚焦网络爬虫，又称主题网络爬虫，是指选择性地爬行那些与预先定义好的主题相关的页面的网络爬虫。和通用网络爬虫相比，聚焦网络爬虫只需要爬行与主题相关的页面，极大地节省了硬件和网络资源，保存的页面也由于数量少而更新快，可以很好地满足一些特定人群对特定领域信息的需求。聚焦网络爬虫的工作流程较为复杂，需要根据一定的网页分析算法过滤与主题无关的链接，保留有用的链接并将其放入等待抓取的 URL 队列。然后，它将根据一定的搜索策略从队列中选择下一步要抓取的网页 URL，并重复上述过程，直到达到系统的某一条件时停止。另外，所有被爬虫抓取的网页将会被系统存储，进行一定的分析、过滤，并建立索引，以便之后的查询和检索；对于聚焦网络爬虫来说，这一过程所得到的分析结果还可能对以后的抓取过程给出反馈和指导。行业专家和知识工程师的认识不一致，所以需要解决三个主要问题：①对抓取目标的描述或定义；②对网络或数据的分析与过滤；③对 URL 的搜索策略。

分布、异构、动态和庞大的信息资源整合是网络爬虫的难点。近年来，网络以令人难以置信的速度发展，越来越多的机构、团体和个人在 Web 上发布和查找信息、知识。但由于 Web 上信息资源有着资源离散分布、资源异构、动态变化和内容庞大等特点，网络上数据的信息接口和组织形式各不相同，并且 Web 页面的复杂程度远远超过文本文档，人们查找到自己想要的数据犹如大海捞针。

在网络爬虫的实现过程中，一个现实的问题是要克服反扒机制，一般开放的网站也具有一定的反扒能力，虽然限制了知识的传播，但是保护了知识产权。我们需要在互联网的公开免费的原则和知识产权保护的原则之间找到一个平衡点。

勘探开发信息资源的网页采集技术，在传统聚焦网络爬虫的基础上，根据勘探开发信息资源所在知识源的技术特点和反扒机制，开发了定制化的爬虫技术，目前已经能够覆盖

80% 以上的勘探开发信息资源的采集。

当然随着新技术的发展，网页反扒机制的升级，这部分技术也涉及升级改造，所以勘探开发信息资源的采集是一个长期运维的过程，这是石油企业知识中心建设中的一个显著特点，目的是保障勘探开发信息资源能够常用常新，知识中心中的知识能够持续保持鲜活的状态，符合知识存在生命周期的理念。

7.2.4　文档采集技术

文档采集技术通常使用文档采集器，能采集所有常用的电子文档文件，它支持WORD、XLS、PPT、PDF、HTML、TXT 等多种格式文档的自动扫描、自动数据采集，甚至包括各种压缩文件，如 ZIP、RAR、TAR 等，对于命名错误或者后缀错误的文档，它还能够自动地识别编码和语言类型，以及文档格式。其主要功能如下。

（1）按照目录形式或者列表形式对文档进行分类组织，分类层次可以任意定制；

（2）对目录下文档进行自动扫描，并将目录作为文档分类标引项自动提取；

（3）对于一些标准格式文档，可以自动提取一些特征值，如标题、作者、单位、摘要等作为元数据标引项；

（4）实现对文档正文内容的自动采集、转换编码，并与元数据合并形成标准的中间内容格式，索引到内容处理引擎中。

其操作流程如图 7-1 所示。

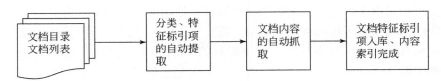

图 7-1　文档采集技术流程

第8章 | 勘探开发信息资源的知识加工

8.1 知识加工概述

8.1.1 知识加工的哲学基础

19 世纪与 20 世纪之交出现的"哲学研究语言转向"对 20 世纪人文社会科学研究产生了深刻影响（潘文国，2008），使其整体面貌发生了重大改变。这一改变表现在两方面。第一，从哲学研究角度看，语言成了 20 世纪哲学研究的中心和出发点，欧美乃至整个西方哲学都可以叫作广义上的语言哲学。这一"转向"非常全面和彻底。第二，从哲学以外的人文社会学科研究角度看，这些学科无不受到哲学语言转向的影响，其受影响的程度甚至决定其研究的现代性和深刻性程度。换言之，20 世纪以来的哲学研究都属于语言哲学，而哲学以外的人文社会学科研究都处在语言哲学笼罩之下。这一结论适用于所有人文学科，当然也包括语言学。

Linguistic turn 是将哲学研究的关注重点转到语言上，哲学研究要从语言研究开始，而语言学本来就是研究语言的科学。语言研究强调的是以语言为对象的科学研究过程，而语言学则往往指这一研究得出的结果、某种理论或体系。因为结论和产生的体系不同，可以有各种各样的语言学，如结构主义语言学、转换生成语言学、认知语言学等，但一般我们不大会说结构主义语言研究、转换生成语言研究、认知语言研究等。当然，在个别情况下，两种说法都有，如传统语言研究和传统语言学。但其含义是不同的，前者是前人对语言的研究，后者却指某个特定的语言学流派，通常指 19 世纪的英国学校语法。语言研究不等于语言学，因此在使用时要小心。强调 Linguistic turn 只能译成"语言转向"，不能译成"语言学转向"就是一个办法。

中国哲学界和语言学界的共同任务是开展汉语哲学研究，当前世界上所有哲学家都在研究语言哲学，中国也不例外。当今世界，几乎所有重要的语言研究都注重建立在语言哲学基础上，研究语言哲学的呼声越来越高，语言学界从 20 世纪 20 年代以后，注重发掘汉语特点的呼声就不绝于耳，中间经过一段时间的沉寂，近十来年又高涨了起来，但很少有人上升到哲学观、语言观的高度。主要由语言学界发起成立的中西语言哲学研究会，使我们看到这两股力量有合力的可能和前景。

哲学、科学技术哲学、学科之间的包含关系如图 8-1 所示，在哲学的语言转向之前，学科研究的都是现实世界，但是转向之后，语言成为每个具体学科的研究对象。这就是 AI 的哲学基础，AI 主要研究人类文本语言、声音和眼睛所看的图像语言背后的意义。

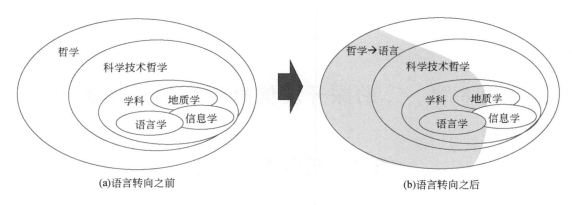

(a)语言转向之前   (b)语言转向之后

图 8-1 哲学与具体学科间的关系

科学技术哲学是哲学的重要分支学科，主要研究自然界的一般规律、科学技术活动的基本方法、科学技术及其发展中的哲学问题、科学技术与社会的相互作用等内容。由于科学技术活动已成为独立的社会活动，因此将科学技术作为一个单独对象进行考察和研究无论是对科技发展还是对社会发展都具有重要的作用。

随着人类社会逐渐步入信息时代，为了应对信息化浪潮给人类社会带来的种种机遇和挑战，科学技术哲学已经将信息科技纳入自己的视域之中，逐渐形成了具有鲜明时代特色和前沿学科性质的信息哲学学科群，如计算机哲学、人工智能哲学、系统哲学等为其中相对成熟的学科。

学科和科学技术哲学都将现实世界作为自己的研究对象，科学技术哲学以具体的学科为基础，是具体学科知识的概括与总结，为具体学科提供世界观和方法论指导，而具体学科的进步又推动着哲学的发展。

8.1.2 知识加工就是寻找语言中的模式

模式是主体行为的一般方式，包括科学实验模式、经济发展模式、企业盈利模式等，是理论和实践之间的中介环节，具有一般性、简单性、重复性、结构性、稳定性、可操作性的特征。模式在实际运用中必须结合具体情况，实现一般性和特殊性的衔接并根据实际情况的变化随时调整要素与结构才有可操作性。模式指事物的标准样式，如发展模式。

模式也是从生产和生活中抽象提炼出来的核心知识体系，是解决某一类问题的方法论。把方法归纳总结到理论高度就是模式。模式是从不断重复事件中发现和抽象的规律，是解决问题形成的高度归纳总结，只要重复出现，就可能存在某种模式。

模式与语言之间的关系如图 8-2 所示，右图是对语言的展开。

数据是一种语言、一种文本。最常见的数据语言的模式就是表达式。如图 8-3 所示，开普勒基于第谷的天文记录发现了开普勒三定律，开普勒定律也是一种模式，不过由于其有相互联系的三个，因此并不能被人们很好地理解和使用。到了牛顿时代，前人的数据和定律最终总结为万有引力定律，其中的万有引力假设是科学技术哲学，而这个表达式是表达天文学科对象的模式。

| 104 |

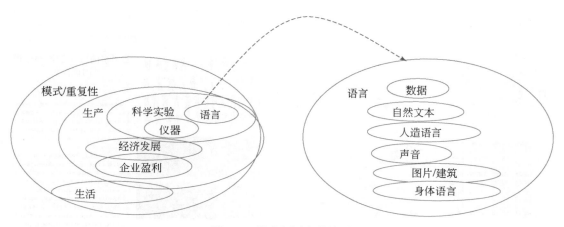

图 8-2　模式与语言的关系

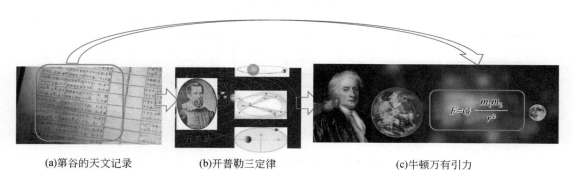

(a)第谷的天文记录　　　　(b)开普勒三定律　　　　　　(c)牛顿万有引力

图 8-3　表达式是数字背后的模式

　　啤酒和尿布是大数据时代对参数之间关系的简单表达方式，本质上还是参数的显著性相关分析得出的统计结果，其过程如图 8-4 所示。

食品、香料类商品购物篮中同时出现的概率　　　　　　（单位：%）

商品名称	脆谷物片	香草	薄荷	鸡腿	巧克力	焦糖	草莓	太妃糖
脆谷物片	无	5.95	7.01	7.28	5.79	8.48	7.53	7.09
啤酒	5.36	无	5.10	5.21	4.91	5.63	7.99	4.13
薄荷	4.36	3.52	无	4.93	7.12	5.25	6.63	7.29
鸡腿	4.90	3.89	5.34	无	4.91	4.73	5.20	5.68
尿布	3.36	5.30	5.23	6.65	无	4.30	6.09	7.29
焦糖	5.29	4.22	5.70	4.75	5.00	无	7.89	8.57
草莓	5.01	5.92	7.10	5.15	6.99	7.79	无	5.65
太妃糖	3.01	1.95	4.98	3.58	4.17	5.39	4.31	无

$$Q_{商场销售额} \propto Q_{啤酒} \times Q_{尿布}$$

图 8-4　啤酒和尿布是一种模式

　　模式是对重复实践的结构分析，因此所有统计分析都是寻找模式的过程，深度学习也是一种统计分析，因此也是寻找模式的一种过程。统计分析和深度分析的区别在于可解释性，统计分析一般对模型在现实世界中的物理意义是很明确的，但是深度学习是对人大脑的模仿，因此现实意义难以解读，这使得深度学习成为黑盒子，但是无论多么复杂的深度模型，本质上还是一种模式、一种表达式。语言是一种模式也是一种基因组，这是乔姆斯基最伟大的发现（图 8-5）。

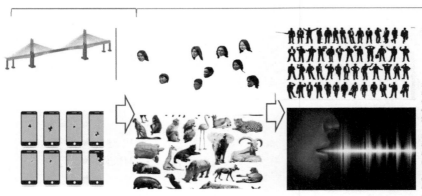

(a)结构的模式和基因模式

自然语言	出差				
	主体	出发地	目标地	时间	
我明天到北京	我		北京	明天	(Duty=Subject-From-To-Time)
安排你明天去北京	你		北京	明天	
王总明天从北京到公司	王总	北京	公司	明天	
……					

(b)自然语言的模式

图 8-5　语言的模式是基因决定的

　　自然语言分析最终在分析什么？就是在分析模式，语义是一种框架也就是一种模式，$y=f(x)$ 和出差→（时间、目的地、任务）这个语义讲的都是模式。

　　模式所以为模式，是因为世界都是以相态进行量子化的本性决定的。

　　在硬件中，模式就是模块，因为很多地方都使用同样的模块，如器件→模组→模块→单板→框→机架，这就是一个硬件系统一般的分类，按照个头的大小和功能的多少开展分类。在软件中，我们将采用大致相同的分类对系统进行模块化，如语句→方法→类→3 级功能→2 级功能→1 级功能。

　　由此可见，对于自然语言加工，其主要的内容就是发现语言中的模式，这个模式源自人类最底层的基因，同时又代表人对大自然的本性的认识。

　　哲学研究的语言转向表明，人们正在从物质结构决定表现性能的研究模式，转向对人通过语言表达的认知模式的研究，认知模式是人的基因对现实物质世界的协同作用的结果，反映了人类认识世界跃上了一个新高度。

8.1.3　勘探开发知识模型

　　基于前面章节介绍了勘探开发业务模型和数据模型，本节要建立勘探开发业务的知识模型。所谓勘探开发业务的知识模型，就是从已有的勘探开发业务的文献中挖掘出来的，为未来勘探开发业务开展提供支撑的数据和规则。基于图 8-6 对勘探开发业务的知识模型进行解读，并和啤酒尿布的知识发现过程进行对比。

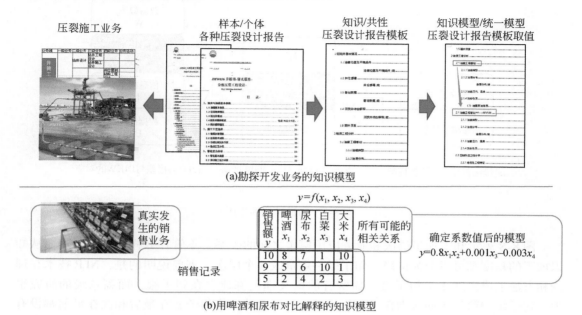

(a)勘探开发业务的知识模型

$$y = f(x_1, x_2, x_3, x_4)$$

真实发生的销售业务

销售记录

销售额 y	啤酒 x_1	尿布 x_2	白菜 x_3	大米 x_4
10	8	7	1	10
9	5	6	10	1
5	2	4	2	3

所有可能的相关关系

确定系数值后的模型
$$y = 0.8x_1x_2 + 0.001x_3 - 0.003x_4$$

(b)用啤酒和尿布对比解释的知识模型

图 8-6　勘探开发业务的知识模型示意图

任何知识都用文字表达出来，在勘探开发业务中，最直接的知识表达方式是各类报告，如压裂设计报告。正如一个句子具有概念和实体一样，任何一份报告都具有双重性甚至是多重性。以压裂设计报告为例，对于实施压裂业务的人员而言，纸面的报告都具有现实的意义，因此具有可操作性，是实实在在发生的业务过程。但是对于研究者而言，其将从各种压裂设计报告中寻找共性，这种共性或者重复性在工程上一般用一个文档模板来表达，由于模板是业内认可的共识，因此模板就是业务的知识。但模板代表的知识还是处于知识概念层面，相当于抽象表达式，还没赋值。当通过大量样本对这个模板进行赋值之后，勘探开发业务的知识模型就形成了。类比于啤酒尿布的场景，真实发生的销售行为就是业务，而销售表具有双重作用，每一笔记录是一个样本，而表头代表抽象的模板或者知识，最终根据样本对系数进行赋值，得到的啤酒和尿布对业务的定量表达式，就是商场销售中建立起来的销售业务的知识模型。

如图 8-7 所示，由于知识模型的加入，原来数据模型→业务模型的两层结构，转变为数据模型→知识模型→业务模型的 3 层结构，业务是通过知识和数据关联的。这一点符合实际场景，因为业务都是由人完成的，而人是通过其知识完成业务活动的。

常见的面向对象的数据模型是一张表单，表单的表头罗列出所有相关的元素，因此，数据模型其实包含了数据和模型两部分，等效为数据+信息两层。建立业务模型的最终目标就是企业的目标，归根结底就是提高经济效益，不管以何种语言来表达，这种以是否对人有益为目标的行为就是智慧，最符合智慧最本真的意义。因此，业务模型就是发挥智慧的行为，属于智慧（W）层。如此，经过重构的勘探开发业务模型，实际上是一个从数据模型、信息模型、知识模型到业务模型的金字塔，和 DIKW 的层次完全对应。

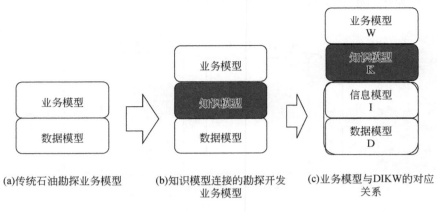

(a)传统石油勘探业务模型　　(b)知识模型连接的勘探开发　　(c)业务模型与DIKW的对应
　　　　　　　　　　　　　　　　　业务模型　　　　　　　　　　　关系

图 8-7　知识模型的作用

图 8-8 表示知识加工层次和业务应用层次之间的关系。不管什么样的业务应用，从知识加工的角度都可以分为词级→句子级→篇章级 3 个层次。需要说明的是，NLP 技术在理论和方法上成熟度止于句子级，如所有的语义理论都建立在句子级，而篇章级的研究很少。句子级和篇章级的区别在于，句子级与位置无关，将句子放在最后和放在最前都没有任何问题，这就是 0 型语法的特征。但是对一篇文献而言，不同章节的同一个对象或者句子，其含义都是不同的，这就是前后文、上下结构之间具有相关性，从语法上属于 1 型语法，是 NLP 技术中的难点。

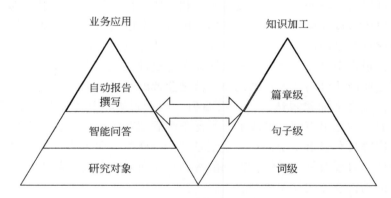

图 8-8　从知识加工理解业务应用

8.1.3.1　词级知识加工

1）对象识别

对象识别就是自然语言中的命名实体识别。其典型的技术路线如图 8-9 所示。

上述技术路线考虑了知识的小概率事件特征，用字典和规则作为第一步。实践证明，这是一个适合工程应用的实用的技术路线。

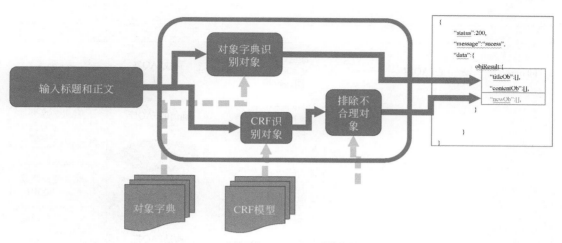

图 8-9 命名实体识别技术路线

2） 专业分词

一般分词不能满足业务需求，需要对业务分词进行改造才能实现专业分词。专业分词的技术路线如图 8-10 所示。

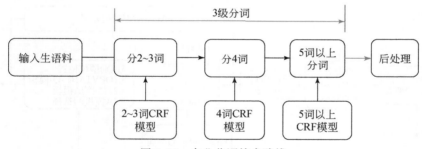

图 8-10 专业分词技术路线

此技术路线充分考虑了词的专业性，由于专业词汇比较长，但是频次比较低，因此采用按层叠加的方式进行逐级分词。

8.1.3.2 句子级知识加工

智能问答是典型的句子级知识加工的应用（崔阳阳，2016）。一个基于图谱的智能问答技术路线如图 8-11 所示，这里考虑了寒暄、问答、FAQ[①] 库、搜索等多种手段用于寻找答案。

问句意图识别技术路线如图 8-12 所示。

在问句样本量有限的情况下，由问句的框架元素拼出来问句意图是一个难点。我们采用一个专利技术来快速地实现问句意图识别，专利名称为《一种基于词串长度的意图识别方法、系统及存储介质》（CN202110167645.5，审中–实质审查）。

---

① 常见问题解答（Frequently Asked Question，FAQ）。

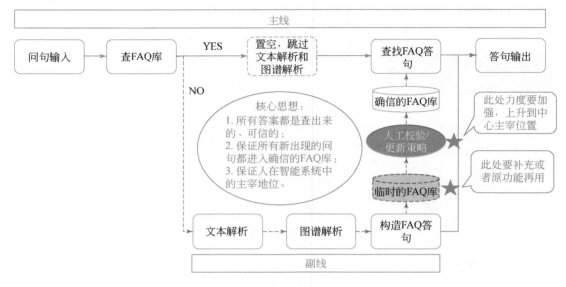

图 8-11　智能问答技术路线

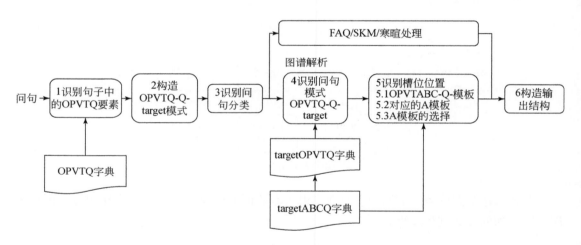

图 8-12　问句意图识别技术路线

8.1.3.3　篇章级知识加工

篇章语义的定义就是文件的标准模板,见图 8-13。

篇章语义加工技术路线如图 8-14 所示。

由于自然语言加工只能到句子级,因此,篇章语义的加工就是通过预先定义的篇章结构将一个大型的文本拆到句子级,然后采用 NLP 技术进行处理,最后按照篇章结构整合成篇章的属性。篇章语义的标注和自动识别是其中的关键技术,我们采用两个专利技术来实现。篇章语义标注技术路线如图 8-15 所示。

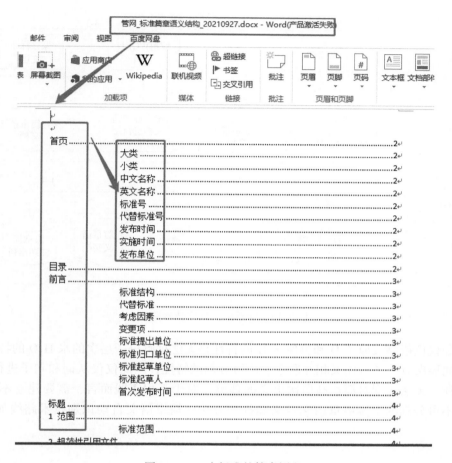

图 8-13 一个标准的篇章语义

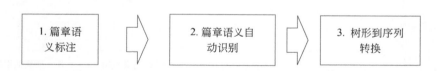

图 8-14 篇章语义加工技术路线

　　语义的标注一般采用对句子或者句子上的词打标签来实现标注任务，如插入空格实现词之间的分割、通过插入实现符号实现词和实体名之间的标记。这种简单的基于句子粒度的标注无法满足具有复杂层次语义结构标注的要求，如要标出"地质工程分析"这一章的语义是什么，这一章里面包含很多节、段、句、词，仅仅对一个词或句子进行标注无法实现对整个文献的理解，如仅仅标出"前置液阶段/工艺使用胍胶起裂主缝，配合滑溜水段塞……"即找到"前置阶段"属于"工艺"这个业务对象类型对整个工程设计过程的理解没有帮助。

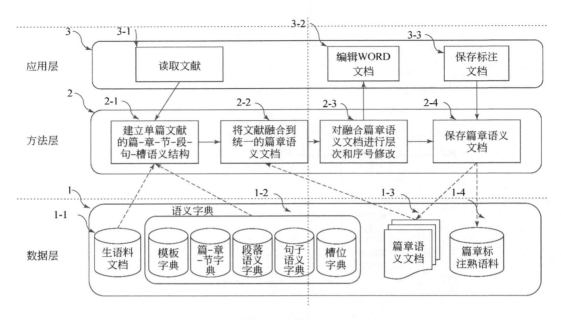

图 8-15 篇章语义标注技术路线

正如仅仅依靠氧原子 O 和氢原子 H 的特性是无法理解分子层次的水 H_2O 的特性一样，事物不同层次有其独特而又相互联系、不可分割的特性，因此仅仅从词和句子进行语义定义和标注，无法实现对篇章高层次语义的理解，对于工程实践而言，需要建立不同层次、层级间不可分割的整体篇章语义定义和标注方法。篇章语义自动识别技术路线如图 8-16

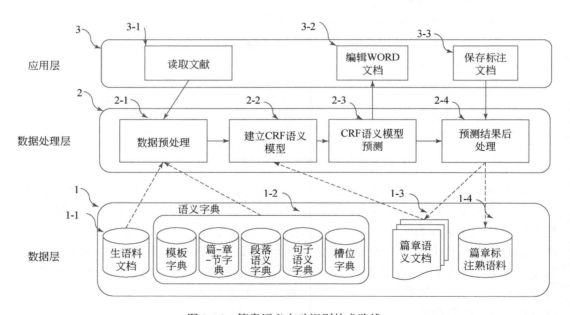

图 8-16 篇章语义自动识别技术路线

所示。基于句子关联的篇章语义自动识别方法和系统的基本思想将复杂层次结构等效为单层的序列进行处理，具体如下。

首先，建立文献的章—节—段—句—槽顺序排列的层次结构的篇章语义，篇章语义采用层次结构而不采用相互关联的图语义的定义方式，因为分层的树形结构是复杂系统的结构特征，将对树的层次的处理等效为对叶子节点这个序列的处理。分层结构的树是复杂系统的结构特征，代表人的思维模式，也是知识体系的常用表达方式。将整个输入的标注语料进行预处理，建立所有句子和其对应的语义的序列表。

其次，对于句子之间的逻辑关系，将句子的前后句子（±1 句）合并在一起成为一个长句，对这个长句进行 CRF 建模。对单个句子而言，句子不能随便挪动位置，体现了句子必须满足篇章的要求，而这不满足 CRF 模型的句子可以随便挪动位子的假设；3 个句子组合成的长句是可以随便移动位置的，与上下文无关，这满足 CRF 的要求，同时上下句子又带有框架信息，因此融合的长句既满足了 CRF 模型的要求也满足了篇章语义对句子的要求。前后关联的句子数目依据实际情况可以在−4 ~ 4 进行调整。在篇章语义中，句子之间的顺序或者关联是最重要的因素，而句子本身的内容或者句子的长短并不影响句子之间的连接，因此改造句子的长度，只取句子前后各 $N=5 \sim 10$ 个字符组成短句，这样 3 个句子串接起来不超过 60 个字符，这是任何算法都能适用的长度，组合句子可以满足 CRF 模型对句子长度的要求。

最后，对整个文献篇章语义采用两种方法进行后处理：①采用字典查询，使得人的先验知识得以继承，查询与样本量无关；②对于无法查出句子语义标签的句子，采用 CRF 模型识别句子的篇章语义标签，赋予句子一个有置信度的语义标签。

8.1.4　由数据模型到知识模型

专业知识之所以专业，是因为还有很多知识掌握在专家手里，非专家需要长时间的训练才能达到专家的水准（唐博，2009）。以测井解释为例，一个专家经过至少 10 年的解释实践，其解释结果可以和实际结果达到 80% 的吻合，这里面融合了专家自己所有的专业知识，这种专业知识会变成某种直觉。这种难以言表的直觉或潜意识就是知识的隐性特征的根源。

对于专业分析软件而言，它基本上是一个数据模型，也就是有数据就能根据专业模型计算出专业的结果，如测井解释软件，只要赋予软件数据，软件就能将参数 X 和结果 Y 之间的关系呈现出来。

但是大量的专业分析软件的问题是没有办法对得到的结果进行分析，从而指向更准确的下一步。所以，专家不断调试参数的过程实际上是专家完成从 (X_n, Y_n) 到 (X_{n+1}, Y_{n+1}) 的过程，专家调试的过程就是一个优化的过程，但是专家选择下一步的根据没有办法用明确的表达式进行描述。

所以，知识中心知识管理平台的作用就是记录专家调试的过程，通过构建知识库实现专家的自动调试。由于每个专家的认知不同，在同样 (X_n, Y_n) 的情况下可能选择不同的 (X_{n+1}, Y_{n+1})，这是正常的，但是最终专家知识的正确与否是通过实际结果进行校对的，所有专家的中间过程可能是不同的，但是结果应该是一样的，物质的结果具有唯一性。

一个基于专家知识库的智能测井解释平台技术路线如图 8-17 所示：①专家不断调整曲线的过程，是一个目标优化的过程，是一个（X, Y）的前后时序关系；②应用优化后的目标函数对数据点构建一个语义框架，包括地层、岩层、储层，每个层对应计算公式和参数；③基于符号动力学思想，实现数据文本化，实现对目标函数特征的描述；④采用 NLP技术，挖掘专家知识，构建专家知识库。

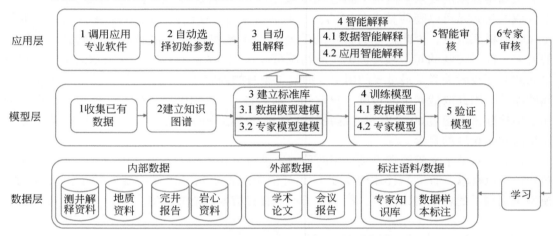

图 8-17　智能测井解释平台技术路线

采用符号动力学方法，对数据及图像进行文本化，通过文本方法来描述专家的经验，如图 8-18 所示，这是该技术路线的特点。实际上，该技术路线是用文本方法来统一对数据及图像进行建模，把数据看成文本，采用知识的方法来进行统一的管理和应用，这是知识管理融合专业软件的第一步，未来将发展到采用图像识别方法进行知识处理。

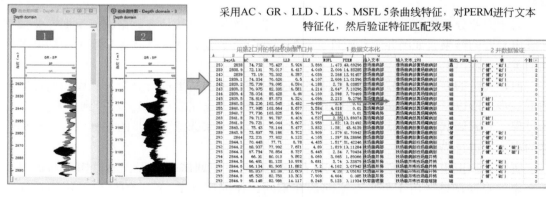

图 8-18　数据、图像文本化

8.2 勘探开发知识源的知识加工技术

如图 8-19 所示，从 NLP 视角看，知识加工分为两个维度，一个是按照篇章结构进行划分，这显示了业务应用的需要；另一个是数学模型的选择，也就是使用计算机实现业务模型的过程。

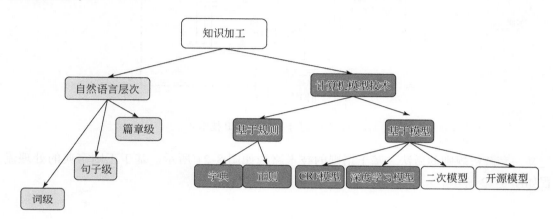

图 8-19　知识加工的两个维度

计算机并不需要知道处理的业务逻辑，业务逻辑是人为规定的。在模型选择上，分为基于规则和基于模型两种，其中基于规则的方法代表小样本实践，以查询方法为主，更符合知识原本的定义。基于模型的方法本质上是基于数据的统计方法，代表大量样本呈现出来的平均模式，在与人行为相关的互联网领域具有广泛的应用，但是在与物质分析相关的工程领域的应用，一直受到质疑。我们认为，这两种方法构成一个层次关系，基于规则的方法可直接查询到经过校验的正确结果，同时为基于模型的方法积累样本，二者是一种相互依赖、循环提升的关系，是一个不断学习完善的智能化过程。

8.2.1 基于规则

8.2.1.1 基于字典

基于字典的处理是知识处理中的基本环节，由于知识是小概率事件，基于模型的计算一般不适用，因此基于字典的处理是一种比较好的处理确信知识的方法。

如果认为专家的知识也是基于数据的统计结果，则可以把专家字典作为模型的中间过程，但是由于专家获得知识的数据是不可知的，因此从认识上可以认为专家知识是基于数据的，但是操作层面还是基于字典的。基于字典的 NLP 技术如图 8-20 所示。

8.2.1.2 基于正则

正则也是一种模型，一般我们采用正则字典+语言的正则分析包的形式，而避免自己

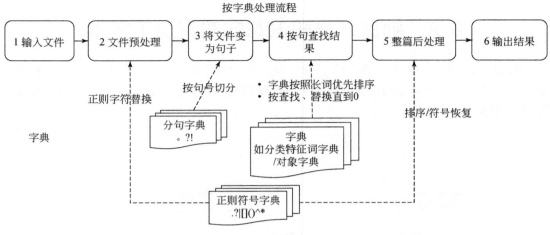

图 8-20　基于字典的 NLP 技术

定义一套解析规则的做法。基于正则的技术路线如图 8-21 所示。基于正则字典的处理流程如图 8-22 所示。

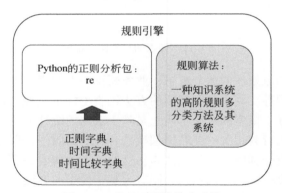

图 8-21　基于正则的技术路线

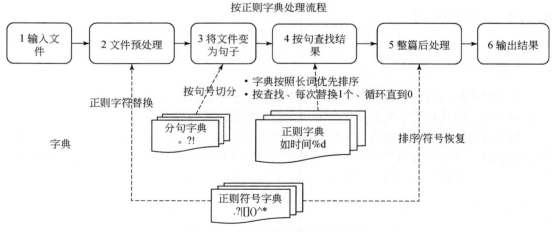

图 8-22　基于正则字典的处理流程

该技术路线将正则字符作为字典进行处理，借用编程语言自带的正则处理包如Python、Java 等进行处理，在工程的精度和效率上获得比较好的平衡。

8.2.2 基于模型

8.2.2.1 CRF 模型

CRF 模型是在给定一组输入随机变量条件下另一组输出随机变量的条件概率分布模型，其特点是假设输出随机变量构成马尔可夫（Markov）随机场。CRF 模型是统计学习中应用最广泛的原理，其关键点是从能量势最小的基本假定出发，通过图运算计算出来的一个最佳分布。以新对象发现为例，采用著名的 CRF 开源工具——CRF++的实现步骤如下。

（1）使用字典标注语料，作为 CRF++训练的语料；

（2）建立 CRF 模型计算测试结果；

（3）按照规则定义模板文件；

（4）利用模板文件和训练语料进行训练，得到训练模型；

（5）使用训练模型对新数据进行预测。

8.2.2.2 深度学习模型

深度学习是机器学习的一部分，其发展轨迹如图 8-23 所示。

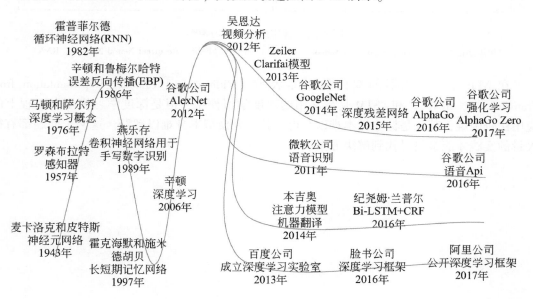

图 8-23　深度学习发展轨迹

从广义上说，深度学习的网络结构也是多层神经网络的一种。

传统意义上的多层神经网络只有输入层、隐藏层、输出层。其中，隐藏层的层数根据需要而定，没有明确的理论推导来说明到底多少层合适。

而深度学习中最著名的卷积神经网络（Convolutional Neural Network，CNN），在原来多层神经网络的基础上，加入了特征学习部分，这部分是模仿人脑对信号的分级处理过程。具体操作就是在原来的全连接的层前面加入部分连接的卷积层与降维层，而且加入的是一个层级（陈先昌，2014）。常用的深度学习模型如图 8-24 所示。

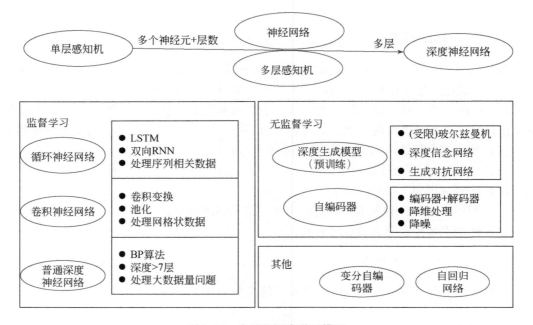

图 8-24　常用的深度学习模型

长短期记忆网络（Long Short-term Memory，LSTM）；循环神经网络（Recurrent Neural Network，RNN）

在 NLP 中，变压器的双向编码器表示（Bidirectional Encoder Representation from Transformers，BERT）和 LSTM 是最常用的深度学习模型，但是深度学习模型在工程上的应用比较困难，其一是标注样本难以获得，其二是模型本身难以解释。这两个问题都有待大量的实践才能最终寻找到解决方案。

第9章 勘探开发知识图谱构建

知识图谱本质上是一种大规模语义网络，包含实体、概念及其之间的各类语义关系，目前已经成为认知智能的基石，是发展人工智能的核心技术，它让机器语言认知、可解释人工智能成为可能，能够显著增强机器学习的能力，将成为与数据驱动并列的一种非常重要的解决问题的方式。

在阐述知识图谱的定义和理论的基础上，本章通过综合分析国内外知识图谱构建方法，提出石油勘探开发领域知识图谱构建（以下统称 Petro-KG 构建）流程，包含石油勘探开发概念图谱（本体）构建（以下统称为 Petro-Onto 构建）和知识图谱实例层构建（以下统称为实例图谱构建），并详细分析了 Petro-KG 构建涉及的关键技术。

9.1 知识图谱概述

9.1.1 知识图谱定义

知识图谱在学术界还没有统一的定义，在维基百科的官方词条中，知识图谱 2012 年首先由 Google 提出，是用于增强其搜索引擎功能的知识库。本质上，知识图谱是描述真实世界中存在的各种实体或概念及其关系的巨大语义网络图，节点表示实体或概念，边则由属性或关系构成。

知识图谱的思想经历了一个长期演化，如图 9-1 所示，最早可以追溯到哲学家巴门尼德的存在论，也就是本体，直到 2012 年被谷歌公司正式命名为知识图谱（黄恒琪等，2019）。

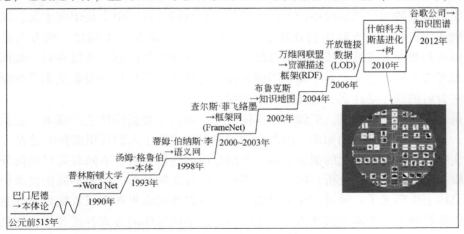

图 9-1 知识图谱演化路径

图是知识组织的一种最高形式，常见的知识组织是树，如文本目录、知识体系、专业体系等，都是以树的形式呈现，树最终等效为线性序列，因此比较符合人的语言的线性思维模式，所以知识图谱在面向人的实际应用中，往往要用树的形式来表达，图更多是面向计算机的应用（昝红英等，2020；黄焕等，2019；陈彦光等，2019）。

中文语境里的知识图谱和谷歌的 Knowledge Graph 是不同的，无论从应用的方面或者文字解释，谷歌的 Knowledge Graph 主要的是实体之间的关联关系，目的就是从一个实体带出另外一个实体来，而且预先确定了两个实体之间的关系，这种经过校验的预置关系，实际上是给出了关系存在性的证明，满足了人们对未知事物可解释性的内在需求。

中文语境里的知识图谱的图和谱是分开的，见图 9-2。其中，图就是人们对现实事物的描述，而谱是对现实事物描述之外的探索。例如，人们看见的散射光是杂乱无章的，但是用棱镜看它的光谱，却呈现出标准的正太分布，所以知识图谱体现了中国的矛盾思想，从无序到有序的变换，这和复杂系统的思想是完全一致的。

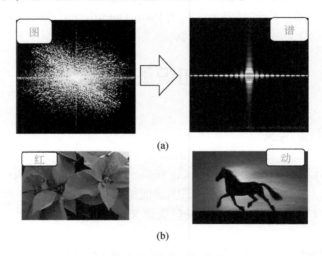

图 9-2　（a）知识图谱的图和谱分开和（b）图谱和中文的望文生义具有相同的思维过程

中文语境里的知识图谱跟中国人的思维模式具有同源性，中文是望文生义，汉字是图像，看到图像人们会在大脑中构建这个图像的意义，一般是一个场景。西方人是序列思维，中国人和西方人思维方式区别可以认为是单维和多维的区别。所以看到一幅图，人们总会去思考图背后的意义。对于知识图谱而言，看到的图尤其是一幅杂乱无章的图，人们会思考它背后的秩序是什么，这就是对谱的探索。

图是对实体关系的描述，更倾向于实体世界，而谱是对整体性能的探求，完全属于抽象世界，是人们认识世界的知识。因此，知识图谱也表达了人们认识世界的过程。

在实际中，对于有限元的剖分是图，而剖分后的性能分析、不同载荷形成的分布图以及失效模式分析，就是谱分析；同一地区不同时代灯光的分布，代表不同的发展模式，这种分布总体上也形成了一种谱；在疾驰的汽车上可以找到临界频率或者临界谱的感觉，那就是接近临界频率时车剧烈抖动给人带来的心悸；手机摔坏的方式各式各样，但是分布模式只有几种，这也是无序当中的有序，是谱的现实体现。

9.1.2　图谱的理论基础

耗散结构论强调在远离平衡态的开放系统条件下，外部与内部系统不断进行能量交换，实现系统从无序向有序发展。耗散结构论是一个自然科学复杂系统理论，但是对个人与组织、内部与外部、守旧与创新之间的关系和互动具有很强的解释力，可以有效解释企业科研创新管理中的需求、运作、突破等环节，因此我们用它来作为需求研究的理论依据。

知识图谱是耗散结构论在实际中落地的工具，知识图谱中的图表示系统的构成，谱表示系统的不同相态，如图9-3所示。

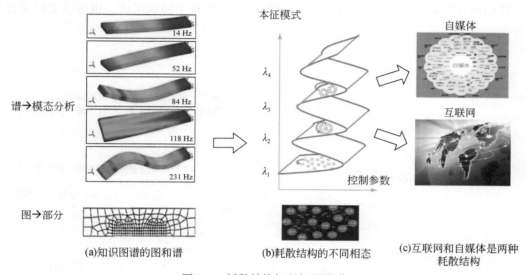

图 9-3　耗散结构解释知识图谱

类比有限元分析，知识图谱中的图是一块横梁的剖分，可以根据需要在边界和中心迭代细化，而模态分析就是知识图谱中的谱的意义，也是耗散结构中的结构特点。耗散结构主要是从可见的形状视角来描述系统的谱分布，或者系统的相态分布。

还是类比有限元分析，在静态的图结构到模态分析中，连接剖分单元之间的关系是一个二阶偏微分方程，从整体上看，结构分析是一个二阶数学物理方程，而其模态分析就是二阶偏微分方程的定态分析。

将知识图谱类比有限元的耗散结构分析，其思维要点在于，对于任何的知识图谱中的图网络，其都等效为一个有限元的剖分，所看见的各种关系，都有可能对应着二阶关系或者 n 阶关系，因此任何知识图谱的背后，都对应着一个耗散结构。要突破线性思维，即把知识图谱中的图网络看成是单纯的实体相连，这就是谷歌的知识图谱观，有图无谱。不仅要看到图谱背后可能的单纯的线性关系，更要看到其背后可能的复杂的二阶甚至高阶非线性关系，否则就无法解释互联网这个知识网络背后不断涌现的现象。如图9-3（c）所示，互联网将世界连成了一个网络，如各大搜索公司，但是这个网络能提供的有见地的知识越来越少，各种自媒体圈子就应运而生，1个大圈分裂为各种小圈，自媒体形成了一种新的耗散结构，满足人们对知识的需求，而这分裂的背后，是人们对连在网络中的各节点的关系有高于二阶的非线性需求导致的。

从静态的图网络揭示出其背后存在的各种不同耗散结构的存在，并有意识地控制这些结构，使之不断满足人们认识世界和改造世界的要求，是知识图谱这个工具的任务。

9.1.3 知识图谱的阶

如果把知识图谱关联的实体世界抽象成一个点，就跟牛顿将星球抽象为一个质点一样，知识图谱将退化为只有一个质点的系统。如此，对这个系统的性能可以用 $y=f(x)$ 进行描述，任何函数都可以按照 x 的阶数进行泰勒展开，因此对于知识图谱，也可以通过类比进行阶的定义，如图 9-4 所示。

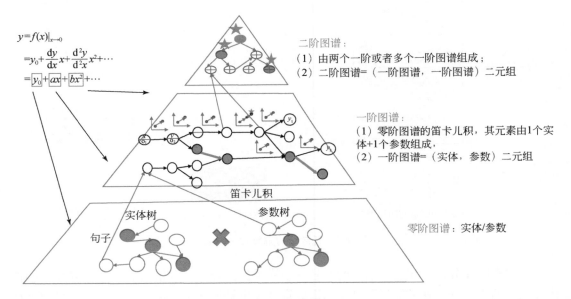

图 9-4　知识图谱阶的定义

如图 9-4 所示，零阶图谱对应常数项，代表系统的静态点或者时间的起点，其典型的特征就是无毛的质点。一阶图谱对应线性项，其典型特征是带有 1 个参数，有（实体，参数）的二元组构成，典型如因果关系。二阶图谱对应平方项，典型特征是两个参数构成只有 1 个最优点的抛物线，实际中对应着两个参数之间有矛盾关系，一个参数的改进将受到其他的约束，这是典型的有约束优化的情况。二阶与一阶的关系是，二阶是二元一阶组，即二阶＝（一阶实体参数对 1，一阶实体参数对 2）。至于二阶以上的系统，其在理论上可以不断地展开，但是在工程中，由于一般都以能量最小为系统存在的自然状态，而能量是二阶的，因此我们只定义到二阶。

需要强调的是，通常情况下二阶指的是二次微分或者偏微分，因此整个系统可以看成是由一个二阶偏微分方程定义的数学物理系统，如此就将二阶系统和工程中的二阶数学物理方程对应起来了，可以通过一般二阶数学物理方程的特性来了解整个知识图谱所表达系统的性质，如定解问题的特征值和特征分布。

零阶和一阶具有简单的相加性性质，对真实复杂问题即非线性问题的解决没有直接的作用，但是它们是解决非线性问题的先决条件，因此在实际应用图谱解决问题时，一般都是按照零阶——一阶——二阶进行递次分析的，不能跨层，上层以下层为基础。

知识图谱中相连接的两个实体之间的关系可以有很多种，不同的关系所表达的系统特征是完全不同的，尤其是可以从一个图系统看到所呈现出的谱系特征或者不同的分布性能。将知识图谱所描绘的实际系统和真实的物理系统对应起来，赋予知识这个抽象的概念更加物化的意义，是知识图谱在现实中落地的必经之路。

常见的知识图谱举例如图 9-5 所示。零阶图谱指静态的实体之间的关系，其连接是刚性的，也就是只要标识出来的就是存在的，工程中的实体图、产品树等，都属于静态的实体关联。一阶图谱主要是带有一个参数的实体图谱，即是 $O \to x$ 之间的关系，而不全是参数之间的关系，是一个物理世界和抽象世界的整体之间的线性关系，最常见的就是因果图谱，以及舆情监控应用中的事件图谱、事理图谱等。二阶图谱是指两个一阶图谱对之间的关系，也就是两个实体之间的参数之间的关系，也就是 $(O_1 \to y, O_2 \to x)$ 之间的关系，即二阶指的是物理世界和抽象世界的成对关系，建构在一阶之上；常见的 $y = f(x)$ 函数，在明确 (y, x) 所对应的主体之后，就是二阶关系。

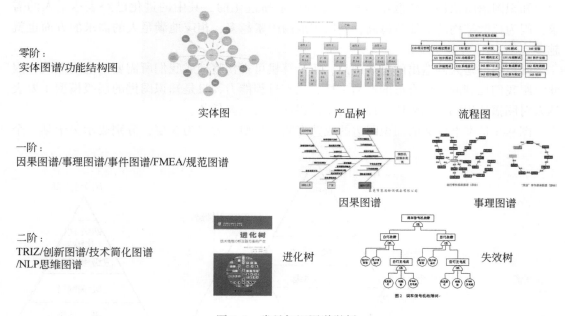

零阶：
实体图谱/功能结构图

实体图　　　　　　产品树　　　　　　流程图

一阶：
因果图谱/事理图谱/事件图谱/FMEA/规范图谱

因果图谱　　　　　　事理图谱

二阶：
TRIZ/创新图谱/技术简化图谱
/NLP思维图谱

进化树　　　　　　失效树

图 9-5　常见知识图谱举例

用阶数来描述知识图谱的意义在于，可以通过阶所描述的系统的数学性质，来确定系统的实际特征，从而可以从数学的高度来统一地应用知识图谱解决应用问题。例如，一阶图谱对应的是线性系统，线性方程、线性规划等就是认识线性系统的基本数学模型，所有工程数学最终都会落脚在一阶线性方程的求解上，因此一阶是认识物理系统的基准点。FMEA 是一个典型的一阶线性系统，其基本思想就是寻找每个参数的边界，其根据就是一阶系统的极值必然出现在边界上。二阶系统在工程中最典型的是发明问题解决理论（Theory of Inventive Problem solving，TRIZ）的技术矛盾，一个参数 x 的改善，导致另一个参数 y 的恶化，这是典型 xy 交互作用，其中的改善、恶化是根据人的需求进行定义的，旨在说明 (x,y) 难以均衡，实际中鱼和熊掌不可兼得，但是人的要求是鱼和熊掌兼得，这样就引导人们寻求一种突破现有思维限制的新方法，将系统更新升级为一种新的系统，满足系统对两个参数的要求，本质上是将 $x\text{-}y$ 的两条相交线，改变为 $x\text{-}y$ 的两条平行线，由于物性参数的改变，整个系统改变了，即二阶系统在工程中将推导出一个新的系统，这是二阶的数学性质给人的启发。二阶系统的二阶指系统可用二阶偏微分方程来描述，因此二阶系统就具有与本征值对应的耗散结构；物理上不同的耗散结构具有不同的应用价值，具体价值是什么需要在实际中进行检验并得到确认，这为复杂的多目标优化奠定了理论基础，即工程中的多目标的实现，等效为寻找一种新的更高层次的相态，使得物质具有人们所需要的多种性质，如口感、色泽均好的巧克力就是一种相态；而质量好、重量轻的产品也是一种相态。

9.1.4　知识图谱的成熟度

知识图谱所依赖的耗散结构模型是分层不断进化的，其中的进化已经表达了人的需求，因为耗散结构的本征值越高，其所集成的因素越多，相应地满足人的需求的方面也就越多。

知识图谱是人制造出的思维产品，用计算机可视化整理成我们所需要的应用形式，因此它跟我们见到的任何有形的产品一样，也有过程能力，只是知识图谱的层级模型主要表达人对图谱认识的不同阶段，以及每个阶段面临的主要任务。

图 9-6 是本书定义的知识图谱的成熟度能力模型，大层为 3 层，分别表示关于某一个

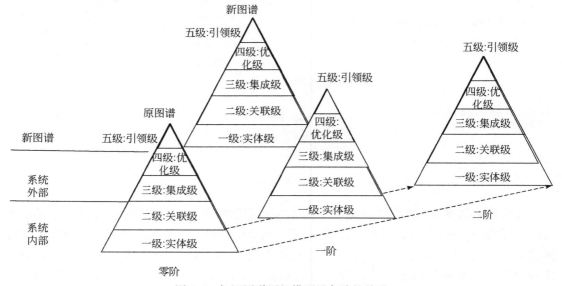

图 9-6　知识图谱层级模型及各阶的关系

任务的系统内部和系统外部以及超越系统任务的新图谱，总共分为五级。一级和二级表达对知识图谱认识的两个层面的形成过程。一级是眼见为实的实体级，以谷歌的认识为代表；二级代表具有概念图谱的情况，很多地方叫作 schema，关联本身就是抽象层面的概念，事物间能够关联起来，代表人的认识与现实世界实现了统一，知识图谱已经在表达人的思维方式了，就跟假设检验一样，具有抽象表达和现实验证两个过程，表示两个世界之间的相互印证，是人类认识世界的基本逻辑。

三至五级主要借鉴 CMMI 的层级定义，表达知识图谱规模不断扩大，量变到质变的过程，其中三级和四级是一种量变的过程，而五级代表进入一种新的质变状态，一种新的耗散结构。三级从系统内部扩展到系统外部，一般是实体对象层面的，或者说是数据层面的，如将异构数据整合在一起，以及将数据库、实时数据、文本挖掘数据、图像识别数据、声音转换数据等融合在一张概念图谱之下，相当于表头是固定的，但是扩展了表的记录长度，主要是一种竖向扩展模式；另外一种情况是将不同意义的数据整合在一起，所谓异源数据，如将研发、生产、物流数据整合在一起，这里涉及概念图谱的改变，相当于表头也做扩展，相应地表记录也做了扩展，是一种横向扩展模式。

四级是在大数据基础上对系统的性能进行优化分析，所谓优化分析是指系统处于量变状态，还没有引起系统的跃迁，类比电路系统在某一偏置下的小信号线性分析，所有优化分析最终都等效为解线性方程，因此优化分析可以等效为对 $y=f(x)$ 进行线性回归分析，发现类似啤酒尿布这种局部知识，并将这些知识用于改进业绩。

五级是新的耗散结构，相当于硬件电路的偏置电压改变了，是大信号分析，是非线性跃迁分析，不是小信号线性分析，因此五级实际上是新图谱的初始级也就是第一级，这样才能实现新旧图谱的螺旋式连续上升，代表人对事物认识的螺旋式提升的过程。

图谱的阶次是图谱在厚度方向的扩展，代表对图谱关系的认识深度，图谱的阶次不是在层次上的扩展，在认识的每一个层次都可以采用零阶——一阶—二阶的图谱来解决实际问题，而图谱的层次主要按照图谱的规模来划分。

知识图谱成熟度和其他软件、产品、思维的层次模型具有一致的对应关系，否则根据排中律就一定有一个是错误的。

9.2　Petro-KG 构建分析

9.2.1　构建要素

知识图谱源于传统知识工程，在 20 世纪 70 年代，传统知识工程主要依赖专家去描述某个领域的本体，通过人工的方式来自上而下地完成知识的表达和获取。很显然，现今勘探开发场景的数据规模非常大，需要发展数据驱动的、自下而上的自动化方法，来高效地实现图谱构建。知识图谱构建有三个非常核心的要素：人、模型和数据（图 9-7）。

人——整个知识图谱构建的发起者，是数据的标注者，并且支持最终的验证。

模型——现在大量采用的知识图谱构建方法，主要是机器学习的模型。

数据——模型使用的是有标注数据或者无标注数据。

大规模工程化知识图谱的自动构建同样需要考虑上述三要素，控制人力成本、实现大规模知识获取，同时保证知识图谱的质量，构建足够普适、轻量、廉价的知识图谱。

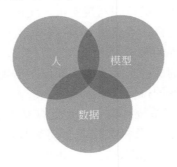

图 9-7　知识图谱构建三要素

9.2.2　构建流程

综合分析国内外知识图谱构建方法（刘峤等，2016；徐增林等，2016；漆桂林等，2017；覃晓等，2020），Petro-KG 的构建总体上可分为三个阶段（图 9-8）：一是本体（Petro-Onto）构建阶段；二是实例图谱构建阶段；三是知识图谱应用阶段。

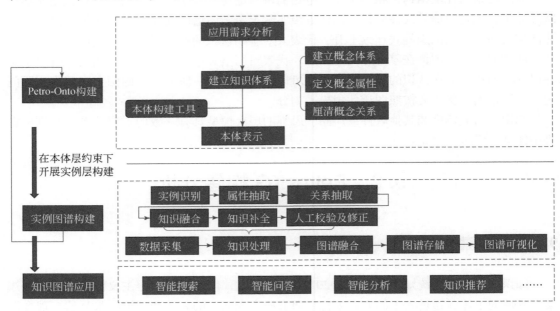

图 9-8　Petro-KG 构建的总体流程

Petro-Onto 构建阶段的主要目标是：基于石油业务模型进行业务梳理，通过建立合适的石油领域本体框架模型，来系统化、规范化、形式化定义和表达石油勘探开发知识概念及其属性、关系和规则，为石油勘探开发知识图谱实例的构建及其知识图谱的推理、计算等应用提供统一的语义基础和约束。本阶段主要成果是石油勘探开发领域本体及其支撑引用的基础本体。

石油勘探开发实例图谱构建阶段的主要目标是：在知识图谱本体的约束下，全面、完整、准确地提取石油勘探开发各业务域每个概念所对应的实例及其属性、关系，并进行形式化表达，为后续知识图谱的应用赋能奠定知识基础。本阶段的主要成果是石油勘探开发各业务域实例知识。

Petro-Onto 构建成果可为实例的挖掘构建提供规则约束和指导；而实例的挖掘构建也会发现更多的是在 Petro-Onto 构建阶段被遗漏的石油业务域概念，以及概念的属性、关系或规则，进而通过实例的构建反哺实现本体的补全完善。两阶段形成的本体和实例成果共同构成石油勘探开发知识图谱。

石油勘探开发知识图谱应用阶段的主要目标是：利用石油知识图谱，通过图谱计算，支撑更多智能化应用，如智能搜索、智能问答、智能分析、知识推送、知识推荐等。

由于知识图谱应用是知识服务平台的应用内容，所以本章主要讨论前两个阶段的构建方法。

9.2.3 构建步骤

9.2.3.1 Petro-Onto 构建

目前，Petro-Onto 构建的方法依据其涉及的领域和具体工程而不同，尚没有形成统一的标准。经典的常见的领域本体的构建方法有：七步法、骨架法、TOVE 法、METHONTOLOGY 法、IDEF-5 法、KACTUS 法和 SENSUS 法等（蒋维等，2008）。由于本体的构建过程复杂，概念模型不仅需要领域专家的参与和指导、形式化描述，还需要信息工程技术人员的参与，以保证语义的完整性和正确性。如何平衡领域专家与信息工程技术人员的合作是 Petro-Onto 构建的一个难题。为此，在 Petro-KG 中 Petro-Onto 构建总体流程的指导下，本书融合七步法和骨架法设计了石油勘探开发本体（Petro-Onto）构建方法，由领域专家充分利用专家知识以及数据、文献、研究报告等资料，总结抽象出能够揭示石油勘探开发领域核心内涵和研究范畴的概念模型，遵循自上而下的原则，指导信息工程技术人员逐层逐步扩展形成包含概念、属性、关系以及规则的四位一体的 Petro-KG 本体，再通过校验评价进行迭代进化修正（图 9-9）。

1）确定领域本体范围

石油勘探开发是石油企业的核心业务，获取这方面的领域知识，为信息共享、应用集成、智能化应用服务，就是 Petro-Onto 的目标。因此，构建 Petro-Onto 需要满足业务需求和信息需求这两方面的需求。

围绕物化探、井筒工程、油气开发生产、分析化验、综合研究、地面（海油）工程、企业经营管理等核心业务进行业务建模，在业务建模过程中，以业务流程为主线梳理业务，其目的是实现跨专业领域知识标准化（文必龙和张莉，2009）。

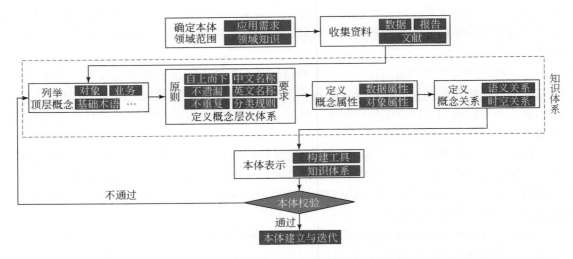

图 9-9　Petro-Onto 构建总体流程

围绕石油企业信息共享、应用集成、智能化服务的信息需求进行 Petro-Onto 建模。国内外石油企业，经过多年的信息化建设，建立了各种包括专业数据库、应用软件等内容的信息系统。Petro-Onto 的构建，可帮助这些信息系统之间实现基于语义的数据自动交换和集成。

因此，Petro-Onto 实际上是对石油业务的抽象和描述，本体的类要围绕业务来设计，针对一个具体的业务，我们一般关心该业务的几个维度，如业务的对象目标是什么？业务处于勘探开发业务哪个阶段？描述该业务的术语有哪些，属于什么专业？业务使用的知识和应用软件有哪些？包含该业务的科研生产项目有什么？哪个专家最熟悉该业务等。Petro-Onto 应该准确描述石油勘探开发任何一个业务工作节点的业务对象、术语、知识、项目、专家信息，代表石油勘探开发领域知识体系的顶层描述。

2）收集资料

根据确定的 Petro-Onto 构建范围，收集与石油勘探开发相关的数据、文献、标准和研究报告等资料。数据包括勘探数据、开发数据、钻井工程数据、地面工程数据、采油工程数据、设备数据、测井数据等。文献包括企业外购的文献［如维普、中国知网、全球油气产业报告、石油工程科技论文、油气公司勘探开发运行情况报告、油气专业刊物数据包等］、公开的文献（如竞争情报系统、国际能源署、美国能源部、科技网科技动态）等。标准包括标准化管理系统和技术文档管理系统中的各类标准。研究报告包括科研人员从事项目研究后产生的项目研究报告。

另外，还收集了与石油地质学领域相关的国内外已有的本体，包括《中国石油勘探开发百科全书》《石油勘探开发科技辞典》《非常规油气田辞典》等。

3）建立勘探开发知识体系

根据第 6 章勘探开发知识体系的设计所述方法，在领域业务专家和技术专家的共同参与下，归纳出石油勘探开发领域知识的顶层最宽泛的概念，而后进行细化，实现整个石油勘探开发知识体系框架的描述。

（1）定义顶层概念：设置业务、对象、术语、知识、项目、专家等为顶层概念类，代表石油勘探开发领域知识体系的顶层描述。

（2）建立概念分类层次体系：确立顶层概念类后，继续细化分类，实现对石油勘探开发领域知识的进一步详细描述。根据第 6 章勘探开发知识的体系设计所述方法，进行勘探开发本体概念分类层次体系细化。

概念分类层次体系中，各概念的层级深度根据实际情况确定，分至不同层级。图 9-10 为石油勘探开发领域 Petro-Onto 分类层次体系部分展示。以石油勘探开发概念为例，石油勘探开发领域本体（Petro-Onto）分石油勘探开发—综合研究—资源评价—盆地评价—盆地油气资源预测与评价—成因法—盆地模拟—盆地模拟参数—其他参数—流体物性—黏度 12 级结构完成层次分类。

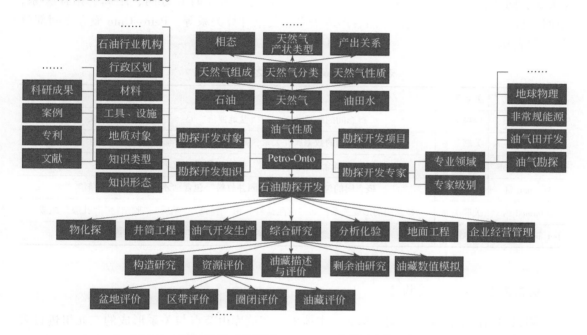

图 9-10　石油勘探开发领域 Petro-Onto 分类层次体系部分展示

（3）确定概念属性：确定概念分类层次体系后，尚无法对领域知识进行完整表示，还需要描述概念内在和外在特征即属性描述，实现对知识的深层描述。首先，确定顶层概念类的属性；而后，逐级确定下级子类概念的属性。子类可以继承上级父类的属性，同时可以扩充自身属性。Petro-Onto 概念的部分概念属性如表 9-1 所示。

表 9-1　Petro-Onto 概念的部分概念属性

概念	属性
石油勘探开发业务	标签、类型、描述、业务代码、值、层级、类别等
盆地对象	盆地名称、英文名称、别名、类型、大地构造位置、面积、资源量等
专家	姓名、性别、部门、职称、职务、专业、研究领域、标签等

概念	属性
知识	名称、标签、关键词、摘要、类型、形态、来源、版本等
项目	编码、名称、类型、级别、委托单位、承担单位、关键词等

（4）确定概念关系：概念节点间的关系分为层级关系和关联关系。层级关系用于表示子节点是母节点的一种类型，它们之间构成上下位关系，如石英砂岩是砂岩的一种，三角洲是沉积环境的一种；关联关系表示节点与节点之间的非层级关系。层级关系在建立概念层次体系时已经完成，该步骤主要确定关联关系。概念间的关系大致可分为：语义关系（关联、同义、近义、反义关系）、包含关系、时空关系（时间方向、距离、拓扑关系，空间方位、距离、拓扑关系）、组合形成关系、复杂计算关系等。Petro-Onto 概念之间部分关系如表 9-2 所示。

表 9-2 Petro-Onto 概念之间部分关系

关系名称	关系类型	关系说明
kind of	层级关系	概念间的继承关系，如"盆地评价"是"资源评价"的子类
has data property	关联关系	概念间的数据属性关系，如"黏度"是"流体物性"的属性
is synonym of	关联关系	概念间的同义关系，如"沉积岩"又名"水成岩"
is a part of	关联关系	概念间的包含关系，如"固井材料"包含"水泥"和"外加剂"
is formed by	关联关系	概念间的形成关系，如"碳酸盐岩"由"颗粒""基质""胶结物""孔隙"组成
is connected by	关联关系	概念间的连接关系，如"计量站"与"井"相连

9.2.3.2 实例图谱构建

知识图谱由本体库与实例库构成，本体库、实例库由节点与关系形成的三元组进行表示，表示为 $G = (\text{Node } A, \text{Relation}, \text{Node } B)$，式中，$G$ 为三元组；Node 为节点；Relation 为节点间的关系。因此，Petro-KG 可以表示为 Petro-KG = {OG，EG}，式中，OG 为本体库集合，由一系列概念节点及关系三元组组成；EG 为实例库集合，由一系列实例节点及关系三元组组成。

根据人工参与的程度，实例图谱构建可有三种方式：人工构建、自动化构建和半自动化构建。人工构建指人工为每个概念添加实例及其属性，这种方式构建的实例，准确性较高，但构建效率极低，且难以穷尽所有概念的所有实例；自动化构建指利用计算机技术，通过监督（提前进行语义标注和预训练）或非监督（无须进行语义标注和预训练）方法，从多源多模态语料数据中自动提取实例知识，这种方式的效率较高，但易于出现错误和遗漏（王向前等，2019）；半自动化构建指首先利用自动化构建方法进行实例抽取挖掘，然后再通过人工进行校验、纠错和查漏补缺。

为了提高 Petro-KG 实例构建的效率，同时确保其质量，建议采用基于监督方法的知识自动抽取与人工校验相结合的半自动化构建方式。

1）数据采集

Petro-KG 建设中涉及石油企业内外部各种数据源系统，存在多样、复杂、技术不统一、内容不统一等多种现状问题，所以要求数据源的采集能够适应多样化的信息源类型和数据内容的变化。采用第 6 章的知识采集技术，对数据库、网页和文档等进行数据采集、语料提取、数据清洗，并建立语料库。

2）知识处理

采集后得到的数据，主要分为结构化数据和非结构化数据。我们需要对这两类数据进行知识处理，包括实例识别、属性抽取、实例关系抽取、知识融合、知识补全等内容。知识处理过程是以 Petro-Onto 为基础，对这两类数据建立本体库到实体库的映射机制，实现本体到实体的三元组实例化映射，构建 Petro-KG。

结构化数据的处理通过定义映射规则或直接映射的方法，分析结构化数据中包含的语义信息，将数据表中的数据映射到知识图谱的对应位置，形成 RDF[①] 数据。这个过程需要识别实例、抽取属性、抽取实例关系，根据数据表上的字段等信息进行转化，形成 RDF 三元组数据。在处理过程中可能会进行同义词处理，即将同一实体的不同表述（两个或更多）连接起来，消除错误。同义词处理依赖同义关系的建立，同义关系的构建方法包括继承、基于规则和同义词传导 3 类。

非结构化数据的处理主要包括实例识别、属性抽取、实例关系抽取、知识融合、知识补全和人工校验及修正。

3）图谱融合

如果按业务如勘探、钻井、测井、录井等分别建立各自的知识图谱，就需要将多个领域知识图谱融合为一个统一、一致、简洁的形式，打通知识边界。常见的流程为输入、预处理、匹配、知识融合和输出。具体内容包括①输入：待集成的一般为 RDF/OWL[②] 数据文件或 SPARQL endpoint 格式的若干个知识图谱，常见为两个，也支持输入更多。此过程需要预设参数、阈值和规则等。②预处理：主要包括预先对输入知识图谱进行清洗和后续步骤的准备。清洗主要是为了解决输入质量问题。后续步骤的准备分为配置和数据两方面。配置方面包括生成适合输入知识图谱的集成规则、计算出合适的模型（超）参数。数据方面通常使用索引技术以提高后续环节的处理速度和规模。③匹配：分为本体匹配和实体对齐两方面。本体匹配侧重发现（模式层）等价或相似的概念、属性或关系，包括本体映射、本体对齐等；实体对齐侧重发现真实世界相同对象的不同实例，包括实体消解、实例匹配等。④知识融合：一般通过冲突检测、真值发现等技术消解知识图谱融合过程中的冲突，再对知识进行关联与合并，最终形成一个一致的结果。⑤输出：将融合的图谱输出为 RDF/OWL 格式。

当然，如果只有单个知识图谱，此步骤可直接省略。

---

① 资源描述框架（Resource Description Framework，RDF）。
② 网络本体语言（Web Ontology Language，OWL）。

4）图谱存储

大部分开放的知识图谱，都是以 RDF 形式存储并对外开放，便于发布和方便共享，一般适用于通用知识图谱。Petro-KG 关系复杂、层级多、数量大、行业专用性强，需要支持高效的查询和搜索，所以需要采用图数据库进行存储。图数据库是一种非关系型数据库，可以解决现有关系数据库的局限性。图模型明确地列出了数据节点之间的依赖关系，而关系模型和其他非 SQL 数据库模型则通过隐式链接来连接数据。图数据库从设计上，就是可以简单快速地检索难以在关系系统中建模的复杂层次结构的。

5）图谱可视化

知识图谱是将复杂的信息通过计算处理成能够结构化表示的知识，所表示的知识可以通过图形绘制而展现出来，为人们的学习提供有价值的参考，为信息的检索提供便利。目前，图谱可视化工具种类繁多，发展迅速，如 D3.js、Cytoscape.js、AntV G6、Igraph、NetworkX、Tableau、R-ggplot2、ECharts、Neo4j 等，我们可以利用这些工具开发出满足石油企业需求的图谱可视化工具。

9.3　Petro-KG 构建关键技术

9.3.1　实体抽取

油气勘探开发文档中存在大量的无标注数据，并且缺乏相对完备的知识库和词典支持，这就给命名实体识别带了巨大的挑战。通过对油气勘探开发文档内容的研究与分析，可以发现油气勘探开发领域的命名实体一般都是由一些常见的词、短语或实体组合而成的，这些实体具有一定的规则性。

例如，"四川盆地油气储层"这一命名实体由"四川盆地""油气""储层"三个词或短语组成，其中"四川盆地"还可以拆成"四川"和"盆地"两个词；"大巴山构造烃源岩"这一命名实体由"大巴山""构造""烃源岩"三个词组成，其中"构造"在很多通用领域的句子中以动词的形式出现，而在这里"构造"是名词，代表了一种地质结构。通过大量的文档查阅与分析，发现组成油气勘探开发领域命名实体的词大多是一系列常用词语和专业词汇的排列组合。尽管勘探开发领域内的命名实体总量很多，但是基本的专业词汇的数量并不是很多，可以通过词典等方式获得，如"烃源岩"的种类，以及各类"储层""盖层"等都可以由石油勘探百科全书获得；"四川盆地"等则可以通过地理类的词典获得。

对于无法通过排列组合识别的命名实体，则需要进行人工标注，然后制定标签完成实体识别。这部分人工标注的实体也可以作为训练样本，进行有监督的命名实体识别。

通过领域内的词典和石油勘探百科书籍可以收集和整理大部分石油勘探开发领域的专业词汇，常用词语则可以通过开源的 NLP 工具获得，开源的自然语言处理工具有 HanLP、CoreNLP 等，我们以 CoreNLP 进行二次开发和改造，以统计机器学习为基础，形成勘探开发领域的 NLP 处理工具包（徐增林等，2016），包含分词、词性标注、命名实体识别等工具，同时工具包内还有相对完备的中英文分词及命名实体识别模型。

图 9-11 是命名实体识别的主要流程，使用改造后的工具包，能够得到合理的分词结果。例如，"震旦纪""寒武纪""奥陶纪"等表示时代的词，以及"构造带""缓坡带"等其他专业词。由于分词发生了变化，后面的处理过程都会发生相应的改变。在处理专业词汇时，同样引入了规则和词典，将常用词语和专业词汇排列组合，进而得到石油勘探开发领域的命名实体。例如，"四川盆地油气藏"中，"四川"是通用领域的地名实体，可以用 LOCATION 标记，"盆地"是一种地形，可以用 TERRAIN 标记，而"油气藏"则是领域内的实体，可以用 OIL 标记，因此可以用地名实体这种规则去识别石油勘探开发领域的"油气"类的命名实体。同理，利用词典、通用领域的命名标签、词性 POS 标签以及关键字（词）甚至是标点符号等，可以制定出一系列石油勘探开发领域命名实体识别的规则。通用领域对于数字实体的识别仅限于数字，不能很好地表达数字代表的含义，如"千及千米"通常能够被识别和标记，而"千米"却无法作为一个整体被识别标记，单纯的数字无法表达实际意义，这也不利于后面属性关系的提取，而运用 POS 标签制定规则，可以很好地解决这种问题；运用规则和词典去辅助基于统计机器学习的命名实体识别，也可以较好地实现石油勘探开发领域的命名实体识别。

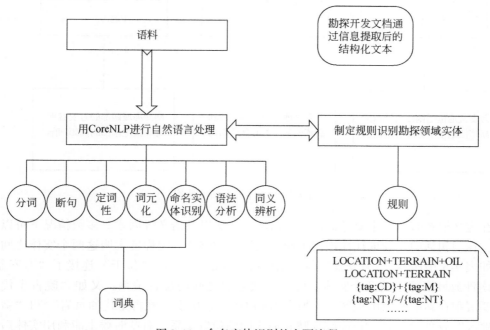

图 9-11　命名实体识别的主要流程

9.3.2　关系抽取

实体关系抽取中的句法模式是指基于语义分析的词法、句法和语法结构的结合，它需要满足自然语言的表达规律，是对人类复杂语言表示的一种总结（欧阳辉和禄乐滨，

2010）。例如，要表达一种位置关系可能有很多说法，可以说 "A 在 B 的……"，也可以说 "A 位于 B 的……"，甚至是 "B 的 A……"，这些都可以表达位置关系，它们就是位置关系的句法模式。一个定义完善的句法模式应该唯一地表达一种关系，并且每种关系对应的句法模式应是有限的。

对石油勘探开发文档的语料进行大量的标注和分析，结合句子的句式、语法、词性以及语义等特征总结并整理了一部分句法模式集合，利用这些句法模式去匹配命名实体识别后的句子，可以较准确地提取句子内的实体关系，同时构造了 "关系–句法模式–实例" 的三层结构，如图 9-12 所示，该结构第一层是关系，可以看成一个三元组 "关系（A，B）" 或 "位置（A，B）"，第二层是能够表示此关系的各种句法模式，第三层则是句法模式所对应的不同的实例。

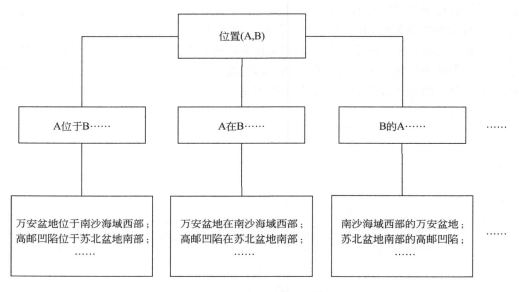

图 9-12　实体关系抽取架构

在定义模式时，常常要考虑词性、语法、句法以及语义等因素。多数情况下可以考虑动词，在一句话中，动词往往连接了两个实体，能够从一定程度表明这两个实体之间的关系，如表 9-3 中所示，"万安盆地位于南沙海域西部"，动词 "位于" 连接了 "万安盆地" 和 "南沙海域西部" 这两个实体，可以反映它们之间的位置关系；又如 "晚古生代油页岩主要沉积在新疆妖魔山地区"，动词 "沉积在" 连接了 "晚古生代油页岩" 和 "新疆妖魔山地区" 这两个实体，也能够反映它们之间的位置关系。有些时候也能利用实体后表示属性的名词来构造句法模式以提取实体的属性关系，如 "圣塞巴斯蒂昂①高地面积 4153km²"，这里 "面积" 作为名词连接了 "圣塞巴斯蒂昂高地" 和 "4153km²"，其中 "圣塞巴斯蒂昂高地" 是实体，"4153km²" 则是属性值，利用 "实体 A-面积-属性值" 这样的模式可以相对准确地找到实体 A 的属性关系。对于 "属性 B 的属性 A" 即 B 的 A 这

---

①　圣塞巴斯蒂昂（Sao Sebastiao）。

种可能产生歧义的模式，单纯的句式匹配是不足够的，如"苏北盆地南部的高邮凹陷"表示的是位置关系，而"四川盆地的烃源岩"则表示一种包含关系。通过分析实体 B 和实体 A 的命名标签，可以更好地区分表面上相同的句式所指向的不同的关系，如"万安盆地位于南沙海域西部"中实体 A 和实体 B 都是表示地点的实体，而"晚古生态油页岩主要沉积在新疆妖魔山地区"中的实体 B 是表示地点的实体，实体 A 则表示勘探领域的一类资源名。通过这样结合语义的区分，可以使构造的模式更加完善，极大地提高关系提取的效果。

表 9-3　实体关系抽取示例

句子/短语	实体 A	关系	实体 B
万安盆地位于南沙海域西部	万安盆地	位置关系（位于）	南沙海域西部
晚古生代油页岩主要沉积在新疆妖魔山地区	晚古生代油页岩	位置关系（沉积在）	新疆妖魔山地区
圣塞巴斯蒂昂高地面积 4153km^2	圣塞巴斯蒂昂高地	属性关系（面积）	4153km^2
苏北盆地南部的高邮凹陷	高邮凹陷	位置关系（B 的 A）	苏北盆地南部
四川盆地的烃源岩	四川盆地	包含关系（A 的 B）	烃源岩
……	……	……	……

9.3.3　知识融合

通过实体抽取和关系抽取，实现了从非结构化数据和半结构化数据中获取实体、关系以及实体属性信息的目标。但是由于知识来源广泛，存在知识质量良莠不齐、来自不同数据源的知识重复、层次结构缺失等问题，所以必须进行知识的融合。知识融合是高层次的知识组织，使来自不同知识源的知识在同一框架规范下进行异构数据整合、消歧、加工、推理验证、更新等步骤，达到数据、信息、方法、经验以及人的思想的融合（李朝光等，2002）。实体对齐也称实体匹配或实体解析或者实体链接，主要是用于消除异构数据中的实体冲突、指向不明等不一致性问题，可以从顶层创建一个大规模的统一知识库，从而帮助机器理解多源异质的数据，形成高质量的知识。知识库实体对齐的主要流程包括：①将待对齐数据进行分区索引，以降低计算的复杂度；②利用相似度函数或相似性算法查找匹配实例；③使用实体对齐算法进行实例融合；④将步骤（2）与步骤（3）的结果结合起来，形成最终的对齐结果。对齐算法可分为成对实体对齐与集体实体对齐两大类。

成对实体对齐方法包括以下两种算法。

1）基于传统概率模型的实体对齐算法

基于传统概率模型的实体对齐算法主要就是考虑两个实体各自属性的相似性，而并不考虑实体间的关系。将基于属性相似度评分来判断实体是否匹配的问题转化为一个分类问题，建立该问题的概率模型，缺点是没有体现重要属性对实体相似度的影响。基于概率实体链接模型，为每个匹配的属性对分配不同的权重，提高了匹配准确度。结合贝叶斯网络对属性的相关性进行建模，并使用最大似然估计方法对模型中的参数进行估计。

2）基于机器学习的实体对齐算法

基于机器学习的实体对齐算法主要是将实体对齐问题转化为二分类问题。根据是否使用标注数据可分为有监督学习与无监督学习两类，基于有监督学习的实体对齐算法主要可分为成对实体对齐、基于聚类的实体对齐、主动学习。

基于聚类的实体对齐算法，其主要思想是将相似的实体尽量聚集到一起，再进行实体对齐。对齐的原则可通过训练样本生成一个自适应的距离函数实现，比如在条件随机场实体对齐模型中使用标注数据产生距离函数，通过计算实体之间的距离大小判定对齐与否。

集体实体对齐算法又可分为局部集体实体对齐与全局集体实体对齐。

1）局部集体实体对齐算法

局部集体实体对齐算法为实体本身的属性以及与它有关联的实体的属性分别设置不同的权重，并通过加权求和计算总体的相似度，还可使用向量空间模型以及余弦相似性来判别大规模知识库中的实体的相似程度，算法为每个实体建立了名称向量与虚拟文档向量，名称向量用于标识实体的属性，虚拟文档向量则用于标识实体的属性值以及其邻居节点的属性值的加权和值。

2）全局集体实体对齐算法

全局集体实体对齐算法又分为基于相似性传播的集体实体对齐算法和基于概率模型的集体实体对齐算法。

基于相似性传播的集体实体对齐算法采用集合关系聚类算法，该算法主要通过一种改进的层次凝聚算法迭代产生匹配对象。

基于概率模型的集体实体对齐算法主要采用统计关系学习进行计算与推理，常用的方法有隐含狄利克雷分布（Latent Dirichlet Allocation，LDA）模型、CRF 模型、马尔可夫逻辑网等。

| 第 10 章 | 勘探开发知识服务平台构建

10.1 勘探开发知识管理应用模式设计

基于 5.1 节"知识中心的业务需求"，可将勘探开发知识管理应用需求划分为三种类型：基于既定组织的团队知识共享与应用需求、知识交流与分享需求、个人知识管理与应用需求。对应三种需求类型，可分别设计三种对应的知识管理应用模式，分别为项目型应用模式、社区型应用模式和个人型应用模式。本节将分别进行阐述。

10.1.1 项目型应用模式

美国项目管理协会认为，项目是一种被承办的旨在创造某种独特产品或服务的临时性努力。这样看来，每个项目都存在一定程度的唯一性特征和更大程度的重复性特征。唯一性特征决定了项目是难以通过批量处理或现成的产品与服务解决的，项目组就是为了要集中优势资源，来解决这些复杂问题而成立的；重复性特征则决定了每个项目的某些部分不可避免地在不同的时间、不同的地区不断重复地进行。知识管理与项目的关系主要体现在以下几个方面。

（1）项目或项目组是知识密集、定向生产和沉淀的环境；

（2）项目或项目组是知识被密集应用的环境；

（3）可以通过显性知识管理解决项目组里大量重复劳动；

（4）可以通过隐性知识管理解决项目组里的复杂问题。

项目型应用模式旨在搭建上述描述的环境，满足科研项目团队知识获取、共享、交流与知识积累沉淀的需求。该应用模式以项目为中心建立虚拟的项目空间，承载项目开展过程中的知识查询、资料共享、讨论交流、知识沉淀的诉求，不仅支持项目研究更加有效地开展，同时实现了项目组织知识的沉淀与传承，能为相近方向、前后端业务的项目起到很好的支撑。

项目型应用对科研过程提供的知识支撑涉及的方面如图 10-1 所示。

（1）项目预立项阶段：针对项目负责人及外部专家提供相关知识输入支撑，主要包括查看相关主题历史资料、查看技术发展现状、查看相关项目使用技术的实验成果等；

（2）项目开题阶段：针对项目负责人及内部专家提供相关知识输入支撑，主要包括推送相关开题报告和技术动态、查看最新的行业专利和规范、查看相关单位开展的相关课题等；

（3）项目研究阶段：针对项目成员提供资料共享、知识获取、交流讨论等工具，辅助

图 10-1　项目型应用模式

项目研究过程有效开展；

（4）项目总结阶段：此阶段主要是将项目成果进行沉淀，将项目资料进行归档留存，帮助单位积累知识资产；

（5）项目后评估阶段：项目结题后，项目留存下来的科研资料、经验总结可以很好地为其他项目成员提供参考，提高知识的共享价值。

10.1.2　社区型应用模式

项目型应用模式的作用之一就是促进项目成员间的共享交流。除了项目型应用这种带有明显的任务性、组织性和时效性的团队成员间的共享交流外，科研人员还存在与相同或相关领域同仁进行交流的需求，彼此互通有无、分享和借鉴经验；此外，各单位也具有以非正式、松散组织开展互动与协同的需求。社区型应用模式正是面向这一需求设计的，旨在满足业务人员对相关领域专家、技术人员进行知识与经验共享交流的需求。

表 10-1 比较清晰地表达了正式组织、项目团队和实践社区在成立目的、成员组成、环境、知识、凝聚力和组织持续时间几个维度的区别。

表 10-1　正式组织、项目团队和实践社区的区别

维度	正式组织	项目团队	实践社区
成立目的	提供产品或服务	完成项目目标与任务	提高成员能力；创造并交换知识
成员组成	招聘	由领导决定	自愿加入
环境	假定环境可预测	假定环境可预测	响应变化的、不可预测的环境
知识	依赖显性知识	显性知识与隐性知识	由隐性知识驱动
凝聚力	共同的目标、工作需要	项目目标	共同的专业知识、兴趣爱好，相互间的交情、信任、认同与尊重
组织持续时间	组织的寿命	项目完成时	只要有兴趣就一直维持

　　社区型应用的定位是为科研人员提供一个围绕知识开展社交的空间，除了满足项目与知识之间的关系之外，社区型应用模式重点体现在基于社区的交流讨论、分享传播，促进隐性知识的沉淀及分享等知识促活活动。用户基于知识社区可结交专家同行、树立个人威望、互助交流、探讨学习、参与活动，不断增强自己的专业能力和拓展人际关系（图 10-2）。

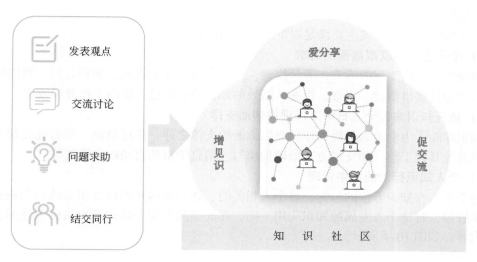

图 10-2　社区型应用模式

　　社区型应用模式的核心是知识分享。对知识分享的目标、阶段、分享动机和内容承载媒介方面分别进行分析可得到图 10-3 的结果。

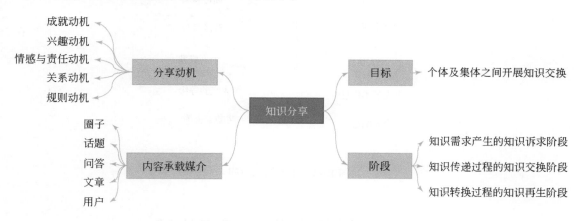

图 10-3　知识分享要素

　　由此可见，社区型应用模式主要通过圈子、话题、问答、文章、用户几方面的内容形式，借助交流、提问与回答、关注等手段实现隐性知识的沉淀与分享，最终达到人与人之间、人与组织之间的知识交换与传承的目标。

10.1.3　个人型应用模式

除了在团队/组织中进行共享交流，以及在任务过程中需要获取和学习知识外，科研人员个人在日常工作中同样存在获取、学习和管理知识的需求。个人型应用模式旨在满足个人对知识高效管理的需求。

个人型知识应用模式主要满足以下三个方面的目标。

1）个人在知识获取层面的诉求

围绕个人获取知识的诉求，通过搜索、猜你喜欢、知识收藏、知识订阅、智能问答等应用形式为其提供便捷、多维、快速、高效的知识获取渠道，提高工作开展效率。

2）依托知识库为个人日常工作提供辅助支撑

知识库除了为业务人员提供知识获取方面的支撑之外，还可借助一些智能化技术辅助其开展其他日常工作，如支撑方案的辅助编写、信息情报的自动收集组稿等。

3）个人知识行为的集中管理

基于个人在知识方面的行为，将个人相关的、感兴趣的知识以及相关的行为进行记录并集中管理，打造个人专属的知识应用空间，在此空间中能一站式获取自己关注的、感兴趣的内容，如图 10-4 所示。

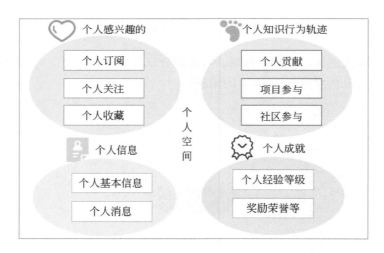

图 10-4　个人知识空间

10.2　勘探开发知识库构建

企业知识中心构建最终要解答的无非是两个问题，一个是知识中心有什么的问题，一个是知识中心如何使用的问题。前者对应内容，落实到知识库如何构建层面；后者是应用呈现，落实到平台功能如何构建层面。

构建知识库，首先要明确的是知识库要达到怎样的目标，然后根据目标推导出知识库的构建思路及内容组成。本节将针对性地进行阐述。

10.2.1　勘探开发知识库概述

10.2.1.1　构建目标

勘探开发知识库是利用知识工程理论支撑，构建全面结构化、有组织、易操作、易利用的知识集群，针对某些业务域问题求解的需要，采用特有的知识表示方式在计算机中存储、组织、管理和使用相互联系的知识集合。

勘探开发知识库最重要的特点是有序化和条理化，即知识库中的知识是根据勘探开发上游的应用领域特征、背景特征、使用特征、属性特征等构成的便于利用、有结构的组织形式。知识库中知识的有组织性，极大地方便了知识检索、知识发现和知识利用，提高了知识的使用效率，加快了知识的传播。

总体来说，构建勘探开发知识库主要实现以下几个目标。

1）促进信息和知识的有序化，提高使用效率

建立勘探开发知识库，必定要对原有的信息和知识做一次大规模的收集和整理，按照一定的方法进行分类保存，并提供相应的检索手段。经过这样一番处理，大量隐性知识被编码化和数字化，信息和知识便从原来的混乱状态变得有序化。这样就方便了信息和知识的检索，并为其有效使用打下了基础。

2）加快知识和信息的流动，促进知识的共享与交流

实现知识和信息的有序化，大大减少了寻找和利用知识的时间，自然也加快了知识的流动。同时，通过知识管理的配套实施策略，知识库的内容逐渐丰富，其利用效率逐渐增强。随着用户使用黏度增加，知识共享与交流逐渐活跃，新信息和新知识能够迅速传遍整个企业，知识的流动加快。

3）提高组织的协作与沟通效率

知识库为学习型组织的建设提供了有力的工具和制度支撑，并随着运营的深化，逐步形成适于学习型组织的企业文化，对企业保持核心竞争力，持续发展起到重要的作用。有利于打造跨组织、内外部合作的虚拟创新团队，支撑企业内外部专家联合科技攻关，开展协同科技创新和服务创新，大大提升企业效益。

4）助力企业构建学习型组织

知识传承效率提高、知识流失率降低。基于项目空间实现成果共享与知识沉淀，基于专题实现跨组织经验交流共享，知识经验传承效率提高，知识流失率大大降低。

10.2.1.2　知识库特点

目前，知识库具有两大类构建方法和应用模式。

一类是专家系统所应用的规则计划，包含规则所联系的事实及数据，它们的全体构成知识库，这种知识库与具体的专家系统有关，不存在知识库的集成与共享问题，可解决具体专业问题，专业性和领域性很强。例如，基于 FAQ 知识库的问答系统、聊天机器人等。

另一类是运用自动化的采集加工手段对知识进行扩大再生产，构建具有智能性、知识服务性和共享性的知识库，其可分为开放型知识库与领域型知识库。例如，以通用学术科研知识库为背景的知识库机构管理系统属于开放型知识库，是以搜索、组织、存储多家学术机构的科研成果，并通过网络平台达到全文检索、浏览和共享的一种数字化知识库及服务的集合，其面向通用领域。

例如，以企业特色自建库及企业外购知识源为背景的领域型知识库，是基于企业用户个性需求，对本企业及外购资源进行存储、标准化、业务加工组织，为本企业科技创新和经营管理提供科研服务及学习共享的知识库，其面向行业和专业领域。

勘探开发知识库属于企业型知识库，随着信息时代和知识经济时代的到来，企业内部信息资料繁多冗杂，建立企业的知识库逐渐成为各大企业的重要工作之一。通过企业知识库的建设与应用，可以有效地改变应用单位的知识资源分散、共享应用难、复用程度低的现状，为企业集团及下属企业的知识汇聚、交流共享提供有效手段和工具，实现知识资源的汇聚与共享应用。同时，可以提高员工的工作效率，有助于丰富员工的知识、降低企业成本，以及减少员工的培训成本、劳动时间成本，从而增强企业的竞争能力（刘万伟等，2019）。

勘探开发知识库与互联网中开放性质的知识库相比有以下特点。

1）面向领域与数据来源不同

开放性质的知识库面向的是通用领域，以常识性知识为主，其来源主要基于互联网及公开发表的书籍和文献。企业知识库是面向某一特定专业领域及专业应用的行业知识库，业务面相对窄，但专业程度深。

2）构建目标及面向用户不同

开放性质的知识库旨在构建一个通用百科型的知识库，面向的是不同的普通用户，只要连接互联网的用户都有使用知识库的需求，因而其强调知识的广度；而企业知识库是限定领域的知识库，其用户是行业内部人员，因而目标是构建基于语义技术的行业知识库，其更关注知识的深度与挖掘。

10.2.2 勘探开发知识库构建关键技术

知识库构建立足于知识体系架构，解决如何获取知识，如何存储知识，以及如何支撑应用的问题。勘探开发知识库的构建路线如图 10-5 所示，其关键技术包括知识获取技术、知识抽取技术、知识存储技术。

10.2.2.1 知识获取技术

知识获取是基于企业对知识的使用诉求确定知识源，借助技术手段从源头收集各类知识的过程。

面对海量的知识内容，知识的获取和整理的工作量巨大，完全用手工标注和提取知识费时费力，人工录入知识已经越来越不能满足日益增长的知识库建设的需求，严重限制着知识库的规模扩增、知识图谱等知识关系的完整性和完备性的建设要求，以及知识内容的

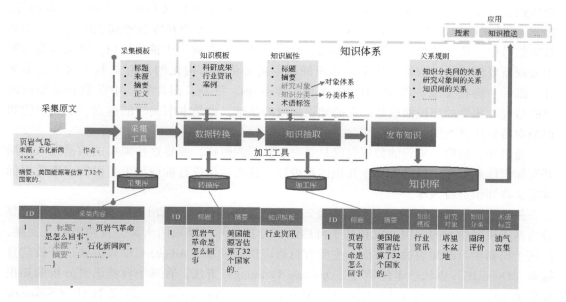

图 10-5　勘探开发知识库的构建路线

一致性和可计算性要求。如何从海量的互联网及企业内部数据库中，从大规模的结构化、半结构化、非结构化数据中自动获取知识，辅以少量人工校验是一条必经之路，所以探索知识自动获取的方法是构建知识库的关键性技术问题之一。

　　知识源大体可分为互联网公共数据源、企业内信息系统以及本地文件三种，而从数据类型上又可划分为非结构化数据、半结构化数据和结构化数据。根据知识源及数据类型的不同，获取知识的方式和技术也会不同，相关技术如下。

　　（1）网络爬虫技术：基于网络爬虫技术，根据用户提供的爬取网址、关键词等爬取条件，系统自动爬取互联网上公开的信息，经过去重、去噪后，根据知识库的数据标准采集到知识库。

　　（2）接口集成技术：此项采集技术主要适用于知识源是企业信息系统的情况，通过接口集成将知识库与其他数据业务系统进行对接，可直接将其他业务系统的内容发布至知识库系统作为知识进行沉淀。例如，基于 JSON 的 RESTful 接口协议、基于 JSON 的 WebService 服务协议等。

　　（3）基于数据库的数据提取：对于已存在的系统，可通过数据库连接方式进行数据的自动采集，适用于数据库表/视图的数据比较完整，可直接依据标准进行采集入库的情况。

　　（4）语音识别与转化：随着互联网的发展，现在越来越多的内容是以语音、视频等形式进行表达的，要将这些内容进行标记以提供更好的应用，前提是需要将其文本化，对于此类内容，知识库可对接语音识别接口，将用户口述对话内容转化为知识文档，保存到知识库系统中沉淀。

10.2.2.2　知识抽取技术

　　知识抽取是指从数字资源中识别、发现和提取出概念、类型、事实及其相关关系、约束规则，以及进行问题求解的步骤、规则的过程，其概念有广义和狭义之分（张智雄等，2008）。广义的知识抽取泛指从各种类型的数据和信息资源中获取各种知识的过程，如从数字信号中、从多种媒体资源（如图像、数据、视频、音频）中抽取知识，以及从数据集中发现重要模式的过程等。狭义的知识抽取则是指从非结构化的自由文本（包括文本文件、邮件、科技文献、新闻、HTML 页面、Weblogs、维基、图片等）中获取相关知识内容的过程。狭义的知识抽取是广义的知识抽取的基础，也是本书关注的重点，下文中的知识抽取特指狭义的知识抽取。

通过知识抽取采集到的数据仅仅只是对源数据的搬移，要将这些采集的数据融入勘探开发知识体系框架，就需要基于知识体系设计对这些数据进行抽取加工，以知识库数据标准定义将知识进行入库。

张智雄等（2008）通过对当前主要知识抽取系统的分析，提出当前知识抽取技术主要分为基于机器学习的知识抽取和基于自然语言分析的知识抽取两大类，且两类相互交融。在基于机器学习的知识抽取方面，主要有自适应信息抽取（Adaptive IE）方法、开放信息抽取（Open IE）方法、本体学习（Ontology Learning）方法；在基于自然语言分析的知识抽取方面，主要有基于模式标注（Pattern based Annotation）、语义标注（Semantic Annotation）（Reeve and Han，2005；丁蓉，2012；Staab et al.，2001）和基于本体的信息抽取（Ontology-Based Information Extraction，OBIE）方法等（Vargas-Vera et al.，2002；Handschuh et al.，2002；Banko et al.，2007；Gómez-Pérez and Manzano-Macho，2003；Cimiano and Völker，2005；Zhong et al.，2000）。

勘探开发知识库构建过程中常常会用到上述任一抽取技术或几种抽取技术的组合。

10.2.2.3 知识存储技术

知识管理一般在集团公司应用较多，因为集团公司往往拥有庞大的组织规模、繁复的业务，对知识管理的要求相对更迫切。为了保证知识获取及应用的效率和安全性，知识库构建可采用分布与集中混合存储的架构模式，在各地分公司分布存储各自的知识，而公共知识以及基础库则放在总部集团进行统一存储。知识库从存储位置层面可划分为公司知识库和总部知识库。公司知识库主要存储各企业本地采集的原始文档，以及元数据。总部知识库则存储公共知识资源。分布与集中混合存储是从知识库的物理存储层面进行划分；知识库从逻辑层面又可以根据存储内容进行划分，如分为知识资源库、项目知识库、社区知识库、知识体系支撑库、加工库等。

（1）知识资源库：按定义的知识类型存储已发布的知识。

（2）项目知识库：存储项目相关内容，主要包括项目信息、项目文档索引。

（3）社区知识库：存储社区相关内容，主要包括专题、话题讨论，问答，专家，以及积分等。

（4）知识体系支撑库：存储知识体系内容，主要包括知识模板、知识分类、对象实例、关系规则、术语词典等内容。

（5）加工库：存储与加工相关的内容，主要包括分类模型、分类规则、属性识别模型、命名实体识别模型，以及待加工的知识和已经加工完待发布的知识。

除此之外，知识库的分类在逻辑上还可按照业务划分（物化探、井筒工程、综合研究、油气田生产、分析化验等）、按照知识的存储介质划分（空间矢量信息、栅格图片、多媒体资料、大块数据体资料、各类文档、表格等）、按照知识的分类划分（成果案例、流程、方法、规范、数据、专家知识等）等，以满足不同的应用诉求。

从数据库存储技术层面来看，因知识库中包含的内容种类很多，包括结构化数据和文档之类的非结构化数据，为了提供更高效的内容检索，在数据存储技术上往往采用关系型数据库、非关系型数据库混合使用。另外，在现代知识中心构建过程中，通常会引用知识图谱技术提高知识搜索、推荐的准确性，其中涉及的节点和关系主要通过图数据库进行存储。尽管在数据量小的情况下，通过关系型数据库也能实现关系三元组的存储，但一旦数据量达到一定程度，图数据库的优势就很明显了，其优势体现在对强大的图计算能力的支撑上。特别是对关系网络进行深度遍历的时候，图数据库相比传统关系型数据库要高效得多。相对全表数据而言，图谱的数据搜索操作只考虑局部相关的部分数据，无须对整个数据集进行代价极高的分组操作。在知识中心数据组成的多层关系图中，对给定的一组节点沿其展开的边进行移动，以获取新的一组节点，这样数据遍历的速度就得到了极大的提高。

而且，图数据库除了深度遍历的优势以外，还有数据关系插入性能高、实体之间关系表达简洁、概念结构易于建模等优点，能够为基于图的计算提供良好的数据存储层解决方案。

10.2.3　勘探开发知识库内容构建

在 10.2.2.3 节，我们介绍了知识库根据内容可以划分为知识资源库、项目知识库、社区知识库、知识体系支撑库、加工库等，加工库主要存储供计算机使用的加工模型、字典等内容，这里不再做过多介绍。本节主要是从用户使用的角度出发，阐述勘探开发知识库的内容，以及如何构建。从用户使用的角度，可将知识库分为应用领域知识库、知识资源库和知识体系支撑库三种类型。

（1）应用领域知识库是根据实际应用需求构建的面向应用领域的知识库。此类知识库直接面向应用需求进行设计，满足用户工作应用要求。其主要包含两个方面的内容：一是对应项目应用模式，为保证项目研究活动的顺利开展，为项目团队成员协同研究、项目成果及相关知识内容的汇聚和使用而构建的项目知识库；二是对应社区应用模式，主要是为活跃社区氛围、促进用户分享知识，借助知识专题、话题讨论、知识问答的内容形式实现隐性知识沉淀而构建的社区知识库。

（2）知识资源库是知识库最基础的组成部分，其重要性相当于湖里的水，湖不能无水，库中无知识资源也就不能称为知识库。按最常用的基于知识所描述内容的层面进行划分，可将知识资源库划分为成果类、文献类、专利类、资讯类、标准规范类、百科类、案例类和结构化数据类。

（3）知识体系支撑库是对资源库、应用领域知识库的支撑内容，主要包括业务体系和业务研究对象体系两部分内容。知识体系支撑库的内容形成知识服务平台的知识体系，用于对知识资源及应用领域知识库从业务层面的做什么和研究对象层面的参与者来进行概括。

包含上述三部分内容的勘探开发知识库内容架构如图 10-6 所示，下面重点介绍项目知识库、社区知识库和知识资源库的内容构建。

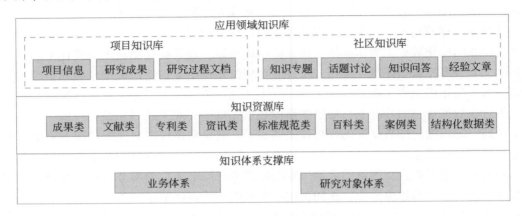

图 10-6　勘探开发知识库内容架构

10.2.3.1　项目知识库内容构建

石油企业勘探开发科研活动以项目形式开展，在科研项目过程中引入知识管理，构建项目知识库，旨在搭建项目知识管理的环境，满足科研项目团队知识获取、共享、交流与知识积累沉淀的需求，以支撑项目，实现以项目为中心的数据资源与知识的沉淀、共享、交流。同时，在项目研发过程中，不仅可以随时查找知识，也能够根据项目实际需要自定义知识推送条件，进而查看系统推送的知识。

那么如何实现项目过程与知识管理的相辅相成，即如何基于项目过程构建项目知识库呢？

一个石油企业的科研项目管理无非就两种情况，一种是有建设科研管理系统，对项目过程实现了信息化管理；另一种是未实现科研管理过程的信息化。

对于前者，可通过科研管理系统和知识服务平台进行集成的方式实现项目知识库的构建。知识管理可通过知识搜索、知识推荐等服务方式为使用科研管理系统的科研人员提供便捷的知识服务，科研管理系统则把项目基础信息以及项目全生命周期中各个阶段的交付物，全部沉淀入知识服务平台，形成一个个的项目知识包。如此，便实现了科研研究过程中的知识自动沉淀入库以及支撑科研使用的闭环过程。科研管理系统与知识服务平台的集成示意图如图 10-7 所示。

对于企业中未实现科研管理过程信息化的情况，可通过人工梳理历史项目信息及项目资料的方式进行导入入库，现行项目可在知识服务平台中手工创建项目空间，借助资料共享、交流讨论等功能实现科研项目的知识积累沉淀，实现项目知识库的内容构建。

10.2.3.2　社区知识库内容构建

社区知识库是基于知识社区应用模式而对应构建的知识库，知识库内容主要涵盖知识

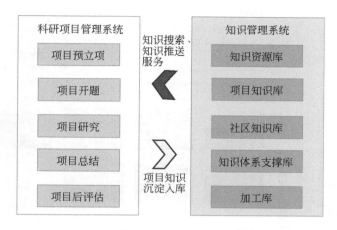

图 10-7　科研管理系统与知识服务平台集成示意图

社区中的内容要素，包括知识专题、话题讨论、知识问答、经验文章及专家。其中，知识专题指的是按照学科专业、研究任务、兴趣圈等归纳组织的勘探开发业务知识，重点开展专业社群及其知识汇聚与沉淀的建设。

社区知识库以文献共享交流及经验讨论为目标，科研人员与相同或相关领域同仁进行交流，彼此互通有无、分享和借鉴经验，具有以非正式、松散组织开展互动与协同的特点。

社区知识库实现了灵活、非正式组织的知识获取与共享交流，用户可基于专题圈子开展某项业务、技术的沟通、交流以及专业资料共享，可向相关领域专家进行求助问答，可将个人经验总结进行分享。社区知识库还应包含一套完整的用户经验积分及等级规则，让用户在参与知识相关行为的过程中获得认可，促进用户进一步参与的积极性，提高用户分享知识的意愿。社区知识库内容及呈现思路如图 10-8 所示。

1）专题库

知识专题是围绕某项技术或业务，以专题圈子的形式集中知识资源及专家资源，形成技术研究业务板块的知识资产。按照科研生产业务涉及的学科专业、研究方向，由相关专家牵头组建社群，并构建专题知识空间，开展一系列专题活动。

专题库构建过程包括：

（1）业务/技术负责人确定业务/技术主题后组建专题，并将小组成员添加进来。专题形式可以是授权申请加入也可以是公开形式，前者接受人员的加入申请，后者则感兴趣的人都可以参加；

（2）专题内提供资料共享空间，可将相关资料在专题内进行共享沉淀；

（3）专题成员也可围绕某个技术点开展交流讨论，也可向组内专家进行求助问答。

基于以上行为实现包含专题信息（含成员）、专题资料、专题讨论问答等内容在内的专题库内容构建。

2）话题库

所谓话题，即谈话的题目，谈论的主题。放在知识社区中，也就是用户展开交流与讨

图 10-8　社区知识库内容及呈现思路

论的主题，其存在的条件无非是有人发起一个话题，其他人围绕话题展开讨论，最终呈现形式就是一篇篇帖子以及针对帖子的回复。对于主题而言，前面讲到项目知识库构建和专题库构建时，提到了基于项目主题和专题的业务/技术主题展开讨论，所以社区话题库的内容构建有一部分是来自项目和专题的，除了这两个天然具备的主题之外，用户还可根据需要自行发起主题展开讨论。

综上所述，话题的内容组成应该至少包括话题名称（主题）、内容描述、话题发起人、发起时间、来源，以及对应的回复明细（回复内容、回复时间、回复人等），在提供基于回复的回复功能的情况下，话题内容还包含基于回复的回复内容。

3）问答库

问答其实与话题的形式类似，只是问答的讨论主题是一个具体的问题，问答的回复是基于问题的回答。问答与话题的主要区别体现在两方面：一方面是与敞开式交流的话题不同，问答必须是有答案的，这个答案不是仅限于是否有人做了回答，而是在于提问者是否认可回答，如果不认可，即便回答再多也不能认为是有答案的，是否认可答案往往通过提问者"设置最佳答案"的方式来体现；另一方面是提问者为了吸引高质量回答，可对提问进行积分悬赏，获得最佳答案时将积分奖励给回答者。

问题类型从是否定向提问方面可以划分为两种形式，一种是非定向的开放式提问，看到问题的人都可以回答；另一种是定向式提问，将问题提给某个或某类人。通常情况下，提问者在发起问题时是不知道谁可以回答问题的，所以使用开放式提问的场景更普遍，如百度知道、知乎等。定向式提问主要是配合专家库一起使用，当用户发现自己专业领域内的专家时，可通过"向 TA 提问"的方式向对应专家发起定向式提问。

与话题相同，问答库的内容一部分来自科研项目和专题中的求助问答，还有一部分来自向专家求助发起的问答和开放式问答。

问答的内容组成至少包括问题标题、问题描述、提问者、提问时间、向谁提问（定向提问），回答信息（回答内容、回答时间、回答人、是否为最佳答案等）。

4）经验文章库

经验文章是科研人员将自己日常开展科研工作的经验进行总结、提炼后，以文章的形式提交至知识服务平台。原创的经验文章是一种高质量的知识，对同领域及相关领域的科研人员来说具有很强的参考和借鉴意义。文章包含文本、图片等内容，通常具有前后文语境，内容相对话题和问答回复更具完整性，其形式如同 CSDN 上的技术文章或是知乎上的专栏文章。通过发布文章，科研人员可以进行知识分享，还可以提升自己在某个领域的权威性。

经验文章的内容组成至少包括文章标题、文章内容、发布者、发布时间、回复信息（回复内容、回复时间、回复人）等。

10.2.3.3　知识资源库内容构建

为实现"一站式"知识检索与服务，实现一体化快速精准查找知识、科技查新服务及技术热点分析与趋势跟踪需求，需要将勘探开发上游行业相关的专利、文献、期刊、标准、行业案例和百科等知识内容和相关的网站集中集成，构建勘探开发知识资源库，便于科研人员直接查找各类知识。

知识资源库的构建方法是结合业务人员使用需求，分析研究已有的各种内外部的知识源现状，制定采集加工方案，编写采集接口，使用工具采集加工并存入平台，在平台中开展知识校核入库及知识发布的工作。整体工作流程如下。

（1）知识源调研分析。以科研人员研究流程及核心研究活动为出发点，通过对研究过程的输入输出分析，梳理研究过程的知识查看需求及知识沉淀输出，对于知识查看需求，进一步分析其来源，以作为知识采集入库的验证输入。知识源从归属层面可以划分为内部知识源和外部知识源。其中，内部知识源可以是某个系统、某个数据库或者是存储介质上的电子资源，甚至是需要经过电子化加工的纸质文档；外部知识源可划分为外购数据、互联网公共资源。

（2）采集加工方案制订。根据对知识源的调研分析情况确定采集加工方案。采集加工方案因知识源的类型、原始数据的结构类型等不同而不同，如针对内部系统的数据，可考虑通过数据库采集或系统集成的方式获取，而针对外部公共资源的数据，可通过网络爬虫方式获取。数据类型还会影响加工，如非结构化数据的加工要求明显要比结构化数据的加工要求高，前者可能涉及关键词、摘要的自动提取等加工要求，而后者则不需要。

（3）采集加工。部署采集和加工服务器，依据针对不同的知识源所制定的采集加工方案对数据进行采集及加工。这里涉及的加工是指借助 NLP 技术对文本进行要点提炼、自动分类等处理，常用的加工处理包括对文本进行自动分类、自动提取关键词及摘要，以及根据一定的规律自动提取文本中的一些特定标识内容，如作者、机构、发表时间等。知识加工以知识体系支撑库的内容作为依据，加工前必须确定目标知识资源类型，通过体系支撑库中对资源的模板定义来呈现加工后的内容；另外，文本自动分类加工中的分类依据也同样来自体系支撑库中的分类体系构建内容。

（4）校验审核入库。采集加工后的内容需要经过人为校验审核后才能确定是否能够发布，以校验自动加工结果的准确性。校验过程中伴随着必要的审核与修改操作，确定知识的准确性后通过发布操作将知识入库，正式入库后的知识方能被用户检索及查看到。至此，知识资源库经采集、加工及入库的内容构建过程正式完成。

10.3 勘探开发知识服务平台

10.3.1 平台构建目标

构建勘探开发知识中心的最终目标是建立勘探开发知识库，实现企业内的知识资产沉淀和共享复用，辅助研究人员更高效地开展日常工作；而勘探开发知识服务平台的构建目标是通过平台化的手段来支撑知识中心这一目标的落地实现。可以将勘探开发知识服务平台的构建目标概括为以下几个方面。

（1）提供知识生命周期管理工具，实现知识从获取到加工再到发布的完整过程，支撑勘探开发知识库的构建；

（2）提供知识体系管理工具，实现知识分类、模板、关系的定义维护，支撑知识体系内容库的构建；

（3）提供可配置的权限体系，支撑知识库的维护，以及应用数据的权限保护；

（4）基于知识库提供知识搜索等应用功能，满足用户应用知识的诉求；

（5）构建综合性知识应用场景，满足三大常用应用模式。

10.3.2 平台技术架构

基于目前的主流技术框架，勘探开发知识服务平台应以云原生分布式部署的微服务框架为基础进行平台技术架构的设计，如图 10-9 所示。

知识服务平台技术架构共包括 4 层。

（1）应用层。承载知识服务平台的所有应用功能，包括知识搜索、知识推荐、知识订阅、热点分析等功能，基于应用模式设计，将多项功能进行组合，以构建项目型应用、社区型应用和个人型应用，满足不同场景下的应用需求。

（2）服务支持层。支持应用层的所有业务组件，包括智能搜索、文本处理引擎、图像处理组件、音视频处理引擎等底层引擎和框架，以及可以对外提供服务的数据接口，如知识搜索服务、图谱计算服务、知识加工服务等。

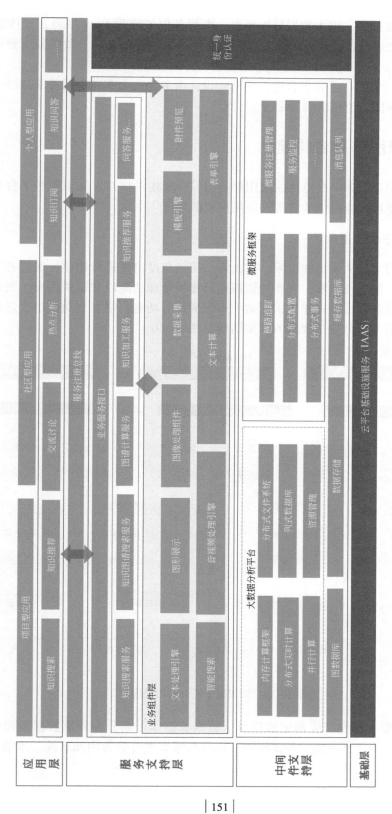

图10-9 知识服务平台技术架构

（3）中间件支持层。以大数据分析平台、微服务框架作为 PaaS 平台，支持整个系统的服务及应用，完成分布式实时计算、分布式文件系统、链路追踪、微服务注册管理等基础功能。

（4）基础层。基于企业云平台提供的基础设施服务，向上支持中间件支持层。相关基础服务包括数据存储、消息队列等服务。

10.3.3 知识服务平台构建

本节主要从知识服务平台总体的应用架构出发，阐述勘探开发知识服务平台为满足企业知识中心的构建目标应提供的管理和应用层面的功能。

10.3.3.1 平台应用架构

平台应用架构主要从满足知识采、存、管、用的角度出发进行构建，通过各类数据源进行数据的采集、加工及入库，入库的知识通过相关管理功能以知识资源库、图谱等形式进行存储，存储的数据用于构建知识搜索、知识推荐等功能，将多个功能组合进行应用模式的构建。知识服务平台应用架构的框架结构见图 10-10。

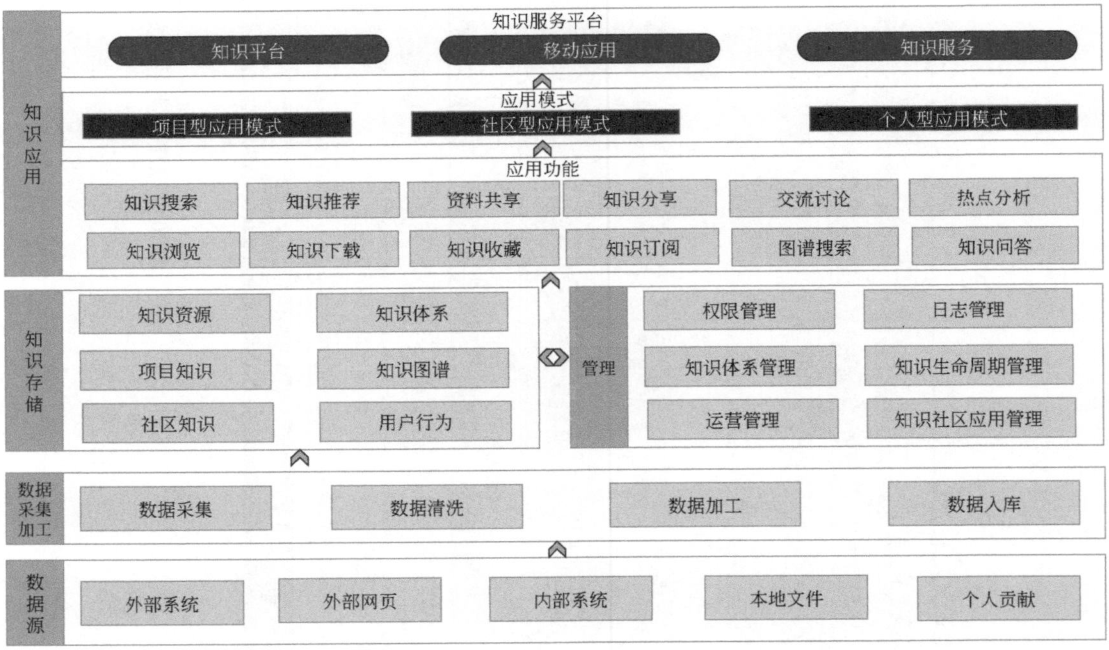

图 10-10　知识服务平台应用架构

（1）数据采集：首先需要确定数据源。数据源整体可划分为外部数据源和内部数据源。外部数据源分为外部系统、外部网页；内部数据源主要分为内部系统、本地文件和个人贡献。

（2）数据清洗和数据加工：明确数据源之后，针对非个人贡献的知识源，逐个明确采集、清洗和加工方案，按照方案对数据进行采集、加工并最终入库。

（3）知识存储：入库的知识以及知识体系、知识应用相关的数据在数据库中进行分类存储。通过前面章节中介绍的知识库内容以及管理层面必备的内容，可将存储内容分为知识资源、知识体系、项目知识、社区知识、用户行为、知识图谱等。其中，涉及元数据的信息，如知识资源元数据、用户行为等结构化数据通过关系型数据库存储；文档附件等非结构化数据可通过非关系型数据库及文档服务器进行存储；知识图谱的关系三元组采用图数据库存储。

（4）管理功能：平台的管理功能主要来自三个方面，一是构建信息化系统所必备的系统管理功能，如用户管理、角色管理、权限管理、日志管理等；二是为了支撑知识库的构建所必需的管理功能，如知识资源管理，包括知识体系管理、知识生命周期管理、图片构建与管理等；三是针对应用功能所提供的对应管理功能，如知识社区应用管理、项目空间应用管理、运营管理等。

（5）知识应用：围绕知识提供基础的应用功能，如知识搜索、知识浏览、知识下载等；在基础应用的前提下，针对各企业的需求，将各应用功能进行组合以构建常用的应用模式，如项目型应用模式、社区型应用模式、个人型应用模式，知识服务平台可提供企业知识门户、移动应用和对外知识服务接口。

10.3.3.2 管理功能构建

如 10.3.3.1 节所述，知识服务平台涉及的管理功能主要来自三部分，包括系统管理功能、知识库相关管理功能、应用功能相关管理功能，下面将详细阐述。

1）系统管理功能

（1）用户管理：基于组织机构管理平台用户。一般来说，能考虑建设知识服务平台的企业，其信息化水平相对来说还是比较高的，应该是基本具备企业基础信息平台的，所以从这个层面来讲，知识服务平台的用户多数情况下都是来自企业统一身份认证平台，与其他系统的账号体系保持一致，这种情况下，知识服务平台的用户管理主要是管理身份同步信息，在基础信息同步的基础上，附加知识管理特有的一些信息，以及管理用户在平台的状态。

（2）角色管理：管理维护角色信息，通过基于角色进行授权并对用户分配角色来达到为用户分配权限的目的；通过角色可实现为用户批量分配权限的效果。知识服务平台常用角色包括：普通用户、知识管理员、体系管理员、应用管理员、运营管理员等。

（3）权限管理：管理用户或角色权限，包括功能权限和数据权限。对于崇尚知识开放共享的知识服务平台来说，数据权限要求相对较低，多数是功能操作权限的管理。功能操作权限可控制到功能模块级，也可细化到操作级，操作级的权限按功能模块-功能操作的形式进行组织，模块与操作之间具备包含关系。权限通常与用户管理或角色管理一起工作。

（4）日志管理：管理用户行为日志，包括登录日志和操作日志。日志只是如实记录操作信息，以备需要时查看。所以，日志管理的主要功能为提供日志的查看及导出和归档等内容。

2）知识库相关管理功能

（1）知识生命周期管理：实现数据从采集到加工到入库的全生命周期管理功能，主要功能如下。

第一，知识源管理：提供知识源的增删改查功能。因不同类型的知识源对应的采集方式不同，所以对知识源的管理维护需基于不同的采集类型分开进行。按采集方式的不同，分别提供基于数据库的采集和基于网页的采集，前者需要提供数据库访问连接，以及对应数据表/视图和待采集数据字段的配置；后者需要配置待采集网站地址、页面以及板块等信息。

第二，采集任务配置：基于不同的知识源配置其采集任务的执行时间及执行频率信息。

第三，数据清洗：基于采集任务配置数据清洗规则，然后开展对应任务下的采集工作，工作结束后即自动对采集的数据按数据清洗规则进行清洗。

第四，知识加工：基于采集任务对清洗后的数据进行加工，需配置采集的数据对应哪一类知识资源，采集项与知识模板如何对应，哪些字段是原始数据，哪些是加工出来的，加工的依据是什么，采用哪个模型或字典等。

第五，知识入库：为经加工后的知识提供人为校验过程，以校验加工配置是否正确、加工内容的准确性等。为经校验通过的知识提供发布/取消发布的管理功能，发布后的知识可在前端应用中进行使用。

（2）知识体系管理：提供知识体系相关内容的维护，包括分类管理、模板管理、关系规则管理等。

第一，分类管理：提供分类体系的维护，应支持自定义分类维度和分类内容。知识管理涉及的基础分类维度包括业务分类、研究对象分类、知识形态分类等。定义的分类体系须支撑知识的入库及应用。

第二，模板管理：对于需要实例化的分类维度，需要对相应的分类内容进行模板定义，以确定知识入库后的呈现内容。对于知识管理通常涉及的几个分类维度，研究对象、知识形态是需要进行实例化以进行模板配置的。模板管理就是基于分类进行属性定义，属性包括基础属性、特殊元素以及涉及的相关分类信息，其中基础属性可以参考都柏林的15个核心元素进行取舍，特殊元素是能够表征某一类内容的特殊属性，如井筒的井筒类型、钻取深度等；相关分类与分类体系关联，其属性值即某个分类维度下的分类内容项。支持模板层面的自定义维护，以及基于模板属性的自定义维护。

第三，知识详情页配置：针对定义的知识类型和模板，可分别配置各类型知识在详情页的显示内容及排版。

第四，关系规则管理：基于分类及模板定义关系规则，体系中定义的关系规则形成概念图谱的原型。

（3）字典管理：对系统使用到的字典进行管理，需支持对字典以及字典内容的维护。涉及的相关主要字典包括搜索使用的行业字典，以及加工使用的术语字典、特征词字典等。

（4）模型管理：针对知识加工使用的模型进行管理，支持将线下训练完成的模型上传平台进行管理，在对知识进行入库配置时能够基于模型进行选择。这里提到的模型主要是 NLP 方面的文本加工模型，如自动分类模型、关键词抽取模型等。模型训练过程可引入其他人工智能工具训练后导入。

（5）知识图谱管理：主要提供图谱的构建和维护。

第一，概念图谱构建：基于体系分类及关系规则形成构建概念图谱的元素；关系规则的起点和终点为分类内容项，在概念图谱中以节点体现，关系规则通过起点、终点所对应分类的模板属性规则来约束两个分类下的实例间关系成立的条件，关系规则对应概念图谱中节点之间的关系连线。节点、关系最终形成概念之间的关系网络。当知识体系管理中对分类及关系规则都维护得很好时，概念图谱获取知识体系中的概念定义来自动构建概念图谱；除了基于知识体系构建概念图谱之外，图谱管理工具还需要能提供自定义节点和关系并以批量导入的方式进行概念图谱的构建。

第二，实例图谱构建：实例图谱是对概念图谱的实例化，包括概念节点的实例化和关系规则的实例化。概念节点的实例化是基于概念属性（即体系中的分类模板）获取对应的实例数据，如要对盆地概念进行实例化，就是通过相关的数据源获取具体的盆地信息，如四川盆地、塔里木盆地等；而关系的实例化则是通过关系起点、终点的属性规则来实现的，当起点、终点两个实例下的属性值满足概念图谱中所定义的关系规则时，两个实例之间的关系便能建立起来，如井筒与油田之间通过井筒的"所属油田"属性规则建立，通过井筒实例信息上的"所属油田"属性值建立起该井筒与对应油田之间的实例关系。实例节点及关系最终构成实例之间的关系网络，形成实例图谱。可通过线下批量导入、数据库访问读取、API 接口访问等形式获取实例，通过数据项的对应可比较准确地实现概念的实例化，因此需要平台提供相关的数据接入功能。

第三，图谱维护：图谱维护是在已构建图谱的基础之上，针对图谱节点、关系提供相关维护功能，包括概念图谱的维护和实例图谱的维护。概念层面的维护功能主要包括概念节点和关系的添加、编辑和删除，包括节点和关系属性的编辑；实例层面的维护功能主要是针对实例节点的编辑维护。

3）应用功能相关管理功能

（1）项目空间应用管理：基于项目型应用模式所对应的功能及数据要求，提供相应的数据维护及配置管理功能。主要包括项目空间信息维护、资料维护等。

（2）知识社区应用管理：基于社区型应用模式所对应的功能及数据要求，提供相应的数据维护及配置管理功能。主要包括交流讨论的维护、用户等级定义、积分规则定义等内容。

（3）运营管理：提供基于平台内容、平台应用以及用户行为三方面的运营统计分析。

1）平台内容：从平台内容分类、内容量，以及内容在时间序列层面的变化趋势三方面进行统计分析，帮助运营人员全方位、多角度了解平台内容的情况。

2）平台应用：从平台提供的应用功能层面对应用的使用情况进行统计分析，提供应用间的横向对比分析，以及具体应用下的功能使用纵向对比分析。通过应用的统计分析可直观了解最受用户青睐的应用功能以及用户最不常用的功能，以作为平台后续的升级优化参考。

3）用户行为：从用户的登录、访问信息层面进行统计分析，以了解平台的用户活跃度情况，此分析数据及分析功能可为组织制定相关运营活动提供参考。

10.3.3.3　应用功能构建

从前述的知识服务平台应用架构来看，知识管理提供的应用功能主要是围绕知识来展开，包括知识搜索、知识推荐、资料分享、知识浏览、知识分享、知识下载、知识收藏、知识订阅、交流讨论、图谱搜索、热点分析、知识问答等功能。下面概要介绍几个关键的应用功能。

1）知识搜索

最常见的方式是基于关键词进行搜索，搜索范围可包含标题、摘要、关键词、标签乃至知识内容全文检索。结果列表按照匹配度进行排序。基于关键词的搜索主要是针对输入内容进行搜索匹配，缺乏扩展能力。知识中心知识服务平台的知识搜索需要引入智能化技术，针对用户输入的搜索内容，进行语义解析，包括意图识别和实体识别。之后通过图谱进行检索，得到精准的搜索结果；或者基于解析结果通过图谱进行扩展搜索。将上述两类搜索结果按照与原搜索内容的语义关系的紧密程度进行排序，形成搜索结果序列返回用户。同时，也可以根据图谱进行相关内容的推荐，或以图谱的形式展示搜索的结果（靳晶晶，2016）。

2）知识推荐

不同于主动的知识搜索，知识推荐是系统基于一定的主题自动为用户推送相关的知识应用功能。主题可包括用户画像、某条具体的知识、某个科研项目、某个专题圈子等，基于主题推荐与该主题相关的知识供用户查看，帮助用户发现更多其可能想关注的知识。自动推荐一定程度上可提高知识的访问频率。

3）图谱搜索

构建基于图形化的图谱关系，并在此基础上提供搜索功能。相关搜索功能包括基于概念搜索实例关系、节点搜索、关系搜索等。

4）热点分析

为更好地支持科研人员的日常工作，提高知识服务平台在活用知识方面的能力，知识服务平台采用热点发现和趋势分析技术，帮助科研人员跟踪热点动态，紧跟技术发展趋势。

所谓热点分析及辅助查新技术，是全文搜索、内容分析、图谱计算等技术的集成，用于对文献、科研成果、期刊等知识数据的查询、统计、分析及判断。

5）知识问答

为了应对用户查询信息过程烦琐、操作复杂的问题，知识服务平台采用语音转换、语义识别等技术，提供一种简单的、以一问一答形式呈现的基于知识图谱的信息查询方式，为用户提供便捷、准确、高效的知识获取方式，支撑在科研、实验等业务活动中快速获取问题答案。

知识问答相关应用功能包括问句输入、问句处理与解析、答案获取以及答案生成几部分。

10.3.3.4 应用模式构建

在已构建的应用功能基础之上，基于前面章节定义的应用模式设计，将相关功能进行组合以构建对应的应用模式。

1）项目型应用模式构建

项目型应用模式的设计思路是建立基于项目组织的知识搜索、资料共享、交流讨论、知识推荐等应用，以支撑科研探究过程中的知识获取效率的提升、项目知识的沉淀与传承。

结合知识服务平台的应用功能构建，项目型应用模式可能涉及的功能如图 10-11 所示。

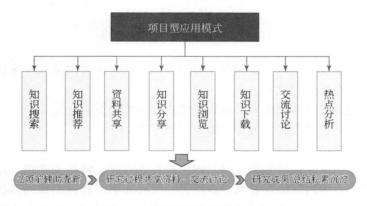

图 10-11　项目型应用模式构建

（1）立项前辅助查新：基于知识搜索、热点分析及知识浏览等功能，支撑科研人员在立项前进行辅助查新，通过知识库初步判断预立项方向是否已存在类似的研究，以确定是否更换立项方向。

（2）研究过程支撑：基于项目建立虚拟团队空间，通过资料共享、知识推荐、交流讨论等功能支撑项目开展过程中的资料共享、知识查阅、交流讨论等诉求。

（3）结题后经验总结沉淀：通过知识分享功能，将项目中产生的有价值的研究成果、案例、经验总结等沉淀入库，形成基于项目的组织知识资产，避免宝贵的知识财富随项目解散、人员变动而流失。

综上所述，项目型应用模式主要是围绕项目立项前的辅助查新、项目研究中的知识查阅及资料共享，以及结题后成果的沉淀三个方面提供相关的知识应用支撑。

2）社区型应用模式构建

基于社区型应用模式的设计思路，知识社区主要是围绕知识分享活动，将相同兴趣、相同领域的人聚集在一起，通过社区的聚集性效应，达到结交同行、知识交换的目的。

构建社区型应用模式涉及的常用功能与项目型应用模式类似，如图 10-12 所示。

（1）专业聚焦。

通过知识专题的形式，可围绕某项业务、某项技术，汇聚专业相关知识及专家，使用

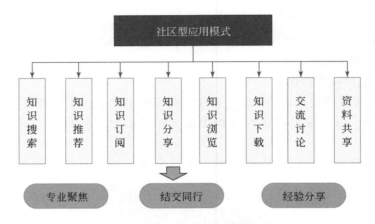

图 10-12　社区型应用模式构建

户在某个专题下就能获取到该专业相对完整的知识，同时还可向领域专家进行求教，可大大提高学习效率，降低学习成本。

实现基于专题的专业知识汇聚，应具备的主要功能如下。

第一，支持灵活创建专题，为专题添加领域专家；

第二，支持用户加入专题；

第三，基于知识库，通过知识订阅、知识推荐等方式，将相关知识一站式汇聚到专题内，支持用户在本专题内就能查看与专业相关的所有知识，而且汇聚的知识可通过专题这样一个虚拟空间进行留存，任何时候想看就可以看到，不需要每次再重新搜索；

第四，除了将知识库已有的知识进行汇聚组织之外，专题内的人员也能将自己从其他渠道获取的资料通过资料共享的方式添加进来；

第五，汇聚至专题内的知识可在专题内进行搜索、浏览、下载、收藏等应用。

（2）结交同行。

除了上面已提到的通过组建专题聚集同行业伙伴之外，还可通过话题讨论吸引汇聚同行，可基于开放式讨论促进同行之间的交流，也可通过聚集入口建立与单个人员之间的交流渠道，如定向式提问、发邮件等交流方式，实现个人人脉的拓展。

（3）经验分享。

依托社区天然的知识交换属性，实现人与人之间的经验分享，促进隐性知识的挖掘与沉淀。为了满足这一目标，平台应具备如下的相关功能。

第一，支持简单、便捷的知识分享形式，使用户能够快速地将个人知识分享到组织、知识库；

第二，提供基于内容的交流与讨论功能；

第三，提供完善及丰富的积分产生与利用机制，形成积分生态闭环；

第四，建立用户知识等级体系，基于用户行为及知识动态评估用户等级；通过持续的知识分享行为，树立用户个人权威，满足其在个人成就层面的心理需求。

3）个人型应用模式构建

基于个人型应用模式的设计思路，个人型应用模式主要满足三个目标，本节还是围绕这三个目标说明构建个人型应用模式应该如何对相关功能进行组织。

（1）知识获取。

用户获取知识通常有两种方法，一种是自己定义关键词按需主动查找；另一种是系统基于用户行为分析进行自动推送；而基于需求主动查找知识又有多种方式，包括搜索、基于导航查找、知识订阅等。总体来说，应对用户获取知识的诉求，个人型知识管理系统应包含的功能如下。

第一，关键词搜索：支持用户通过输入关键词在知识库中进行搜索，搜索结果默认按相关度进行排序，也可基于时间进行排序。支持针对搜索结果进行二次结果中搜索。如果有图谱支撑，则还需对输入内容进行语义解析，将解析后的结果映射到图谱中查找准确答案。

第二，高级搜索：在关键词搜索基础之上提供更多条件进行组合搜索，以进一步锁定搜索范围。

第三，热搜推荐：基于平台中用户的搜索行为，为用户推荐搜索频度较高的内容。

第四，知识导航地图：提供基于导航的知识查找方式。知识导航的组织形式有很多种，如基于业务的导航、基于对象类型的导航、基于知识类型的导航等。除了整体知识库层面的导航之外，还有可针对某些主题或应用场景主题的知识导航，如深层碳酸盐储层主题知识、岗位能力地图等。

第五，知识订阅：支持用户通过定义关键词进行知识订阅，当订阅的主题有知识更新时，可及时通知用户进行查看。

第六，猜你喜欢：基于用户画像（用户所擅长的专业领域、研究方向，用户在知识搜索、查看、收藏、订阅等方面的行为，以及用户关注的同行的行为）为其推荐可能感兴趣的知识。

（2）日常工作辅助支撑。

知识库对业务人员除了在知识获取方面提供支持之外，还可借助一些智能化技术辅助其开展其他日常工作，如支撑方案的辅助编写、信息情报的自动收集组稿等。

第一，方案辅助编写：对于格式化较高的方案，支持自定义方案模板，系统基于知识库中大量的方案内容片断，为用户推荐相似目录的内容，用户可在推荐的基础上进行优化完善，提高方案编写效率。

第二，信息情报自动收集组稿：针对情报部门收集固定方向的信息情报并组成快报的过程，系统可对用户指定来源的信息进行自动采集，用户选定待组成快报的内容后，系统可在预置模板的基础上自动将选定内容组成快报，用户可在自动组稿的基础上对内容进行简化或提炼。

（3）个人知识中心。

针对用户在平台分享/收藏的知识、参与的项目/专题、发布的交流讨论等内容，平台需要提供个人知识中心来汇聚这些信息。个人知识中心除了对参与的行为内容进行集中管理之外，个人基础信息的完善、个人基于平台行为所获得的成就，以及个人知识管理的诉求通常也囊括在内。

个人知识中心通常涉及的功能范围如图 10-13 所示。

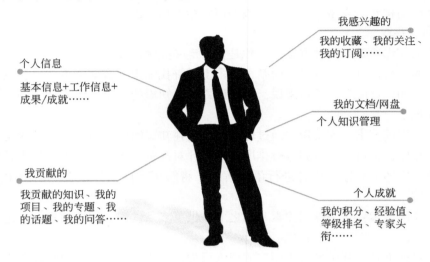

个人信息
基本信息+工作信息+
成果/成就……

我感兴趣的
我的收藏、我的关注、
我的订阅……

我的文档/网盘
个人知识管理

我贡献的
我贡献的知识、我的
项目、我的专题、我
的话题、我的问答……

个人成就
我的积分、经验值、
等级排名、专家头
衔……

图 10-13　个人知识中心

相关功能说明如下：

第一，个人信息：包括基本信息、工作信息、参与项目、奖励荣誉、论文/专著、专利、专有技术、成果/成就等。

第二，我贡献的：记录我贡献/分享的知识全集，包括我的项目、我的专题、分享的经验、发布/参与的交流讨论、发布/回答的问题等，可跟踪内容状态，未提交的可继续编辑，已发布的可查看详情。

第三，我感兴趣的：将用户通过多种渠道添加的自己感兴趣的内容进行集中汇聚，包括我的收藏、我的关注、我的订阅。收藏的内容可取消收藏，关注的专家可取消关注，可查看已订阅内容，以及添加新的订阅。

第四，我的文档/网盘：基于网盘形式提供个人文档管理，可自定义目录进行存放，实现个人知识的基础管理。

第五，个人成就：展示个人在平台中通过知识行为所获得的成就，包括用户等级、经验值、积分值等；针对积分提供积分获取及消耗记录供查看。

个人知识中心不仅是个人知识集中汇聚与管理的空间，同时也是他人了解自己的信息窗口。

|第 11 章| 勘探开发知识管理运营体系构建

油气勘探开发知识管理运营体系作为石油企业知识中心建设的重要组成部分之一，是以提高和保障知识管理系统有效运行为目的，通过设立必要的专业组织，构建控制管理流程中的关键知识活动的规范与制度，建立激励机制，鼓舞用户参与知识分享与交流，形成一个任务清晰、职责明确、相互协调、相互促进的知识管理有机整体和知识学习氛围。本章首先阐述什么是知识管理运营体系，然后分析现有石油企业知识运营现状和特点，最后提出石油企业知识管理运营体系设计建议。

11.1 知识管理运营体系概述

11.1.1 定义及作用

知识管理运营体系是指规范和指导集团总部各部门及各成员企业开展知识管理日常运营工作、激励和鞭策集团员工积极参与知识创建与分享的一系列机制和措施，旨在为集团知识管理工作的持续推进和长效运营提供组织资源和制度流程的保障，保证集团知识管理工作的活力和动力。

知识管理运营是一个体系，是以知识服务平台为基础，以知识内容增长为目标，以用户数和活跃度为核心，通过活动运营、内容运营、用户运营的手段展开的一系列的长期、系统性的工作。只要知识服务平台上线，后续全部属于运营，运营不是信息管理部门一个部门的事情，是管理、专业应用、应用运维等部门的多方协作（王红梅和李鹏翔，2016）。

为了在企业积极推动知识管理工作，搭建知识管理的管理体系、内容体系、文化体系和技术体系，通过知识管理提高企业集团的核心竞争力和创新能力，实现知识创新、获取、储存、共享、应用的良性循环，制定知识管理运营体系。

11.1.2 落地策略

知识管理运营体系落地及持续运营是长周期、分步骤的复杂工作，面临诸多实施风险，为规避实施风险，构建知识管理运营体系应遵循以下四项实施策略（林龙凤，2015）。

（1）组织先行：在知识管理系统试运行阶段，建议指定部分人员担任知识管理相应岗位以及承担系统管理、应用、运维角色，保证知识管理的正常运行；知识管理系统验收后正式运营，需要运营组织到位，保证有相应人员对知识管理系统的管理、应用、维护等工作负责。

（2）先易后难：知识管理配套体系落地实施有一定复杂性，因此先从易处入手，在形成知识管理用户习惯并具备良好的用户黏性之后，再逐一突破困难。

（3）重点突破：知识管理在不同阶段有不同侧重点与运营目标，根据不同阶段的核心需求设置相应的制度流程及激励机制，保证本阶段的重点工作的完成，给予管理层信心，使其进一步支持与参与，以此达到保证持续资源投入的长期目标。

（4）以用促建：知识管理应用在油田企业属于初级阶段，各家单位有不同的业务特点、企业文化，因而知识管理配套体系要与科研、生产等活动紧密结合，逐步完善制度、流程，丰富激励机制，以用促建。

11.1.3　实施原则

（1）领导责任制原则：各企业与部门领导是知识管理工作最主要负责人与第一责任人。油气勘探开发业务涉及多种专业，各专业间既有差异又相关联。因此，各单位领导作为本单位的知识管理经理，应组建本单位知识管理小组（知识管理员、专题长、项目长、业务专家等），负责本单位内各部门知识管理的推动工作。

（2）分阶段、分步骤持续推动原则：知识管理是一项艰巨的工作，推广运营期尤其需要大量的资源投入。知识管理的建设工作必须考虑合理安排工作任务，分阶段、分步骤，由不同侧重点逐步建设。

知识管理不是一次性的任务，需要制定具体的行动计划持续推进，逐步提高，并定期回顾评估，重新规划发展重点。高层必须坚持不懈地关注并宣传，推动知识管理工作。

（3）知识受控前提下最大范围共享原则：按权限进行知识使用，在受控的前提下，最大范围提倡知识共享，倡导知识的积累和应用，强调知识的分享。现阶段知识应用的主要瓶颈之一是各单位内部之间、项目之间的"知识孤岛"，知识管理现状无法满足单位内部互相借鉴学习的迫切需求，需要打破瓶颈，提供更广泛的知识共享应用。

（4）鼓励知识贡献全员参与、积极贡献原则：知识管理推进过程中最重要的影响因素是"人"，应鼓励所有员工提交工作中产生的阶段、最终知识成果，同时要独立撰写和整理业务相关的隐性经验技巧。根据知识管理的推进情况，在初期以激励为主，从物质和精神奖励两方面引导员工进行自主学习，主动共享。

11.2　石油企业知识运营现状和特点

11.2.1　壳牌公司案例

壳牌公司知识管理组织架构案例分析如下（图11-1）。

组织架构特点：根据自身业务差异较大的特点，采取"总部指导，本地交付"的知识管理原则，各业务部门对总体知识管理战略进行诠释和实施，拥有自己的知识管理专家团队，实现总部方向性指导与地方/各业务单元灵活自主的平衡。

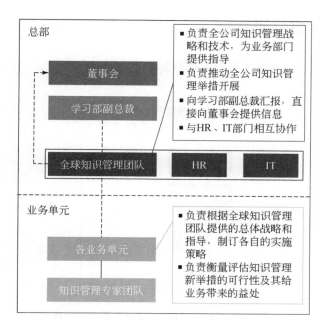

图 11-1　壳牌公司知识管理组织架构

弊端：总部和业务单元采用的知识管理技术工具的一致性和标准化程度不足，在系统速度、资源利用效率等方面存在挑战，为公司带来的整体价值有限。

壳牌公司起初就意识到，鼓励员工分享并重复利用各类知识，除了采用先进的技术外，还应采取有针对性的行动；壳牌公司也很早意识到，公司大部分知识都是难以言传的隐性知识；壳牌公司全球知识管理战略的一个重要特点，就是通过行为转变挖掘隐性知识——鼓励员工提问、收集信息、参与持续学习并分享自己的知识，这能加强隐性知识的传播，并尽可能将其变成显性知识。行为转变核心要素如下。

（1）领导支持。努力确保各个业务部门领导的参与；需要确定适合知识管理工作的角色和职责。

（2）培训沟通。制定知识管理强制性培训要求，并提供正式培训；通过互联网、辅导和维基等提供非正式培训；制定规则防止员工将知识外泄；制定知识管理交流计划，定期组织交流和宣传等。

（3）组织保障。确保公司每 1000 个员工中，至少有一个全职负责知识管理的员工；公司成立全球知识管理团队，各地方也有自己的知识管理团队。

（4）绩效评估。以员工问卷调查形式来评估知识管理工具的有效性；将知识管理和理想业务目标紧密结合，通过记分卡追踪知识管理对业务指标的改善情况。

（5）激励机制。通过让员工对知识管理了解—产生兴趣—渴望使用—采取行动的"四步走"法激励员工；注重社会奖励，激励和动员员工参与知识分享和提升技能。

11.2.2　英国石油公司案例

英国石油公司知识管理组织架构案例分析如下（图11-2）。

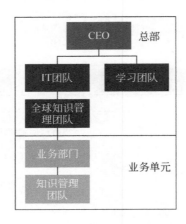

图 11-2　英国石油公司知识管理组织架构

英国石油公司总部制定知识管理总体方向，业务部门对其进行诠释和实施。多年来，英国石油公司的知识管理虽然发生变化，但仍持续这种组织管理趋势。

组织架构特点：总部全球知识管理团队隶属 IT 团队，强调数据和信息的收集共享；业务部门负责本地知识管理实施，许多部门有内部知识管理团队。

弊端：IT 团队负责知识管理，容易偏重关注流程和技术，忽略行为因素。

英国石油公司从漏油事故中总结到，关注知识管理，特别是对公司文化及员工行为的变革已经刻不容缓。英国石油公司认为，不单要重视知识管理的工具，还要通过提升员工人际关系质量，形成有效的知识协作，而非单一地捕获知识。行为转变核心要素如下。

（1）领导支持。高层对知识管理的持续重视和支持；中层管理者在知识管理战略和计划的实施中充当带头人。

（2）培训沟通。对不同年龄段和不同职业发展阶段的员工有侧重地开展培训；通过领导动员、开展知识竞赛和感谢信等形式建立员工间的沟通网络，鼓励员工参与知识管理；重视团队的力量。

（3）组织保障。认为团队的成功高过个人的成功；致力于团队建设，强调每个人在知识管理中都能履行自己的责任。

（4）绩效评估。将业务绩效与知识管理相互联系，评估知识管理对业务绩效的贡献情况；通过全方位反馈，评估经理层员工的知识协作情况。

（5）激励机制。在网站上展示共享和更新知识内容的员工的照片和介绍，激励员工及时发布更新知识分享。

11.3　石油企业知识管理运营体系设计

11.3.1　知识管理组织架构设计

11.3.1.1　行业知识管理组织模式

通过对国内外能源行业知识管理组织架构进行调研发现，目前集团、企业两级知识管理组织有三种模式：集中式、分散式和混合式。

1）集中式知识管理组织模式

全集团只在集团设立知识管理的部门（专/兼职），统一管理全集团知识管理方面的事务，而各子公司/分公司不再设立相应的机构，也基本不参与知识管理的日常工作，仅依照集团的指示进行相关的活动（图 11-3）。

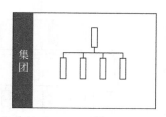

图 11-3　集中式知识管理组织模式

集中式知识管理组织模式适用于实行高度集中管理的企业，且各子公司/分公司的管理能力不强，集团集中管理大多数事务。

（1）优势。集中管理有利于降低成本、形成一致的文化；成果推广快；实施难度小。

（2）不足。各子公司/分公司缺乏深度参与，与业务结合不紧密；不利于深入推广；不利于进行有针对性的建设。

2）分散式知识管理组织模式

分散式知识管理组织模式适用于管理相对比较松散的企业，或者集团内部各企业经营的业务各不相同的多元化企业，集团执行充分的放权管理。

集团及其子公司/分公司各自设立相关机构，各自推进知识管理建设，集团知识管理部门仅负责集团的知识管理工作，集团下属各企业的推行方式、管理制度，甚至软件系统、文化理念都可以不一样（图 11-4）。

（1）优势。针对性强，能快速推行变更；减轻集团压力及直接干预的负效应。

（2）不足。不利于形成知识管理统一的认识和文化，各子公司/分公司可能会重复相似建设内容；实施难度大。

3）混合式知识管理组织模式

混合式知识管理组织模式适用于大多数的企业集团，因为其与集团本身的管理权限相

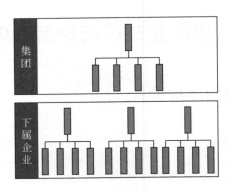

图 11-4　分散式知识管理组织模式

一致。在全集团范围内设立知识管理的管理机构，该机构的成员包括集团及各企业的相关人员，他们共同负责知识管理的管理工作，是一个跨公司的虚拟团队（图 11-5）。

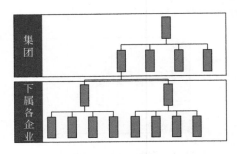

图 11-5　混合式知识管理组织模式

混合式知识管理组织模式集中了前两种模式的优点，既考虑了各子公司/分公司的特点，又发挥了集团的统一协调作用。在集中前提下考虑各企业的参与，有利于调动各方面的积极性。表 11-1 从适用范围、管理模式等方面对比三种知识管理组织模式。

表 11-1　三种知识管理组织模式对比

知识管理 组织模式	适用范围	管理模式	优势	不足
集中式	高度集中管理的企业，集团集中管理大多数事务	集团集中管理	集中管理有利于降低成本、形成一致的文化；成果推广快；实施难度小	各子公司/分公司缺乏深度参与与业务结合不紧密；不利于深入推广；不利于进行有针对性的建设
分散式	适用于管理相对比较松散的企业	集团、子公司/分公司各自管理	针对性强，能快速推行变更；减轻集团压力及直接干预的负效应	不利于形成知识管理统一的认识和文化，各子公司/分公司可能会重复相似建设内容；实施难度大

续表

知识管理 组织模式	适用范围	管理模式	优势	不足
混合式	适用于大多数的企业集团	集团、子公司/ 分公司共同管理	考虑了子公司/分公司的特 点，发挥了集团的统一协调 作用，有利于调动各方面的 积极性，难度一般	无

11.3.1.2 知识管理组织规划原则

知识管理组织设置力求与现有组织制度体系良好匹配，最大限度地减少组织结构及制度体系的变化，实现知识管理在组织内的平稳展开。知识管理组织规划原则如下。

（1）以知识为中心，知识管理组织建设要跨功能、跨组织，有利于知识管理的推广，以及知识的流通和共享；

（2）要贴近企业现有制度体系，扁平化、弹性化，增大管理幅度，促进知识的传递，保证知识共享和使用；

（3）知识管理组织建设要以结果为导向。以实现知识价值的最大化为终极目标开展知识管理建设活动、设置知识管理组织，同时充分利用现有的组织资源开展知识管理工作，避免组织规模过大。

石油企业知识管理组织架构的实际设置，需要结合管理、应用、运维三个核心职能进行知识管理组织设计及细化工作，如设置知识管理委员会、IT 运维组、知识执行组对知识管理活动进行全面负责，并对各组织职责以及人员设置进行建议（图 11-6）。

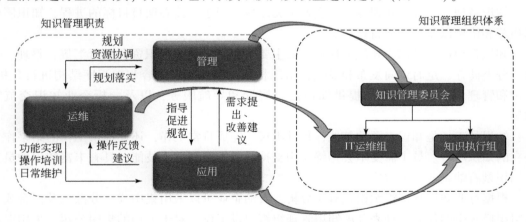

图 11-6　石油企业知识管理组织架构设计

11.3.1.3 知识管理运营组织架构设计

知识管理组织模式应既具有统一协调的战略，又具有灵活、快速的反应能力，可以不断地获取、整合、应用和共享知识。在油田企业中实施知识管理，不仅仅是建立知识库，还包括规范知识流程、建立基于知识的工作方法，构建知识型组织结构（王红梅和李鹏翔，2016）。知识型石油企业的组织结构见图11-7。

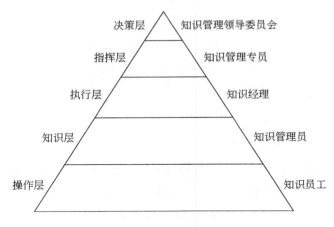

图 11-7　知识型石油企业的组织结构

知识管理领导委员会，是知识管理组织的决策机构，把控集团知识管理建设主要方向。负责推动知识管理战略规划、系统建设规划、实施方案，以及参与专家体系的构建等。

知识管理专员，也被称为知识主管、知识总监、CKO，它是一种新型高级的管理职务，其职责是管理组织的智力资产——知识资本。CKO 是相对独立的高级经理人，职位属于上层核心管理团队，其核心职能是根据企业的战略部署推进知识文化与知识管理基础设施的设计和实施。

知识经理，又称为知识专员，主要是关注战术问题，关心项目目标的进程、知识团队的招募和协调以及日常项目管理。

知识管理员，又称为知识工程师，其主要职责是对企业知识资源进行汇集、整理、过滤、分类储存、定时定向发布和发送，组织相关人员对知识内容和知识库结构进行分析，维护和管理知识服务平台，提供知识信息咨询和导航服务，以及分析企业知识交流需求等。

知识员工，是知识来源的基地，每日不仅要完成日常工作，还要提供工作的结果作为潜在的知识内容。员工需要学会熟练应用支持业务的全新技术技能，具有丰富知识的员工对知识型石油企业至关重要。

根据行业知识管理组织模式对比分析，石油企业可以采用集中式、分散式及混合式三种组织模式中的任何一种来开展知识管理组织建设工作。对于大型的集团公司，采用混合式的组织模式建立知识管理运营组织更合适，可以设立多级组织架构，如集团知识管理委员会、油田/研究院/中心/区域知识管理组、部门/项目知识管理组，进行多级垂直管控。为了有效推动知识管理的建设，集团可以建立作为知识管理组织最高决策机构的知识管理决策委员会，指导全集团知识管理工作的开展。下设由集团下属油田/研究院/中心/区域等二级单位组建的，由各二级单位负责人组成的知识管理领导委员会，统筹全集团知识管理工作的开展与推广（图 11-8）。

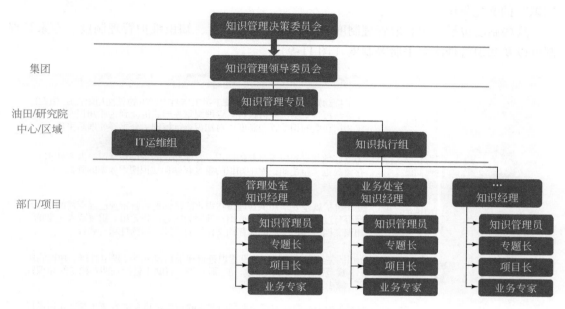

图 11-8　大型石油企业知识管理组织架构建议

知识管理决策委员会是知识管理组织的最高决策机构，把控集团知识管理建设主要方向，由董事长、集团总裁、副总裁等组成，主要职责如下。

（1）评审知识管理战略、系统建设规划、实施方案；

（2）评审知识管理专项奖励的总额预算及奖励名额、奖励名称、核对获奖名单，并在年会上表彰和颁奖；

（3）对与知识管理有关的其他重大问题进行决策。

知识管理决策委员会下设知识管理领导委员会，作为开展知识管理工作的常设机构；知识管理领导委员会下设知识管理专员。其中，IT 运维组负责知识管理服务器的运维工作，知识执行组负责企业的知识具体执行和操作。IT 运维组和知识执行组由知识管理专员直接管理；知识管理专员下设知识经理；知识经理下设知识管理员等。

11.3.2　知识管理制度设计

为了从组织管理层面保障石油企业能够形成爱知识、用知识、奉献知识的良好氛围，保证知识中心知识平台在企业的全面推广应用，石油企业还需要制定一系列知识管理制度。具体目的如下。

（1）加强知识管理工作的规范化、制度化和科学化，防止企业知识资产流失；

（2）通过知识由隐性到显性的转化、沉淀与共享，提高企业的应变能力、决议能力和创新能力；

（3）高效率地为企业领导、全体员工、合作伙伴和顾客提供实用的信息与知识；

（4）逐步让全体员工建立起自我学习的意识和习惯，培养"爱知识、用知识、奉献知识"的文化氛围。

这些制度包括知识获取管理制度、知识存储管理制度、知识维护管理制度、专家管理制度以及知识管理配套手册等制度（图 11-9）。

名称	目的及主要作用
知识获取管理制度	为了推动知识管理实施,要求员工将工作当中产生的显性和隐性知识以工作总结报告、案例分析报告、管理规章等形式沉淀到企业知识库中，制定知识获取的相关管理制度，对知识进行梳理、分类等处理后采集
知识存储管理制度	为更好地共享和应用企业的知识，方便知识的查询和学习，制定知识存储规范，避免知识库中知识的重复存储和知识搜索效率的降低
知识维护管理制度	知识维护就是要求知识管理员在规定的时间要重新审视已经存档的文件是否有过时、失效、繁杂或相互冲突的内容，将无用、重复或者过期的知识文档清理出来，确保存档文件的有效性、精炼性和一致性
知识应用管理制度	知识的密级和使用权限的设置规范有利于知识应用过程中对核心知识的保护；规范知识交流共享的途径、形式等，有助于进行长期、稳定的知识管理，减少员工的消极情绪等
专家管理制度	专家头脑中的隐性知识是组织内宝贵的资产，将专家本身及专家知识进行管理，同时规范员工与专家问答、交流机制，有利于专家隐性知识的沉淀及传承，以及员工工作效率的提高
知识管理配套手册	为了确保知识管理稳步实施，正常运行，制定知识管理相关配套工具和交流活动等方面的规范、手册

图 11-9　知识管理制度目的及作用

各个石油企业可以根据企业的自身特点，因地制宜地从以上六个方面来制订企业的知识管理制度。与此同时，石油企业还需要制订具体的知识管理工作流程，推动知识管理工作的规范化和标准化。例如，可以制订针对规划调整、知识采集、知识加工、知识维护、隐性知识显性化、专家库维护、知识应用、知识管理考核奖励等的具体流程。

11.3.3　知识管理考核与激励设计

石油企业除了制订相应的管理制度外，设计恰当的知识管理考核和激励机制至关重要。制定知识管理考核和激励政策的目的是激发用户利用知识平台开展业务攻关和业务协同，利用知识平台加快科研工作的效率和效果，同时实现知识的沉淀和积累，为知识的复用和创新创造良好基础，激励用户之间的知识分享和交流的行为，营造爱知识、用知识、奉献知识的良好氛围，保证知识管理系统在石油企业推广应用。

11.3.3.1　考核制度设计

知识管理的考核制度是实施知识管理的一个重要的措施，实行考核制度能以较为公平的形式进行员工的考核，同时以量化的形式展示知识管理的活动，对激励机制的实行起到积极的作用。

1）考核原则

（1）与日常管理相结合原则：部门知识管理考核与部门日常考核相结合，项目组知识管理考核与项目组考核相结合，个人知识管理考核与个人考核相结合；

（2）与公司重点工作相结合的原则：考核内容应反映公司关注重点；

（3）考核激励可量化、可获取原则：设计的考核指标应尽量可量化，并能从系统中直接获取。

2）考核分类

知识管理的考核可分为任务型考核、定量考核和定性考核三种模式（林龙凤，2015）。

（1）任务型考核指的是对各部门所承担的和知识管理相关的工作任务的成果考核。对于任务型考核，要沿用现有的业绩考核制度，将知识管理的考核列入部门的年度绩效考核指标中，并分解到个人。

（2）定量考核指的是在工作任务之外，对员工日常行为中所体现的知识贡献度的定量考核，主要通过员工对知识共享活动的参与情况来考核，采用 KPI 和积分制度共同进行考核。

（3）定性考核指的是对那些难以定量考核的、员工日常行为中所反映的知识贡献行为的定性评价，如对部门管理人员知识贡献的能力考核，对员工的知识贡献能力及知识内容质量的考核。

定量考核和定性考核都属于知识贡献度的考核。

3）考核对象

知识管理的考核对象可以从石油企业内部的个人、项目、部门三个维度进行考核。

（1）个人考核：根据知识管理活动开展的实际需求及企业自身情况设置相应兼职、专职岗位进行个人考核。

（2）项目考核：考核项目工作文档提交率，项目组提交项目知识管理活动开展情况总结。

（3）部门考核：知识管理考核内容纳入部门考核中，部门知识管理考核项包括个人、项目、知识管理线下活动组织情况等多个方面。

对于大型的集团公司，还可以增加石油企业如油田/研究院/中心等二级单位的考核。

4）考核制度

知识管理的考核制度要根据企业的自身特点进行定制，可以考虑任务型考核和知识共享考核等。任务型考核以关键指标为主进行考核，KPI 能有效反映公司知识管理现状，并能以量化的形式激励员工进行知识管理。知识共享考核主要以积分制度的形式体现。通过积分制度进行知识贡献的统计，以量化并直观的方式评价知识共享的数量和质量，鼓励员工进行知识共享，并注重共享知识的性质与重要性。

11.3.3.2 激励机制设计

知识管理的激励机制是知识管理实施的另一个重要措施，与考核制度相辅相成、相互促进，知识管理的激励机制是考核制度的结果，同时又能促进考核制度的实行，激励机制能推动知识管理的工作策略实施，激励员工进行知识共享。

1）激励维度

石油企业可以从正向—反向激励维度和物质—精神激励维度对员工开展激励措施。正向激励是对员工形成奖励性的激励，反向激励是对员工形成惩罚性的激励；物质激励主要指对员工给予物质上的奖励，精神激励是对员工给予荣誉精神的激励。

正向激励和精神激励相结合主要有成就激励、能力激励和荣誉奖励等措施。成就激励是员工激励中一类非常重要的内容。根据作用不同，可以把成就激励分为组织激励、榜样激励、荣誉激励、目标激励和理想激励五个方面。能力激励是指员工为了让自己将来工作得更好，每个人都有发展自己能力的需求。我们可以通过培训激励提高员工实现目标的能力，为员工承担更大的责任、更富挑战性的工作及提升到更重要的岗位创造条件，培训激励对青年人尤为有效。荣誉激励是指对于积极参与知识共享工作的员工，可获得相应的荣誉。

反向激励和物质激励相结合主要有罚款、扣减奖金等措施，通过实质性的惩罚和措施使知识共享活动能有序进行。反向激励和精神激励相结合，形成惩罚告示、警告通报等措施，能有效地使员工重视知识管理工作。

正向激励和反向激励都是必要且有效的，不仅会作用于当事人，而且会间接地影响周围其他人。在实际的激励机制设计中，应以正向激励为主、反向激励为辅，共同促进员工进行知识共享。物质激励是基础，精神激励是根本，在两者结合的基础上，逐步过渡到以精神激励为主。以物质与精神激励并重的方式设计知识共享策略，能提高员工知识共享的积极性。

2）实施步骤

石油企业的人力资源管理部门应制定激励策略，以促进知识在个体、团队、组织层面的共享。这些策略包括重叠的组织结构的建立、知识型员工的甄选、员工知识共享的引导、知识绩效测评体系的建立以及评定员工申报的知识共享成果的方法等。对于知识管理的激励制度的设计与实施，具体可以分为以下三个步骤：首先，对企业现有的关于知识共享的激励机制进行分析；其次，对知识共享激励原则进行设计，包括符合企业战略原则、主动共享原则等；最后，结合现有激励制度和激励原则设计出知识型员工的激励策略。

第三部分
中国石化知识中心建设实践

第 12 章 | 中国石化知识中心建设历程

　　中国石油化工股份有限公司（简称中国石化）是由中国石油化工集团公司以独家发起方式于 2000 年 2 月 25 日设立的股份制企业，总部位于中国北京，是一个石油石化上、中、下游一体化的股份制企业，按业务分为油气勘探开发、油气储存运输、炼化销售和石油石化工程四大业务板块。

　　如何在智能经济时代和未来保持竞争优势，确保持续稳定健康发展，一直是中国石化面临的严峻挑战。任何传统意义上的竞争优势都将难以持久，2000 年《财富》发布的 500 强企业经过 20 年时间的洗礼已经消失了 52%。唯有不断创新，推动以互联网、大数据、人工智能等为核心的科技革命和产业变革，加快数字化转型，以知识支撑创新，传统企业才有更强的生命力。

　　中国石化制定"中国石化创新驱动发展战略实施方案"，全面开展了以支撑科技创新为目标的数字化转型信息平台建设，其中打造知识中心、研发知识云平台作为基础工程之一，纳入了公司的发展战略和行动计划中（图 12-1）。

图 12-1　中国石化数字化转型战略目标

AR，即 Augment Reality，增强现实；VR，即 Virtual Reality，虚拟现实

　　中国石化知识中心建设以中国石化知识云平台为抓手，配合机制体制建设，解决知识文化、知识汇聚、知识分享、知识运营四方面的问题，实现对中国石化上、中、下游知识资产的有效运营，以知识驱动业务智能化，支撑企业创新创效。

　　知识文化：通过知识云平台、创新团队建设、知识激励机制，形成企业知识共享的文化，打造知识型组织。

知识汇聚：实现对中国石化地质资料系统、中国石化勘探开发云系统、远程培训系统、集成产品开发（Integrated Product Development，IPD）、工业品电商平台等系统内知识和专家经验的汇聚融合，形成企业级知识中心。

知识分享：基于知识中心对新员工、业务人员、客户提供产品标准包、项目成果、案例、经验等及时准确的知识服务。

知识运营：以知识全生命周期管理为主线，设计知识运营组织、流程以及考核激励制度等，实现知识评价、知识更新和知识应用的良性循环。

以承担国家科技支撑计划"知识工程示范应用"为契机，从 2012 年开始，中国石化制定了知识管理总体规划，上游板块科研知识管理项目，以石油勘探开发研究院（简称勘探院）、石油工程技术研究院（简称工程院）、石油物探技术研究院（简称物探院）、河南石油勘探局（简称河南油田）作为试点单位，经过多年的探索实践，全面建成中国石化知识管理云平台（SKM）和勘探开发知识库，并在上游科研板块投入实际应用，开创了集团公司知识管理建设和应用的新局面，建立了行业知识管理最佳实践，提升了知识管理和知识服务能力，有效支撑了上游科研提效，为中国石化全面推广知识管理奠定了基础，为其他行业知识管理建设起到了示范引领作用，由此荣获 2018 年度和 2019 年度全球 MIKE 奖。

2011 年，科技部在国家"十二五"重点科技任务类专项中部署批准了国家科技支撑计划项目"面向企业创新应用链的知识管理体系建设与集成应用示范"，中国石化负责承担石油石化行业知识工程示范应用课题。为此，中国石化在 2012 年正式启动集团级的知识管理系统建设工作，在四大业务板块全面调研的基础上，制定"知识管理总体规划"，采用先试点、再提升、后推广的实施策略，在勘探院、工程院、物探院、河南油田优先开展总部层面的知识工程试点和提升建设，逐步推进到中国石化各业务板块（图 12-2）。

图 12-2　中国石化知识工程建设历程

中国石化知识中心建设自 2011 年开始，持续至今，依据 DAPOSI 知识工程建设理论，按照前述的知识中心构建之道的方法，完成了各项建设任务和内容，关键阶段如图 12-3 所示。

图 12-3　中国石化知识工程建设阶段

12.1 项目启动（D 阶段）

2011 年，科技部在国家"十二五"重点科技任务类专项中部署批准了国家科技支撑计划项目"面向企业创新应用链的知识管理体系建设与集成应用示范"。项目共分为 4 个课题，从知识的聚集、保存、管理、应用 4 个维度开展研究，中国石化负责承担石油石化行业知识工程示范应用课题。课题研究目标是在甘肃、江苏两个地区和模具行业进行知识库构建的初步尝试，并着重在中国石化和西安飞机设计研究所进行试点，开展知识工程的深度实施，从总体框架搭建、知识梳理、业务流程梳理、知识工程平台导入以及配套体系建设等全方位构建面向企业创新业务链的知识管理与应用体系。通过试点与示范的结合实施，一方面不断改进完善项目前期成果，另一方面以试点、示范带动推广，使项目成果逐步在全国范围转化应用。

2012 年，为了配合国家项目的实施，中国石化同时启动了"中国石化上游板块科研知识管理试点项目"，其目标是围绕中国石化勘探开发知识管理进行规划，以"三院一企"（勘探院、工程院、物探院、河南油田）为试点实施单位，通过知识服务平台建设，形成中国石化知识管理雏形，探索适合中国石化的知识管理体系，形成中国石化知识管理实施推广的模板和方法。

12.2 总体规划（A 阶段）

中国石化是上、中、下游一体化的特大型企业，业务板块众多，需要针对集团公司和油气勘探开发板块分别进行知识管理规划，包括集团总体规划和上游专题规划。

12.2.1 集团总体规划

12.2.1.1 总体目标及愿景

对中国石化上、中、下游代表性企业知识管理现状进行调研、评估，结合国际石油企业知识管理最佳实践，描绘中国石化知识管理建设愿景、蓝图，明确知识管理建设的关键工作内容，制定实施策略，统一思路、制定知识管理未来 5 年的进度计划，指导上、中、下游企业进行知识管理建设。

对标国际一流能源公司，通过 3～5 年的知识管理建设，形成中国石化知识管理核心能力，支撑组织知识沉淀与科技创新，快速将知识转化为生产力，成为推动集团公司发展的新动力；逐步打造中国石化知识中心，将知识管理系统建设成为国际一流的知识服务平台，服务于中国石化战略及核心能力的发展，促进中国石化绿色低碳、创新发展，以及国际化、智能化等核心竞争力建设；积累、沉淀由传统能源化工产业向清洁环保、低耗高效的绿色产业转型的经验，为中国石化建设世界一流能源化工公司打牢基础，如图 12-4 所示。

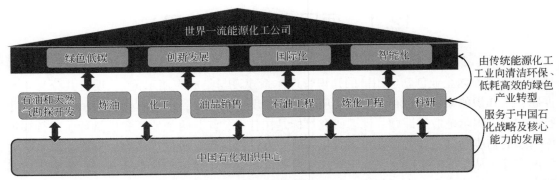

图 12-4　中国石化知识管理总体规划愿景

通过知识管理建设，形成中国石化知识管理核心能力，使其成为推动集团公司发展的新动力。知识管理核心如下。

（1）总体规划能力：针对集团知识管理的愿景、蓝图、核心工作内容进行总体规划及年度滚动规划的能力；明确集团知识管理建设框架，指导各企业开展知识管理工作的能力。

（2）知识识别能力：基于集团核心业务开展需要，将所需知识模型化的能力；通过知识模型的设计，能够有效识别知识，将知识（K）、信息（I）、数据（D）进行有效区分的能力。

（3）知识整合、采集能力：设计知识分类原则，将知识，尤其是边缘、关联类的知识进行整合的能力；利用 IT 技术针对核心业务开展过程中的知识进行及时、准确、规范化采集的能力。

（4）知识存储、加工、共享能力：将知识统一分级、按权限存储的能力；对知识进行关联、抽取、组合加工的能力；按需、受控进行知识共享的能力。

（5）知识应用能力：基于集团核心业务开展需要，在需要的时候，将需要的知识提供给需要的人进行应用的能力；借助 IT 技术运用知识解决业务实际问题的能力。

（6）员工转变促成能力：持续的知识管理概念、工具、方法宣贯和导入能力；能引导、鼓励员工利用知识管理方法和工具改变现有工作习惯，以提高工作质量和效率的能力。

12.2.1.2　总体架构（蓝图）

中国石化知识管理总体架构（蓝图）包括知识管理服务的核心业务板块、知识管理对象、知识管理整体解决方案、集团知识管理门户四部分内容（图 12-5）。

1）知识管理服务的核心业务板块

知识管理服务的核心业务板块包括石油和天然气勘探开发、炼油、化工、油品销售、石油工程、炼化工程、科研等。

2）知识管理对象

知识管理对象包括各板块核心业务涉及的内部知识与外部知识。内部知识包括公共基

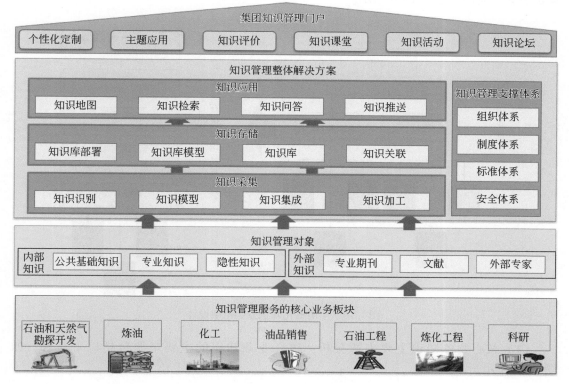

图 12-5　中国石化知识管理总体架构

础知识、专业知识、隐性知识。外部知识包括专业期刊、文献、外部专家等。

3）知识管理整体解决方案

（1）基于知识管理对象的全生命周期解决方案；

（2）知识采集：知识识别、知识模型、知识集成、知识加工；

（3）知识存储：知识库部署、知识库模型、知识库、知识关联；

（4）知识管理支撑体系：组织体系、制度体系、标准体系、安全体系；

（5）知识应用：知识地图、知识检索、知识问答、知识推送。

4）集团知识管理门户

建立集团知识管理门户，面向集团用户、板块用户、企业用户提供个性化定制、主题应用、知识评价、知识课堂、知识活动、知识论坛等应用服务。

12.2.1.3　关键建设任务

1）核心业务知识框架规划

基于试点成果，根据材料学习、标杆研究的结果，通过现场访谈，确定上、中、下游知识主要来源及应用场景，依据价值链等维度进行知识分类、知识地图梳理，并在上游详细设计部分给出知识关联。

知识分类框架设计的目的是将大量的词条基于共同特征进行逻辑划分和组织，以方便存储和共享应用，如图 12-6 所示。

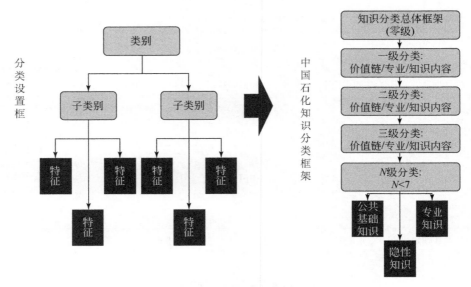

图 12-6　中国石化知识分类框架设计

（1）核心业务知识主要来源分析：核心业务知识的主要来源包括以下三种，如图 12-7 所示。

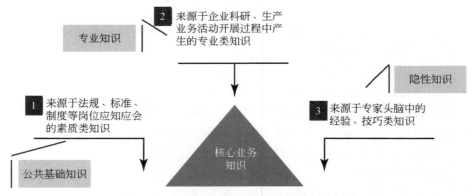

图 12-7　中国石化核心业务知识的主要来源

（2）核心业务知识分类原则：中国石化核心业务知识分类具有专业众多、业务复杂、知识内容宽泛等特点，存在行业专业术语、价值链（核心业务及职能）及知识内容等多个知识分类维度。根据国际先进经验，以价值链维度为主进行知识链分类梳理从而形成集团核心业务知识分类，如图 12-8 所示。

通过相关材料分析与研究，整理形成中国石化价值链，其中主价值链包括勘探开发、炼油、化工、销售等核心业务；辅助价值链包括科研管理、工程管理、企业经营管理等核心职能。

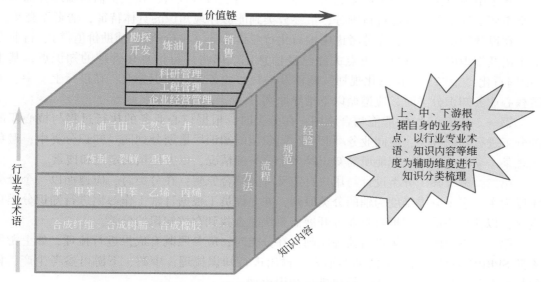

图 12-8　中国石化核心业务知识分类思路

　　基于对中国石化组织架构、中国石化价值链的理解，分析出中国石化上游、中游、下游知识分类框架总图（零级），如图 12-9 所示。

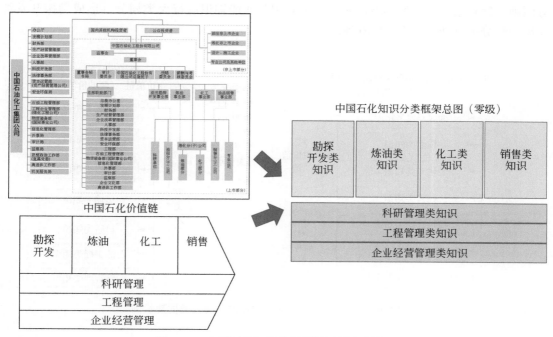

图 12-9　中国石化知识分类框架总图（零级）

　　基于价值链对中国石化上、中、下游业务进行知识梳理的优点在于，能够根据主价值链及辅助价值链的关注点和特点，定位知识的应用价值和管理重点。

基于中国石化知识分类框架总图（零级）进行逐级梳理时，在主价值链梳理方面选择一个主要的知识分类维度进行细分，最终分类到能够体现知识的具体特征，清晰无交叉。

在设计知识分类时，充分考虑中国石化行业价值链（主价值链/辅助价值链）、行业专业术语及知识内容等维度，重点关注已经信息化或即将进行信息化管理的知识点，基于"中国石化'十二五'信息化规划"所涉及的核心业务进行知识分类；在进行上、中、下游核心业务知识分类时，应遵循以下指导原则。

第一，与核心业务/职能吻合原则：在分类时，根据核心业务的执行过程与核心职能的分工进行知识分类，使同业务/同专业/同职能的知识尽量划分到同一知识分类中，避免出现某一项业务/专业/职能所需知识跨多个分类的情况，以方便精确定位和搜索。

第二，多维知识分类设计与用户自定义分类结合原则：在分类时，应遵循以一个分类维度为主、多个分类维度为辅的分类原则，并允许员工根据日常工作习惯进行知识分类自定义，以便用户能够根据自身业务开展需要快速查找到存放知识的分类。

第三，参照既有成果进行梳理原则：在分类时，应参照既有成果进行梳理，如上游可参照 SPBPM 模型中各业务活动的输入、输出进行知识梳理；中游、下游可参考生产、科研核心业务流程涉及的输入、输出进行知识梳理。

第四，分类层级适度原则：在分类时，应遵循分类层级适度的原则，将知识分类层级控制在 7 层以内，以降低知识分类维护与知识上传维护成本。

（3）中国石化核心业务知识分类框架梳理。依据价值链中的主价值链和辅助价值链划分原则，针对勘探开发所涉及的核心业务知识与职能知识进行大类划分，形成勘探开发类知识一级分类框架，如图 12-10 所示。

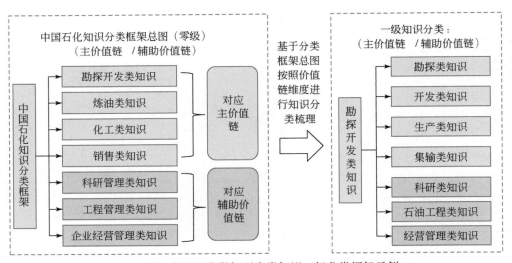

图 12-10　中国石化勘探开发类知识一级分类框架示例

2）知识管理系统总体技术路线规划

（1）技术架构总图。

中国石化知识管理总体技术架构分为知识源采集与集成层、知识加工处理层、知识审核关联存储层和知识应用层四层，如图 12-11 所示。

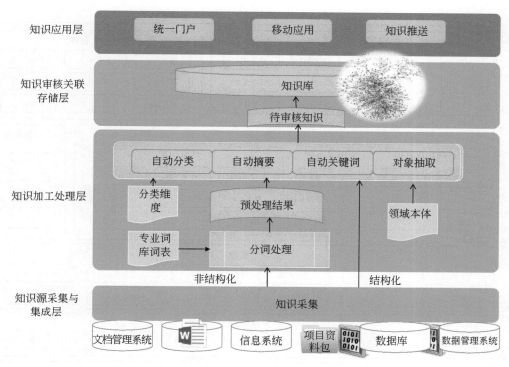

图 12-11　中国石化知识管理总体技术架构图

（2）功能架构。

根据国际案例分析及国内知识服务平台通用功能分析，知识管理系统平台核心功能模块应该包括用户界面、系统主要功能（知识库、沟通网络、专家库）、集成接口三大功能模块。

基于知识采、存、管、用全生命周期管理需要，借鉴国际案例，对知识的处理、转化、应用、管理及安全等系统功能需求进行充分的分析，提出知识管理平台功能总体设计，包括知识基础管理功能、知识应用服务功能、智能处理功能、工作包管理功能、安全管理功能和系统管理功能，如图 12-12 所示。

12.2.2　上游专题规划

12.2.2.1　规划目标

基于中国石化知识管理总体规划，面向上游核心业务进行知识管理专题规划，明确上游板块知识管理的建设范围，描绘上游板块知识管理愿景和蓝图，设计上游板块知识管理建设的关键任务，制定上游板块知识管理 3～5 年的建设计划和实施策略，指导上游板块知识管理建设工作。

12.2.2.2　总体架构设计原则

（1）先进性原则：利用先进成熟的 IT 技术、管理理念，积极吸纳和接收国内外先进

图 12-12　中国石化知识管理平台功能架构总图

的知识管理研究成果，以高标准、高起点开展中国石化上游板块知识管理项目的设计和建设工作。

（2）实用性原则：必须充分结合中国石化上游板块业务现状和信息化现状，做出符合实际业务需要的知识管理建设方案并实施。

（3）继承性原则：立足中国石化上游板块现实，做到新建与整合改造相结合，最大限度地利用现有软硬件设施、已有应用系统和数据资源，在充分保护已有投资的原则下开展项目建设。

（4）可持续发展原则：总体架构必须既能够满足现阶段中国石化上游板块对知识管理和应用的需求，也能够适应未来业务的发展和精细化管理与应用的需求。

（5）标准化与规范化原则：知识管理建设标准化先行，本项目建设涉及大量标准化和规范化工作，必须充分借鉴国内外先进的知识管理标准与管理规范建设经验，结合中国石化上游板块实际情况，形成统一的标准化体系，指导知识管理系统的建设。

（6）安全性原则：知识资源是企业的核心资产，要从技术和管理上确保系统建设的安全和稳定运行。

12.2.2.3　总体架构设计内容

1）设计思路

中国石化上游板块知识管理体系第一个需要解决的问题是根据业务实际需求确定需要管理哪些知识，确定知识范围和内容之后，面临的下一个问题是如何建立起一个模型用于统一标准化地描述这些知识和知识之间的关系，这就需要形成一套知识标准体系；针对已标准化的知识标准体系，分析存在的知识源，确定一套完善的采集流程以实现知识的采集，即建立知识采集体系，来保障知识的持续更新；在知识标准的基础上按需投影出合理的存储模型，可以据此建立知识库并合理部署实现知识的存储，形成知识存储体系；构建知识库后，在知识库基础上搭建起面向知识库管理人员的知识管理平台；建立一套完善的管理系统实现知识标准管理、知识存储安全管理、知识评价与统计管理等内容。知识管理的最终目标是为生产科研人员提供各项知识应用，因此面向最终用户需要打造知识应用体系；除了配套软硬件环境之外，还需要强有力的组织保障、制度保障以支撑知识管理的建设，这就形成了支撑保障体系。

2）总体架构设计

综上所述，知识管理体系由知识标准体系（包含知识采集体系、知识存储体系、知识管理平台、知识应用体系）和支撑保障体系构成，总体架构如图 12-13 所示。

图 12-13　中国石化上游知识管理体系总体架构图

（1）知识标准体系：通过对上游板块核心业务的分析，确定围绕业务需求需要管理哪些知识，并分析知识与业务、知识与知识之间存在的内在联系，设计一套标准化的模型将各类知识及其联系管理起来，形成一套知识标准，作为知识库采、存、管、用的设计基础。知识标准体系的建设内容包括上游板块核心业务调研与分析、面向知识的业务模型设计、知识模型设计。

（2）知识采集体系：根据知识标准设计知识的采集体系，制定各类知识的采集模板。

分析上游板块的油田企业、科研单位、工程公司、海外公司等多家单位的知识管理现状，制定知识采集方案和知识源集成方案以及配套的采集制度。因此，知识采集体系的建设内容包括知识采集规划设计、知识采集流程设计、知识采集规范设计以及知识采集功能设计。

（3）知识存储体系：知识库的存储建设涉及知识库的逻辑构成和物理部署两个方面。逻辑构成是指知识库由几个相对独立又密切相关的分库构成，可以根据不同的应用需求由知识标准投影成不同的物理模型实现存储。可按照业务划分（物化探、井筒工程、综合研究、油气开发生产、分析化验等），按照知识的存储介质划分（空间矢量信息、栅格图片、多媒体资料、大块数据体资料、各类文档、表格等），按照知识的分类划分（成果案例、流程知识、方法知识、规范知识、数据知识、专家知识等），等等。物理部署是指根据上游企业的地理位置、网络状况、应用需求等因素确定知识库的物理部署方案并实现知识库的软硬件运行环境的搭建。

（4）知识管理平台：面向知识库管理人员的，利用计算机技术以知识的集中管理为目的的集成应用软件系统。它包含知识分类管理、知识包管理、知识评价与知识统计等各项知识管理功能。

（5）知识应用体系：面向最终用户，知识应用体系应首先满足勘探开发知识的基本查询应用需求。然后，在知识管理和基础应用的基础上建立面向不同用户的个性化知识应用空间，使每一个用户可以在其知识应用空间中按照工作角色得到与个人工作密切相关的各类知识的查询和推送，辅助其目标明确地获取与本职工作相关的知识，最大化利用知识管理系统发挥其价值。

（6）支撑保障体系：支撑保障体系是指相对于技术实现，对整个知识管理体系从管理角度需要建立的组织机构，以及知识采集、存储、管理、应用四个层面的各类规章制度。

总之，知识管理总体规划设计了中国石化知识管理建设蓝图，细分了关键建设内容，提出了中国石化整体分类体系，规划了知识管理的建设路径；上游专题规划明确了上游板块知识管理的建设范围、关键任务和建设内容，制定了上游板块知识管理3~5年的建设计划和实施策略。知识管理规划为中国石化知识管理建设起到了引领和指导作用。

12.3 技术攻关（P阶段）

中国石化知识中心建设是一套体系建设，包括组织体系、服务平台、内容体系和运营体系建设，其建设过程涉及的许多技术需要进行攻关，主要包括多源异构自动采集技术、行业知识智能加工技术、知识图谱自动构建技术。

12.3.1 多源异构自动采集技术

针对石油石化行业信息来源众多、结构不统一、采集复杂、采集工作量大的特点，中国石化采用了最新的数据采集技术，研发了多源异构信息的自动化采集工具，解决了"如何采、快速采、自动采"的问题，使得数据采集实现了工程化。

我们使用大数据云采技术，采用多线程多类型混合爬取模式，实现对数据库信息（如地质资料系统）、网页信息（如国际能源署网站资讯）、文本信息（如专业期刊）等多源异构信息的分布式高效采集，为数据–信息及知识的采集提供了智能化手段（图 12-14）。

图 12-14　多源异构自动采集技术

一般的采集技术基本上是对网页和文本进行的，而本技术一是针对多源异构数据库开发；二是针对行业知识体系和专业字典采集数据；三是采集工具是可视化、组件式、可定制的，其功能和效率远优于通用工具（图 12-15）。

图 12-15　多源异构自动采集技术特点

为此，我们自主研发了勘探开发数据自动采集系统，基于 WebMagic 技术实现采集流程监控，基于 MongoDB 技术实现数据的结构化存储、数据分表和文件存储，最终实现采集数据的灵活配置、采集过程的可视化控制和采集内容的按需定义等业务目标。

自主研发的勘探开发数据自动采集系统根据中国石化内外部采集源多样性的特点，定制开发了多项数据采集的特色功能：采集范围在通用采集主要针对网页采集的基础上，增加了数据库的采集，采集范围更广，采集功能更加强大，可以进行定时、断点续采等特色功能；增加了采集后处理功能，可以对数据存在的杂质信息进行数据清洗，以提高数据质量。其功能清单如表 12-1 所示。

表 12-1　数据采集功能清单

功能模块	功能点描述		
采集系统	网页采集	数据库/文件采集	资源管理
	同/异步采集	Oracle 采集	节点管理
	图文采集	SQLServer 采集	节点监控
	源码采集	MySQL 采集	任务管理
	纯文本采集	单/多表采集	任务控制
	断点续采	单/多视图采集	
	定时采集	文件采集	
	增量采集		
	文件采集		
	登录验证		
数据系统	数据管理	数据分析	
	数据清洗/数据导出	完整性分析	
接口管理	开放接口	文件接口	任务接口
	数据接口	用户接口	

12.3.2　行业知识智能加工技术

为了快速、高效地对采集的海量数据进行智能化加工处理和发现油气勘探开发知识，我们基于中国石化勘探开发知识体系，结合油田业务特点，在优化 NLP 技术和创建"行业语料+行业字典+业务规则+算法模型"模式基础上，对海量的勘探开发数据进行自动分析，形成了行业知识智能加工技术，在规模化采集"知识碎片"后，可快速、准确形成行业知识卡片，其技术流程如图 12-16 所示。

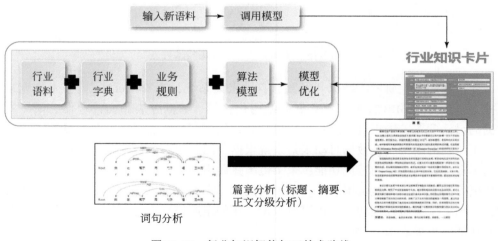

图 12-16　行业知识智能加工技术路线

此工具是一个"懂油气业务"的专业化、智能化、自动化加工工具。它包含了以下关键技术。

12.3.2.1 文本分类

文本分类的业务要求是将文本分门别类到对应的勘探开发业务下。文本分类在业内通常有规则分类和统计分类两种分类方法。我们在实际项目前期应用过程中发现使用这两种方法的分类准确率较低，为55%左右。为此，我们改进了文本分类的技术路线，分类准确率大幅提高，方法如下（图12-17）。

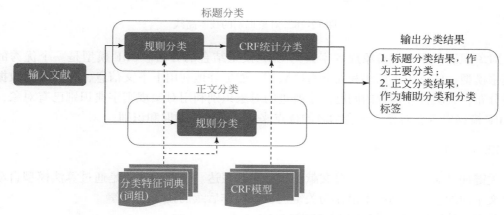

图 12-17 文本分类的技术路线

改进的文本分类的技术路线主要包括两个分类方法的组合使用，以及两个文本分类对象的组合使用。分类方法分别是基于分类特征词典（词组）的规则分类和基于 CRF 模型的统计分类两种。在文本分类对象上采用了先基于标题进行分类，结果作为知识的主要分类；再基于正文进行分类，结果作为辅助分类和分类标签，以进一步提高分类的准确率。

12.3.2.2 对象识别

对象抽取的业务要求是抽取出文本中描述的业务对象有哪些，即输入是文本，输出是对象名称。对象抽取采用的是 NLP 中的命名实体识别技术，业内通常还有规则方法和统计方法两种方法。我们在实际项目前期应用过程中发现单纯使用这两种方法中任何一种方法进行对象识别的准确率都不高，大约为70%，原因如下。

（1）对象覆盖度不够：直接从标准数据库里导出的对象（标准对象），无法覆盖自然文本中出现的对象（非标准对象）。

（2）带数字标号对象的消歧：通过字典无法识别所有对象，需要通过统计算法才能消歧。

（3）发现新对象：随着石油领域的不断扩展，需要具有识别新对象的能力。

（4）非对象的处理：统计方法会识别出一些统计计算合理但实际不存在的对象，这部分非对象需要处理。

为此，我们改进了对象识别的技术路线，准确率大幅提高，方法如下（图12-18）。

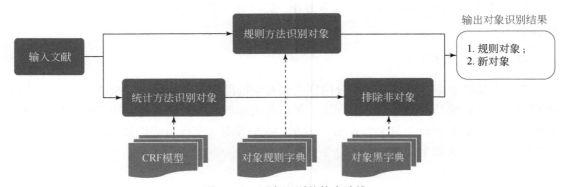

图 12-18　对象识别的技术路线

对象识别主要采用对象规则字典与 CRF 模型结合的方法。CRF 模型是一个优秀的条件概率模型，广泛用于标注和切分有序数据，能更好地利用上下文信息，充分考虑数据的全局分布，解决标注偏置的问题。本改进的对象识别利用对象规则字典识别已有对象，利用 CRF 模型发现新对象，结合两者的优点来实现对象的抽取和识别。

12.3.2.3　关键词抽取

关键词是对一段文章、一篇文献的核心主题表达。关键词抽取是通过算法模型自动提取出文本中的核心单词或术语作为关键词，以用作后续的搜索或推荐。

关键词抽取实现路线如图 12-19 所示。

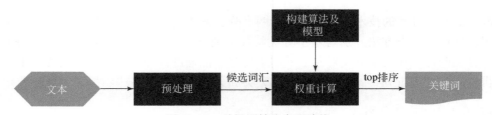

图 12-19　关键词抽取实现路线

对文本进行分词预处理后，得到候选词，再引入算法/模型对候选词进行权重计算，对计算后的词进行 top 排序，选取排序在前的词作为文本的关键词，其中选取排在最前的不超过 5 个的词作为核心关键词，不超过文本内容 3% 的其他词作为拓展关键词。

关键词抽取常用以下三种方法。

1) 基于统计特征的关键词抽取

此方法的思想是利用文档中词语的统计信息抽取文档的关键词。通常将文本经过预处理得到候选词的集合，然后采用特征值量化的方式从候选词集合中得到关键词。基于统计特征的关键词抽取方法的关键是采用什么样的特征值量化指标。目前常用的特征值量化的方式有三类：一是基于词权重的特征值量化，包括词性、词频、逆向文档频率、相对词频、词长等；二是基于词的文档位置的特征值量化，通常文档的前 N 个词、后 N 个词、段首、断尾、标题、引言等位置的词具有代表性，用作关键词可代表文档主题；三是基于词的关联信息进行特征值量化，关联信息是指词之间、词与文档之间的关联程度。

2）基于词图模型的关键词抽取

基于词图模型的抽取首先要构建文档的语言网络图，并对语言进行网络图分析，寻找具有重要作用的词或短语作为文章关键词。语言网络的主要形式有共现网络图、语法网络图、语义网络图等。语言网络图的构建以预处理过后的词作为节点，词与词之间的关系作为边，边与边之间的权重一般用词之间的关联度来表示。

3）基于主题模型的关键词抽取

此算法主要利用主题模型中关于主题的分布性质进行关键词提取，算法关键在于主题模型的构建。主题模型是一种文档生成模型，通常做法是先确定几个主题，然后根据主题想好描述主题的词，将词按照语法规则组成句子、段落，最后生成一篇文章。同样地，我们反过来想，我们找到了文档的主题，然后主题中有代表性的词能表示这篇文档的核心意思，就是文档的关键词。常用的主题模型有 PLSA[①]、LDA 等。

12.3.2.4 自动摘要

与关键词提取对应，自动摘要是通过 NLP 技术自动从一篇文章中抽取出关键内容，关键词抽取的是核心主题词，而摘要是一段能够高度概括文章内容的文本，将摘要用于搜索能够提高搜索的准确性。

按照实现方式，摘要提取可分为两大类，提取式和摘要式。

提取式的方法基于一个假设：一篇文档的核心思想可以用文档中的某一句或者几句话来概括。因此，文本摘要的任务就变成了找到文本中最重要的几句话，这通常是一个排序问题。在文档摘要问题中，基于图的排序算法，是以文档的每句话作为节点，句子之间的相似度作为边的权值构建图模型，用 PageRank 算法进行求解，得到每个句子的得分，代表算法有 TextRank 和 LexRank。基于特征工程的排序算法实用性更强，然而需要人为进行调整的部分也变得更多。文本摘要问题中经常使用到的特征包括句子长度、句子位置、句子是否包含标题词和句子关键词打分等，代表算法是 TextTeaser。提取式的自动摘要算法，其输出结果是不同段落中选择出来的 top K 的句子，因此摘要的连贯性、一致性很难保证。

摘要式的方法是一种生成式的方法，它要求系统理解文本所表达的意思，然后用可读性强的人类语言将其简练地总结出来。这个要求即使对于人类来说也不是一件容易的事情，更别说计算机了。虽然在一些领域中，由于计算机强大的计算能力，人工智能能够领先于人类，但在更多的领域，如机器翻译、文本摘要，人工智能离人类的水平还很遥远。

近几年随着深度学习的发展，研究者们开始尝试将一些最新的研究成果应用于自动文本摘要，尤其是机器翻译中的编解码框架（Encoder-Decoder Framework）和注意力机制（Attention Machanism）。从这个思路可以将文本摘要问题转化为一个 Sequence-2-Sequence

---

① 概率潜在语义分析（Probabilistic Latent Semantic Analysis，PLSA）。

问题，由此产生了基于递归神经网络（Recurrent Neural Network，RNN）的注意力模型（Attention Model），基于卷积神经网络（Convolutional Neural Network，CNN）的 ABS（Attention-Based Summarization）等。在一定程度上，它们实现了摘要式的自动文本摘要，但其还处于研究初期，效果不算太好。

12.3.2.5　关系识别

关系识别建立在命名实体识别的基础上，通过关系识别自动构建两个实体节点之间的关系。不同于互联网数据，油气勘探开发数据对知识抽提结果有严格的质量要求，也就是不能有任何的业务含义偏差。因此，在具体技术实现上，互联网数据抽提所采用的实体识别、关系识别等通用技术不适用于油气勘探开发知识的提取，需要制定更加严格的、业务规则明确的知识抽提方法。在关系识别上，也不能采用常规的关系识别方法，要充分利用本体构建中建立的业务关系模型，自动实现所有实例知识的关系识别。

12.3.2.6　OCR 及表单识别技术

光学字符识别（Optical Character Recognition，OCR）及表单识别技术是将图片/文档中的文字和表格抽取出来，使文档具备可让计算机阅读的基础。

12.3.3　知识图谱自动构建技术

针对通用知识图谱关系简单、层级少和行业专用性差导致的不专业、不实用、不全面问题，为了实现石油石化行业知识图谱自动化构建和工程化应用，我们基于油气勘探开发知识体系和图数据管理，引入人工智能技术，融合语义技术、机器学习与 TRIZ 方法论，研发形成了一套自动化构建行业知识图谱的工具，并实现了工程化应用。为智能搜索（高龙等，2018）、智能问答、个性化推荐和内容分发等智能化应用提供了准确、快速的技术支撑。勘探开发知识图谱构建技术路线如图 12-20 所示。

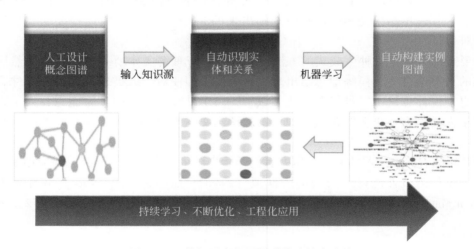

图 12-20　勘探开发知识图谱构建技术路线

此工具的技术特点一是解决了通用知识图谱关系简单、层级少和行业专用性差导致的不专业、不实用、不全面问题；二是可以快速自动识别实体和关系，自动生成知识图谱并持续学习不断扩充；三是可以支撑千万级节点知识图谱构建，在复杂程度和业务层级上超越了通用知识图谱，较好地解决了石油石化行业知识关系复杂、边缘学科众多导致的知识图谱构建困难问题，并在中国石化实现了工程化应用。它包含了实体抽取、关系抽取、知识融合等关键技术，具体内容在 9.3 节"Petro-KG 构建关键技术"部分有详细论述。

12.4　知识管理云平台开发（O 阶段）

12.4.1　平台开发方案

针对通用知识服务平台不适用于油气勘探开发业务应用的问题，我们以云计算技术为核心，融合大数据、移动应用等技术，研发了基于云架构的石油行业集团级的中国石化知识管理云平台（SKM），实现了石油勘探开发知识采、存、管、用等工作的在线运行，面向业务场景设计实现了项目应用、专题应用、个人应用和石油百度四大应用模式，取得了很好的应用效果。

SKM 以分布式部署的微服务框架为基础进行平台技术架构设计，如图 12-21 所示，主要有以下特点。

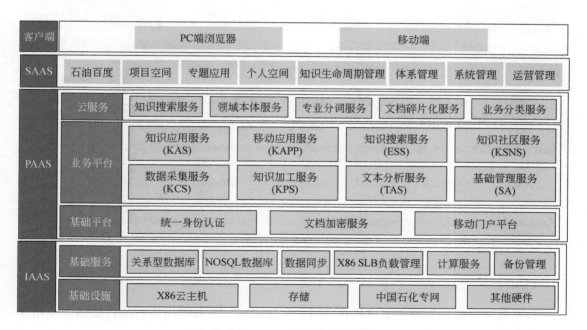

图 12-21　SKM 云平台技术架构

12.4.1.1 基于云计算平台的三层架构构建

基础设施层（IaaS）：主要包括 X86 云主机、网络设备、通信设备、存储设备等基础设施，能够按需向用户提供关系型数据库、NOSQL 数据库，以及数据同步、X86 SLB 负载管理、计算服务、备份管理等基础服务，也就是能在基础设施层面提供的服务。

平台层（PaaS）：主要提供面向中国石化知识管理用户前端服务的基础平台、业务平台和云服务。基础平台包括统一身份认证、文档加密服务、移动门户平台等组件。业务平台包括知识应用服务（KAS）、知识加工服务（KPS）、移动应用服务（KAPP）、智能搜索服务（ESS）、数据采集服务（KCS）、知识社区服务（KSNS）、文本分析服务（TAS）、基础管理服务（SA）八大类。云服务包括知识搜索服务、领域本体服务、专业分词服务、文档碎片化服务和业务分类服务五大服务。

软件服务层（SaaS）：通过互联网向中国石化知识管理用户提供的前端服务包括石油百度、项目空间、专题应用、个人空间、知识生命周期管理、体系管理、系统管理和运营管理八大服务。

12.4.1.2 模块化部署应用

SKM 既可以独立应用，也可以 APP 快速应用，还可以嵌入第三方系统中使用。其使用模式如图 12-22 所示。

图 12-22 SKM 平台部署模式

12.4.1.3 应用模式丰富

SKM 面向业务场景设计实现项目应用、专题应用、个人应用和石油百度四大应用模式，覆盖油气勘探开发科研工作知识管理的全过程（图 12-23）。

SKM 综合运用了云计算平台管理技术、海量数据管理技术、海量数据分布存储技术、知识工程核心技术（如信息自动采集、知识智能加工、知识图谱等）、容器和微服务编程

图 12-23　SKM 平台应用模式

技术等，打造了集团级的大型知识管理云平台。

12.4.2　系统集成方案

12.4.2.1　业务子平台关系

基于程序设计的高内聚低耦合的思想，将平台分成 8 个子平台，子平台之间相互独立对外提供应用服务（图 12-24）。

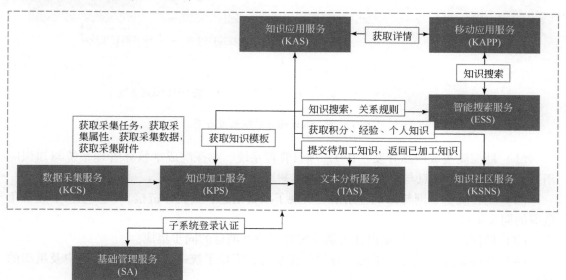

图 12-24　SKM 子平台关系

（1）基础管理服务是知识管理系统的基础，负责其他子平台的登录验证、用户权限角色管理。

（2）知识应用服务、移动应用服务的知识详情数据均来自知识应用服务的接口。

（3）移动应用服务中的搜索功能均调用了智能搜索服务的服务接口（周伟等，2018）。

（4）数据采集服务收集到的数据通过消息传输中间件传递给知识加工服务模块进行知识加工，并经过文本分析服务的加工处理，发布保存到知识应用服务。

12.4.2.2 系统集成设计

SKM 集成了多个内外部系统，现以统一身份认证系统、勘探院 I3 门户、勘探院集成产品开发（IPD）项目管理系统、工程院科技网、工程院腾讯通、物探院成本核算管理系统 6 个系统集成为例，说明其集成方法（图 12-25）。

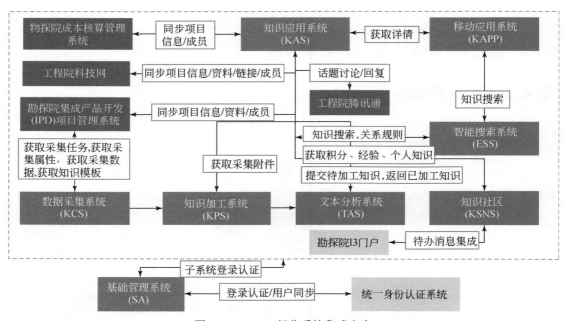

图 12-25　SKM 部分系统集成方案

（1）勘探院集成产品开发（IPD）项目管理系统、物探院成本核算管理系统与知识应用系统实现了项目信息与项目下成员的同步集成。

（2）工程院科技网与知识应用系统实现了项目信息、资料、链接，以及项目下成员角色等的同步集成。

（3）勘探院 I3 门户与知识社区系统实现了待办消息的同步集成。

（4）基础管理系统集成了统一身份认证系统，实现了统一身份的登录、用户及组织的同步。

12.5　示范应用（S 阶段）

项目建设实施期间，中国石化下属勘探院、工程院、物探院、河南油田 4 家实施单位开展了用户培训，并通过门户、知识管理专栏等形式，宣传知识管理系统。

2017 年 6 月至 2018 年 6 月，组织知识管理员培训 30 余人次，组织用户培训约 400 人次，涵盖 4 家实施单位 30 多个业务部门。培训的内容主要包括知识全生命周期管理维护、石油百度、项目空间、专题应用、专家资源、个人空间、移动应用等功能模块，确保了系统用户能够熟练使用系统。通过配套支撑体系和知识运营机制，保障运营团队正常开展知识管理及运营工作。

2017 年 12 月，河南油田率先开展知识管理专题评比活动，知识管理配套激励机制开始试运行，通过推广活动和激励机制带动了科研人员对知识管理系统的使用热情，同时让科研人员对知识管理系统的使用形成习惯。

2018 年 4~5 月，4 家实施单位共同开展"知识舞台不做隐形人，个人信息完善"活动，共有 330 名科研人员积极参加活动，成为知识管理系统的活跃用户。

2018 年 6 月，4 家实施单位开展了"我的平台我做主，知识管理系统标识（Logo）征集"活动，得到了石化人的广泛关注和积极参与，共收到 Logo 设计作品 47 件，参赛作品风格多样、新颖独特，展现出大家对中国石化知识管理系统的认识和理解，最终总有效投票数达 5362 票，通过活动有效宣传推广了知识管理系统。

2018 年 7 月，中国石化信息化管理部组织 4 家实施单位及项目建设方召开系统应用经验研讨会议，各单位详细汇报了各项建设成果，分享了在实际推广应用过程中的经验及案例，就如何更好地完善系统功能、更全面深入地推进系统的应用进行了深入探讨。

通过上述措施，截至 2021 年 6 月，SKM 已在 4 家实施单位共计 30 个科研院所全面推广应用，在线用户 10 686 人，浏览应用量 19.8 万人次；科研项目数 3670 个，在线专题数 68 个，个人知识贡献量 2 万条。

SKM 的示范应用，提升了中国石化的知识管理应用水平，推进了企业数字化转型及升级，为石油行业及其他行业的知识工程建设起到了良好的示范作用。其成功应用实施取得了良好的效果：一是提高了知识共享与复用效率，提升了业务运营效率；二是实现了科研项目的协同研究和成果积累；三是新员工更快胜任工作岗位；四是组织经验和专家经验传承效率更高；五是赋能员工以创新，提升企业技术创新能力，助推增储上产。

12.6　推广应用（I 阶段）

SKM 在进行示范应用的同时，中国石化按照知识管理总体规划，持续丰富知识内容、提升服务能力，继续向上游、中游、下游和其他行业推广。2016 年以来，SKM 首先在中国石化内部进行推广应用，包括西北油田分公司、中原油田普光分公司、中国石化长岭炼化公司，推广策略如图 12-26 所示。

除此之外，以国家科技支撑计划项目为契机，SKM 在中国石化盈科信息技术有限责任

- 奠定"知"的基础：实现勘探开发业务过程中知识高效获取与共享；
- 探索"识"的建设：实现面向业务的精准问答与新知识发现；
- 形成可复制推广的平台与模式

- 扩展业务范围，持续丰富"知"的建设；
- 深化"识"的建设，实现围绕炼化业务过程的智能推荐与预警预测

- 面向营销服务业务，提供智能客服、精准营销等智能化知识服务，支撑实现商业智能

上游　　　　中游　　　　下游

图 12-26　SKM 平台中国石化内部推广应用策略

公司、西安飞机设计研究所、江苏省科技情报研究所、甘肃省科学技术情报研究所、中国南车集团股份有限公司等单位进行了推广应用。未来，我们力争在整个石油行业开展深化应用，实现业务纵深服务，进一步树立行业标杆，以示范带动更大范围的推广应用，如政府政务、新闻出版、军工船舶及其他制造业等。

第13章 | 建 设 成 果

中国石化"十二五"和"十三五"信息化规划中都将知识中心体系建设与推广应用作为重要任务。2012 年，集团公司总部牵头开展知识管理总体规划与上游专题规划，采用先试点后推广的实施策略，以勘探院、工程院、物探院、河南油田为试点实施单位，先后启动上游板块科研知识管理试点与提升项目，建成了勘探开发知识体系、勘探开发知识库、勘探开发知识图谱、知识管理云平台（SKM）、配套与运营体系五位一体的中国石化完整的知识中心体系，并形成推广应用的模板，取得了良好的应用成效。

13.1 勘探开发知识库

13.1.1 勘探开发知识体系

石油业务模型描述了石油勘探开发过程中各种生产活动的内容以及活动之间的关系，它是勘探开发数据模型的基础。按照总体规划和上游专题规划，采用 DAPOSI-S 方法，从油气业务过程角度，基于领域本体理论和中国石化数据模型（SPBPM）标准来梳理业务模型，以"业务—知识形态—知识内容"为主维度按照多级业务进行划分，形成勘探开发知识体系。

该知识体系首先需要划分勘探开发业务域。业务域划分原则是根据专业划分业务域，根据油气勘探开发生命周期划分业务域，根据油气勘探开发管理阶段划分管理业务域。

我们根据以上三种原则来划分业务域，尽量符合油气勘探开发管理的约定俗成的管理习惯，做到不同业务域间的业务不重复，并保证能覆盖所有的勘探开发业务。因此，根据以上原则，把油气勘探开发业务域划分为物化探、井筒工程、油气开发生产、综合研究、分析化验、地面（海油）工程、企业经营管理七大业务域。业务域中包含独立的一个个业务和更细的子业务。按照同样的业务划分原则，可以对业务继续细分。业务的划分要覆盖业务域中的全部业务，直到将该业务域中的业务全部细分出来为止。知识体系涉及的勘探开发二级业务如图 13-1 所示。

勘探开发知识体系构建技术路线如图 13-2 所示。

建成的勘探开发知识体系覆盖油田业务七大业务域 31 个一级业务 1000 多个业务活动，奠定全生命周期统一管理基础，有效支撑伴随业务过程的知识组织和应用。其内容由 4 个部分 8 个方面组成，如图 13-3 所示。

知识体系形成了对知识分类、知识产生和知识对象等的一整套规范和模板，为知识采集、获取、存储等提供了依据，主要解决"有什么、采什么、管什么"的问题，为知识库

业务域	一级业务	二级业务
物化探	5	
井筒工程	7	
油气开发生产	2	8
分析化验	7	
综合研究	5	21
地面(海油)工程	2	
企业经营管理	3	5
合计	31	37

图 13-1　勘探开发知识体系涉及的业务

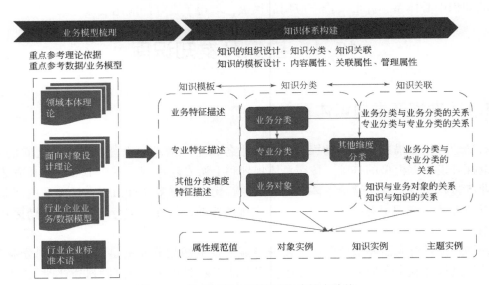

图 13-2　勘探开发知识体系构建技术路线

建设奠定基础。其中，勘探开发上游领域知识体系框架应用实践与勘探开发业务标准包以及碳酸盐储层研究专题知识库建设，对知识内容的规范化采集、组织管理和专业化应用起到了决定性作用。

13.1.2　勘探开发知识库构建

按照勘探开发知识体系和工作流程，构建由基础知识、项目知识和业务知识三大类组成的覆盖油气勘探开发全业务域的知识库，实现了科研工作知识的统一汇聚与管理，如图 13-4 所示。

截至 2020 年底，中国石化勘探开发知识库量级达百万数量级，包括项目知识库（3670 个项目）、专题知识库（68 个专题）、勘探开发业务标准包（49 个）、上游专家资

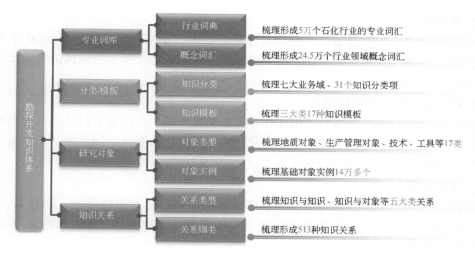

图 13-3 勘探开发知识体系构成

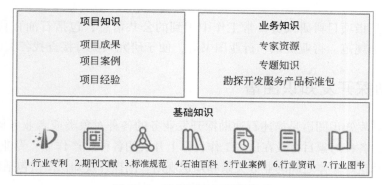

图 13-4 勘探开发知识库构成

源库（862名）、基础知识库（约800万），涵盖物化探、井筒工程、油气开发生产等七大业务域，1000多个业务活动。

13.1.2.1 项目知识

项目知识是指项目启动前到项目结束后的全过程知识，包括以下内容。

（1）做前学知识：项目启动前科研人员需要和收集的各种信息，包括科研成果、案例经验、油气数据、期刊资料、行业资讯、行业专利、规范规程等。

（2）做中学知识：项目启动到项目结束期间所产生和需要的各种信息，如科研成果、案例经验等。

（3）做后学知识：项目结束后所产生的各种信息，如科研成果、案例经验等。

13.1.2.2 业务知识

业务知识是指与科研生产业务相关的专家和领域专业知识，主要包括专题知识、勘探开发服务产品标准包、专家智库三方面内容。

1）专题知识

按照学科专业、研究任务、兴趣圈等建立的各种专业知识，是通过在 SKM 平台设定专题内容后，由各专题成员在共享原始资料、开展专题研讨、学术交流讨论等活动中沉淀出的经验、总结或案例等知识。

2）勘探开发服务产品标准包

勘探开发技术服务、技术研究的工作标准和技术规范，是代表本行业先进水平的核心知识资产，对于提高技术共享和服务标准化程度，提升技术服务协同效率、工作质量和整体水平，快速传承行业知识经验意义重大。

3）专家智库

目前梳理入库勘探开发领域专家 862 名，建设形成石化专家资源库，涵盖 22 个专业领域；关联了各领域的业务专家基本信息、主持或参与过的项目、发表的论文/专著、主要成果/学术成就等。

13.1.2.3　基础知识

基础知识是指项目科研人员日常工作中用到的公共信息，包括石油百科、行业资讯、期刊文献、标准规范、行业资讯、行业图书等，便于研究人员直接查找各类已有知识。

13.1.3　勘探开发知识图谱

石油勘探开发知识图谱是描述石油勘探开发业务的各种对象类或者业务概念及其关系，包括地下、地上各种对象目标及在这些工作目标上开展的各种生产作业、专业研究、工作管理等实体，以及这些实体之间的业务关系和知识规则。勘探开发知识图谱包括以下内容。

13.1.3.1　概念或对象

概念指油气研究涉及的基础术语及其主要研究对象（实体）、现象的抽象表达。例如，沉积学的主要研究对象是岩，因此沉积岩及其包含的各类型沉积岩（灰岩、砂泥岩）等就是沉积学中的概念。在油气勘探开发领域，概念是对业务的高度抽象，其建设是要用一个高度抽象的模型去描述勘探开发所有的数据资源，而勘探开发的数据类型和存储方式差异巨大，从数据技术角度来看，要想抽象一个通用模型来描述所有数据难度太大。

分析油气数据的特点可知，所有的油气数据都是与某一个油气业务和油气对象节点相关联的，也就是说一个油气业务节点或油气对象节点对应着一组油气数据，我们可以转换一个思路，建立油气业务和油气对象的概念，通过油气业务、油气对象与数据之间的对应关系，将该概念转换为油气数据的通用描述模型。

因此，油气领域概念的建设，实际上是对油气业务和油气对象的抽象和描述。我们关注的是油气业务和对象类建设，因此概念类要围绕油气业务和油气对象来设计。

1）勘探开发业务

按照 13.1 节勘探开发知识体系的业务划分原则，对全部业务进行细分，确定多级业务概念层次体系。以"综合研究"业务划分为例（表 13-1）。综合研究在整个勘探开发生命周期处于勘探的中后期阶段，是一个关键性阶段，为顶级业务域。它包含 5 个一级业务：构造研究、资源评价、油藏描述与评价、剩余油研究和油藏数值模拟；而以其中的资源评价为例，它又包含盆地评价、区带评价、圈闭评价和油藏评价 4 个二级业务；其中盆地评价又包含 3 个三级业务：区域地质评价、盆地石油地质评价和盆地油气资源预测与评价；盆地石油地质评价又包含 6 个四级业务：烃源条件、储层条件、盖层条件、保存条件、圈闭条件和配置条件；其中烃源条件又包含主要烃源岩层数、有效烃源岩面积、主要烃源岩层位、烃源岩最大埋深、有效烃源岩厚度等关键参数和主要烃源岩岩石相等五级业务；其中主要烃源岩岩石相又包含岩性组合、矿物组成和岩性等关键参数。

表 13-1　综合研究业务划分（部分）

业务域	一级业务	二级业务	三级业务	四级业务	五级业务	六级业务
综合研究	构造研究					
	资源评价	盆地评价	区域地质评价			
			盆地石油地质评价	烃源条件	主要烃源岩层数	
					有效烃源岩面积	
					主要烃源岩层位	
					烃源岩最大埋深	
					主要烃源岩岩石相	岩性组合
						矿物组成
						岩性
					有效烃源岩厚度	
					……	
				储层条件		
				盖层条件		
				保存条件		
				圈闭条件		
				配置条件		
			盆地油气资源预测与评价			
		区带评价				
		圈闭评价				
		油藏评价				
	油藏描述与评价					
	剩余油研究					
	油藏数值模拟					

2）业务对象

业务对象是指在油气勘探开发中与业务相关的对象，包括地质对象、生产管理对象、工具、设施、材料等。

　　针对一个具体的业务对象，一般关心这几个维度，如对象的类型是什么？哪个业务的研究对象与此相关？此对象的属性有哪些？该对象在不同的业务中处于什么位置？是主研究对象，还是次研究对象？不同的知识数据中，哪些是和此对象有关联的等。

　　将石油勘探开发业务对象分为地质对象、生产管理对象等九大类，如表 13-2 所示。

表 13-2　石油勘探开发业务对象划分（部分）

顶层划分	对象类型	备注
地质对象	盆地	
	构造单元	盆地下面的一级、二级、三级构造的统称，包含一级构造（隆起、拗陷）、二级构造（凸起、凹陷）、洼陷、断陷、构造带等类型。请参考相关行业标准
	油气藏	
	地层	
	……	
生产管理对象	矿权区	探矿权、采矿权
	物化探工区	包含地震采集工区、地震解释工区、非地震工区等
	开发单元（区块）	布井并且投入开发生产的区块单元
	储量单元	包含预测、控制、探明、未开发、已开发等储量评估计算的区块单元
	油气田	
	井	
	集输联合站库	油气资源开采到地表后回收汇集输送并且进行预处理存储的站库
	……	
工具、设施对象	油田设备	
	井下工具	
	钻井工具	
	……	
材料	钻井液	
	水泥浆	
	固井材料	
	样品	包含岩心、岩屑、岩心切片和粉末、油气样品等
	……	
行政区划	大洲	
	国家	
	……	

续表

顶层划分	对象类型	备注
石油行业机构	石油公司	
	油服公司	
	研究机构	
	……	
专题技术	防腐	
	防偏磨工艺	
	固井工艺	
	……	
人员	业务专家	
	信息专家	
	……	
信息管理对象	信息系统	
	信息技术	
	……	

13.1.3.2 关系

关系是连接两个类的属性，如井对象与钻井工作流程之间就有一组关系。

油气勘探开发实体之间都有其特定的业务关系，如测井解释结果是由多个测井原始数据解释得到的，以及圈闭的含油性是由圈闭所包含井的含油性决定的等。关系是油气勘探开发图谱的灵魂。

在油气领域，我们对关系也要进行体系的建设。关系的名称更多是语义层的表达，而抽象类的关系类型才是对关系进行抽象化描述的关键。油气勘探开发概念关系的类型定义如下。

（1）属性关系：B 既是 A 的一项属性特点，也是一项可以单独提取出来的业务，B 的实例数据必须是不连续的、可有限列举的；并且 B 可以当做筛选 A 的其中一项条件。

（2）继承关系：子类（A）继承父类（B）的属性和特征，使得子类（A）对象具有父类（B）的属性和特征，而子类（A）还额外拥有其他的属性特征。

（3）活动记录关系：对象类（A）产生的活动（B）之间的关系，活动（B）必须依赖对象（A）才会产生，具有绝对的单向依存特点。

（4）实行关系：A 对象施加在 B 业务的某种行为或约束，A 往往是具有主动能力的一方，B 是受影响的一方。

（5）事实关系：指描述客观事实短语中的谓语，一般由主语（A）、谓语（关系名称）、宾语（B）组成带有语义的三元组。

（6）组织关系：A 和 B 都是在特定层次的一个集合或集团，B 是组成 A 的一个部分，且组织关系应该是连续的单链结构，必须有一个顶级节点。

（7）因果关系：起点（A）的发生会导致终点（B）的结果，因果关系一般发生在两个或多个事件之间，若由多个事件组合发生从而导致一个结果的产生，则需要设置额外的逻辑规则。

（8）成员关系：也叫作成员组成关系，是指 A 和 B 之间存在整体与部分的构成关系，且 A 由多个具有不同类型的 B 所组成。

（9）并列关系：A 和 B 在关系的两侧是同等的地位，是双向的关系，一般用在两个相同类型或具有相同特征的对象之间。

（10）子业务关系：当定位不清楚时，仅知道两业务之间存在关联关系，且 A 的范围大于 B 的范围。

（11）其他关系：两个概念有关系，但未设置关系类型，或暂不清楚关系的类型。

上述这些关系可以应用到每一种业务、对象、知识的对应关系，通过这些关系的建立就能够构建整个油气业务关系网络。

13.1.3.3　属性

属性是描述一个对象/概念可能具有的特征、特性、特点和参数。

油气勘探开发业务中一个实体一般有多个属性，每一个属性有其对应的属性值，如井有钻井信息、录井信息、测井信息等属性，又分别用钻井数据表、录井图、测井图等属性值表达。不同的属性类型对应不同类型属性的边。属性定义包括属性名称和属性说明。属性示例如表 13-3 所示。

表 13-3　石油勘探开发业务对象属性示例

业务对象名称	属性名称	属性说明
构造单元	中文名称	
	英文名称	
	构造类型	构造单元的类型：隆起、凸起、拗陷、凹陷、洼陷、断陷、构造带等类型
	构造级别	构造单元的级别：一级、二级、三级等
	上级构造	包含此构造单元的上一级构造单
	……	
圈闭	中文名称	
	英文名称	
	所属构造单元	
	圈闭类型	按照成因划分圈闭类型：构造圈闭、非构造圈闭；也可以对构造和非构造成因继续细分，如背斜圈闭、断层圈闭、地层圈闭、岩性圈闭、不整合圈闭等
	圈闭面积	
	闭合幅度	
	高点埋深	
	……	

业务对象名称	属性名称	属性说明
油气藏	中文名称	
	英文名称	
	所属油气田	
	所属构造单元	
	油气藏类型	油气藏的主要含油含气类型：油藏、气藏
	油气藏面积	
	驱动类型	油气藏开发动力能量来源：水压驱动、弹性驱动、气压驱动、溶解气驱动、重力驱动
	地质储量	
	压力系数	
	油气水关系	
	……	

13.1.3.4　实体

油气勘探开发业务实体指的是油气勘探开发业务中所有的业务工作节点，间接以该业务工作节点产生的数据为代表，每一个业务节点一定对应一个业务数据。油气勘探开发业务实体是油气勘探开发知识图谱中的最基本元素，不同的油气勘探开发业务实体间存在不同的业务关系。

实体节点抽取就是在原始数据中抽取标准化的知识片段，这是知识图谱建立最关键的一步。在油气业务中，由于数据的复杂性，如何自动抽取标准化的知识体一直是难以解决的问题，最好借助油气领域的数据中台来解决这一难点。通过数据的坐标定义及自动识别和获取技术可以自动从原始数据中得到业务数据（成果类型），完成抽取的任务和目标。

在抽取知识实体时，也可以通过数据坐标理论方法建立各个知识实体之间的关系抽取。

不同于互联网数据，油气勘探开发数据对知识抽提结果有严格的质量要求，也就是不能有任何的业务含义偏差。因此，在具体技术实现上，互联网数据抽提所采用的实体识别、关系识别等通用技术不适用于油气勘探开发知识的提取，需要制定更加严格的、业务规则明确的知识抽提方法；在关系识别上，也不能采用常规的关系识别方法，要充分利用本体构建中建立的业务关系模型，自动实现所有实例知识的关系识别（图13-5）。

13.1.3.5　知识规则

规则是指概念和子概念之间的分类原则、属性取值规则及推理规则等。规则既包括简单的单一规则（元规则），如属性取值或简单的分类规则（如碎屑直径在0.05~2mm的沉积碎屑岩为砂岩）；也包括由若干单一规则组成的复合规则，以及计算模型等。建立规则时，需要指定规则的名称、类型（通常为关系类型）、规则体（规则内容）以及规则的语

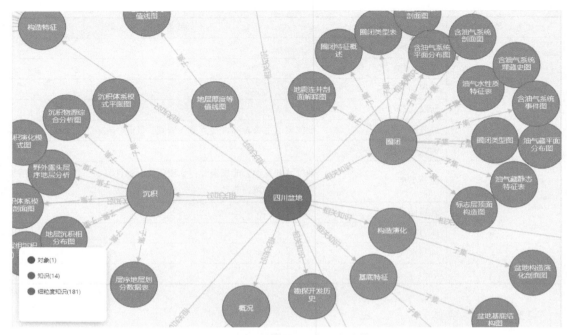

图 13-5　油气勘探开发业务实体

义信息（辅助规则准确使用的信息）。由于地学知识的复杂性，建立规则时，要求逐级逐条进行梳理，直至梳理出元规则为止。复合规则还应指出所包含的元规则之间的逻辑关系：或关系（只要满足其中一个元规则即可）、并关系（所有元规则必须满足）、独占条件关系（只要满足指定的元规则即可）、条件选择关系（在某种情况下，必须满足该条件下的元规则）等。

13.2　勘探开发知识管理云平台

为实现知识的汇聚、交流、应用，中国石化采用多源异构自动采集技术、行业知识智能加工技术、知识图谱自动构建技术等技术，研发形成基于云架构的 SKM，对知识的采集、加工、存储、应用进行全过程管理，形成项目应用、专题应用、个人应用和石油百度等多种知识应用模式，实现知识工程规模化应用。

13.2.1　技术方案

13.2.1.1　总体技术架构

系统架构全面云化，采用分布式架构部署中国石化 X86 云环境中，并可弹性扩展，满足未来用户群体的扩展和更高性能需求的支撑（图 12-21）。SKM 功能设计遵循高内聚低耦合的原则，耦合度高的功能放在一个子系统，相对独立的功能放在一个独立的系统，同时着重考虑文档的安全性，保证原始文档附件各单位本地保存，将 SKM 分成八大子平台（图 13-6），分别是知识应用服务（KAS）、知识加工服务（KPS）、移动应用服务（KAPP）、智能搜索服务（ESS）、数据采集服务（KCS）、知识社区服务（KSNS）、文本分析服务（TAS）、基础管理服务（SA）。

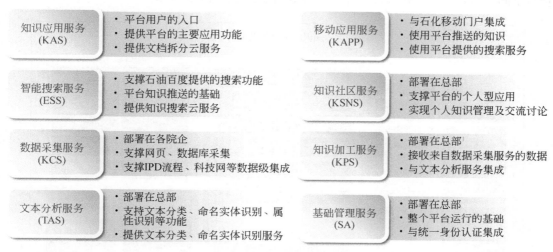

图 13-6　SKM 业务组件服务

SKM 的应用架构分成四个层次，分别是信息采集、知识存储、知识运维、知识应用，如图 13-7 所示。

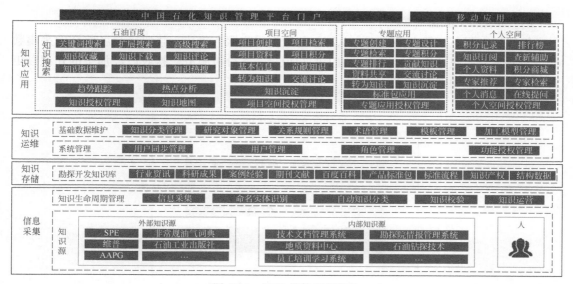

图 13-7　SKM 总体应用架构

13.2.1.2　SKM 八大子平台主要功能

1）知识应用服务（KAS）

知识应用服务是平台的入口，提供平台的主要应用功能，包括石油百度、专题应用、项目空间、运营统计分析管理、体系管理等功能，如图 13-8 所示。

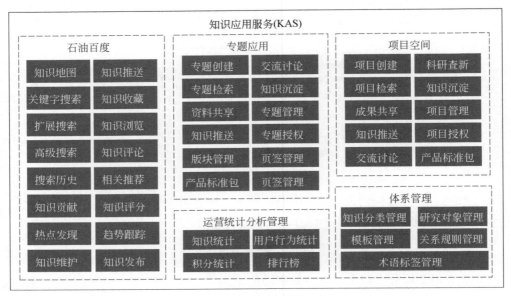

图 13-8　SKM 知识应用服务（KAS）

2）知识加工服务（KPS）

知识加工服务部署在中国石化总部，与数据采集服务集成，接收来自各院企的采集数据；与文本分析服务集成，提交未加工的知识给文本分析服务，接收已经加工的知识以更新知识加工库，如图 13-9 所示。

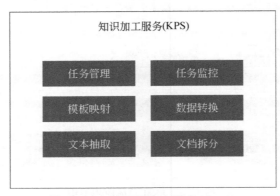

图 13-9　SKM 知识加工服务（KPS）

3）移动应用服务（KAPP）

集成到中国石化移动门户，使用平台的关键字搜索、知识订阅、交流讨论等功能，如图 13-10 所示。

图 13-10　SKM 移动应用服务（KAPP）

4）智能搜索服务（ESS）

智能搜索服务支撑石油百度提供的搜索功能，是平台知识推送的基础，提供知识搜索云服务，如图 13-11 所示。

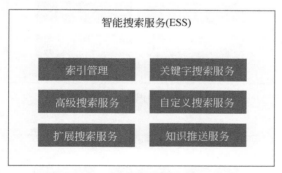

图 13-11　SKM 智能搜索服务（ESS）

5）数据采集服务（KCS）

数据采集服务部署在各院企，提供网页采集和数据库采集的功能，也支持 IPD 流程、科技网等的数据集成，如图 13-12 所示。

6）知识社区服务（KSNS）

知识社区服务部署在总部，支撑平台的个人型应用，是平台经常使用的服务之一，如图 13-13 所示。

7）文本分析服务（TAS）

文本分析服务部署在总部，支撑平台的知识加工，主要实现知识自动分类、命名实体识别等功能，同时提供相应的云服务，如图 13-14 所示。

8）基础管理服务（SA）

基础管理服务部署在总部，是整个平台运行的基础，与总部统一身份认证进行了集

图 13-12　SKM 数据采集服务（KCS）

图 13-13　SKM 知识社区服务（KSNS）

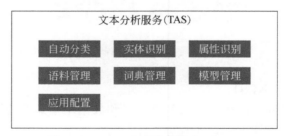

图 13-14　SKM 文本分析服务（TAS）

成，同时集成了部分院企的院企门户，实现通过门户的单击登录功能，如图 13-15 所示。

13.2.1.3　部署架构设计

系统部署架构显示系统中软件和硬件的物理架构，从部署架构中可以了解软件和硬件之间的物理关系以及处理节点之间的关系分布。

SKM 的物理部署涉及总部、三院一企、移动平台三部分（图 13-16）。总部使用中国

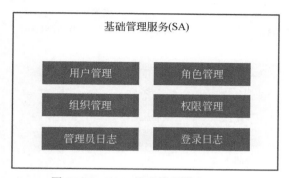

图 13-15　SKM 基础管理服务（SA）

石化微软私有云基础环境，部署了消息服务、知识加工服务、知识社区服务、知识应用服务、智能搜索服务、计算管理系统、基础管理系统以及数据库 MySQL 集群、数据库 MongoDB 集群、计算节点集群。

院企主要部署数据采集服务以及数据预加工部分。

移动平台部署了知识管理系统的移动应用服务。

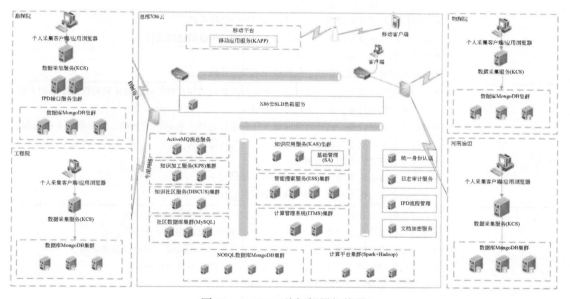

图 13-16　SKM 总部部署架构图

13.2.1.4　安全设计

SKM 安全设计总体架构如图 13-17 所示，根据对系统现状以及需求的分析，依托总部统建的安全基础设施，按照国家安全等级标准要求从网络、主机、应用、数据以及审计等方面来保证系统的安全。

在知识采、存、管、用的完整生命周期，系统安全措施总体考虑如表 13-4 所示。

图 13-17　SKM 安全设计总体架构

表 13-4　知识生命周期及对应的系统安全措施

知识生命周期	系统安全措施
采	• 通过访问控制和权限管理技术控制保证录入和导入的用户的权限和操作。 • 通过身份鉴别和用户管理技术识别用户的身份，保证用户的合法性。 • 通过软件容错保证知识源的符合度。 • 通过加密技术保证知识抽取以及传输过程中的保密性。 • 通过通信保密技术保证客户端与服务端之间的传输信息保密性。 • 通过日志记录，追踪问题根源。 • 结合网络及主机安全加固，保证知识来源可靠性
存	• 通过对数据库服务器以及文件服务器进行严格的访问控制管理，确保只有数据库维护人员以及文件服务器维护人员的账号可以登录。 • 通过运维审计设备，监控数据库及文件服务器运维人员的一举一动，确保数据不被窃取、篡改，并能做到事后追踪，及时补救，问题责任落实。 • 通过日志记录，追踪问题根源。 • 结合网络及主机安全加固，保证知识存储的安全性。 • 通过数据备份恢复机制，保证知识的可恢复性
管	• 通过访问控制和权限管理技术，保证知识使用人员权限和操作合法。 • 通过身份鉴别和用户管理技术识别用户的身份，保证用户的合法性。 • 通过文档安全下载加密技术，保证知识离开系统后不被非法用户窃取和使用。 • 通过通信保密技术，保证客户端与服务端之间的传输信息保密性。 • 通过日志记录，追踪问题根源。 • 结合网络及主机的安全建设，保证知识应用的安全性
用	• 通过访问控制和权限管理技术，保证知识使用人员权限和操作合法。 • 通过身份鉴别和用户管理技术识别用户的身份，保证用户的合法性。 • 通过文档安全下载加密技术，保证知识离开系统后不被非法用户窃取和使用。 • 通过通信保密技术，保证客户端与服务端之间的传输信息保密性。 • 通过日志记录，追踪问题根源。 • 结合网络及主机的安全建设，保证知识应用的安全性

13.2.2 技术路线

SKM 的数据知识来源是各院企（勘探院、物探院、工程院、河南油田），各院企的知识原附件都要分别存储在各自院企内，基于这种限制条件，采集服务要从物理上在各院企分别独立部署，知识的加工及应用服务在总部部署，院企与总部的知识传输采用心跳机制，运用消息队列进行数据的转换传输，如图 13-18 所示。

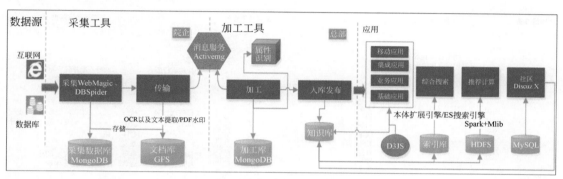

图 13-18　SKM 技术路线

13.2.3 功能模块

SKM 的整体功能模块构成如图 13-19 所示。

图 13-19　SKM 功能模块

13.3　知识管理运营体系

中国石化知识管理运营体系同样包含安全、配套体系和持续的知识运营三部分。其中，比较有特色的地方是建立了较为完善的配套体系。配套体系设计及实施工作的开展继承了中国石化知识管理总体规划方法论，如图 13-20 所示，主要工作步骤包括：项目准备、配套体系国内外现状分析、配套体系设计及实施计划落地四部分的内容。

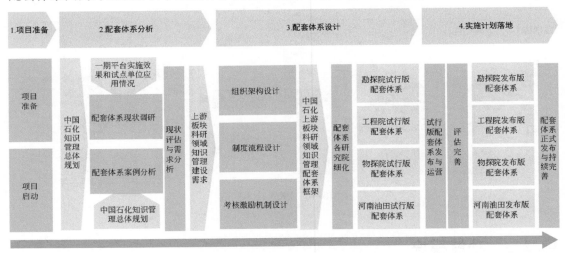

图 13-20　中国石化配套体系设计工作的步骤

基于中国石化知识管理总体规划成果，归纳国内外石油企业知识管理先进理念，结合前期项目经验及试点应用现状，形成中国石化知识管理保障体系；中国石化为了保障知识管理的落地实施，采用组织先行、重点突破、先易后难、以用促建等实施策略，从而规避实施风险。

中国石化基于知识管理的总体规划及上游板块科研领域知识管理建设要求，开展了现状评估与需求分析工作，建立了中国石化上游板块科研领域知识管理配套体系框架，并针对中国石化直属的三院一企，开展了独立的现状调研及配套体系设计和实施方案，并根据计划开展了配套体系的部署和实施工作。

结合中国石化科研知识管理的建设和运营需求，从组织架构、流程规范、方法、考核激励机制等方面建立了石油石化科研企业贯穿知识采集、加工、管理、运营的工作模式，建立了相应的配套支撑体系，并建立了相应的流程、方法，确保工作模式落地实施（图 13-21）。

这套工作模式和流程、方法、制度的应用有效保证了企业知识管理活动的规范、持续开展，保证了知识提供者和评审专家的投入时间，以确保知识质量，提高了个人和团队对知识贡献的积极性。

13.3.1　知识管理组织架构设置

基于集中式、分散式及混合式三种组织模式的适用范围、优势与不足的对比（王红梅

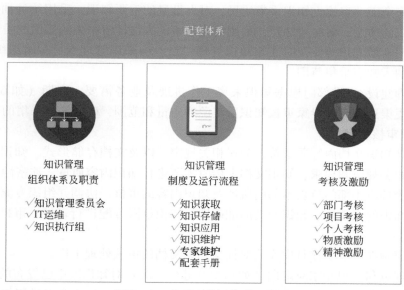

图 13-21　中国石化配套体系架构

和李鹏翔，2016），结合中国石化知识管理的特点，中国石化采用混合式的组织模式开展了知识管理组织建设工作，即在全集团范围内设立知识管理的管理机构，该机构的成员包括集团及各企业的相关人员，共同负责知识管理的管理工作，形成一个跨公司的虚拟团队。

中国石化知识管理组织架构基于三院一企（勘探院、工程院、物探院、河南油田）实际管理处室及业务处室实际设置情况，并结合管理、应用、运维三个核心职能进行知识管理组织设计及细化工作，设置知识管理委员会、IT 运维组、知识执行组对知识管理活动进行全面负责，并对各组织职责以及人员设置进行建议。

13.3.2　知识管理制度与流程

13.3.2.1　知识管理制度

1）知识获取制度

知识获取指的是通过人工或自动采集的方式将已挖掘和沉淀出来的知识按照特定领域的知识分类标准放入知识库中。

内部显性知识获取：内部显性知识获取需依靠研究院、企业日常运作制度来完成，每个员工在工作中产生的文档都作为知识库的来源，员工应主动存放。

内部隐性知识获取：通过隐性知识梳理、知识论坛及交流会等形式挖掘员工的隐性知识。

专家负责制定知识分类标准、分类体系和定义自动采集模板与采集工具。

知识管理专员负责组织、安排、协调内外部知识源的采集工作。对非常重要的知识，要组织专家来全面评审检查知识采集质量；对大批量的重要知识，采用统计抽查的方法评审采集的知识的质量；对一般知识，采用简化评审的方法评审采集的知识的质量。

业务部门新增知识源要及时通知知识管理专员，由知识管理专员及时组织 IT 运维组将新知识源纳入知识采集范围。

知识管理建设/运维部门根据知识采集工作进展及业务需要，定期（如 6～12 个月）维护知识采集渠道。组织专家审核知识采集源的质量和范围，确定知识采集的有效性。

2）知识审核制度

为了保证知识文档内容质量符合公司相关规定，以及文档存储形式、知识查阅权限设置符合系统相关规定和要求，知识文档上传时需要进行知识内容质量、涉密性审核。

各知识管理应用部门负责本部门所涉及知识内容的审核，协调并组织专家对知识摘要的准确性、知识的完整性、知识归类的准确性、知识权限分配进行审核，审核通过后，知识才能入库。

业务专家须在两个工作日内完成对提交知识文档的审核处理工作。

知识管理员和知识专家应定期（如每季度进行一次）对知识库中已发布的文档内容质量进行审核，对有问题的知识文档，知识专家应及时修改或通知入库者进行修改。

3）知识存储制度

企业管理处制定"公司文档、知识保密制度"，所有知识贡献渠道与场景都要经过业务专家针对知识涉密性及共享范围进行审核，最终才能发布入库。

遵循"谁产生谁录入"的原则，全员（能直接操作电脑的员工）都有上传知识文档的义务，原则上知识文档作者上传该文档。

为了方便员工能准确在系统中搜寻到自己想要的知识文档，上传文档须确保其规范性。

4）知识维护制度

知识维护的内容主要包括知识分类的维护和知识本身的维护。

员工作为知识系统的服务对象，对知识系统中过时的知识、错误的知识、重复的知识，应主动向 IT 运维组反馈。

员工对知识系统中不准确或完全错误的分类，也应主动提出修改反馈。

员工对自己业务新出现的技术术语和尚未被知识系统收集的主题词要及时主动反馈给知识管理员、专题长、项目长、业务专家，方便其维护词库词表。

知识管理员要收集来自各方面的知识维护反馈，定期组织知识管理应用部门专家对知识和知识分类进行评审，并协调知识管理建设/运维部门进行相应维护，包括知识库中知识的更新维护，保证知识准确、完整和避免歧义。所有知识维护的操作过程和程序都需要记录造册，以备系统出现故障时好查明原因。

5）知识应用制度

在知识应用中：

（1）员工可以根据业务需要，通过知识门户访问最新的知识成果。

（2）员工还可以通过知识门户寻找能够帮助解决问题的专家、团队或者资源。

（3）知识员工也可以通过知识地图找到所需的知识的位置，并快速将其检索出来。

（4）知识管理员将搜集整理出来的知识编辑成快报，定期定向推送给知识员工分享学习。

（5）知识员工可以通过提交知识、收藏知识、推荐知识来达到使用和分享知识的目的。

（6）知识的访问是有权限设置的，要想访问未经授权的知识，必须按相应程序获得授权许可。

在隐性知识显性化过程中：

（1）知识员工在专题空间中开展知识交流与讨论。

（2）在专家黄页模块，知识员工在解决项目问题时，如果无法在知识系统中搜索查阅到所需知识，可以直接提出知识问题，寻找业务专家来答疑问题。

（3）对于员工的提问，原则上问题解答不超过 7 个工作日。

（4）员工对答复的结果要做出反馈活动，包括知识提交、推荐、收藏等。

（5）IT 运维组负责论坛账号管理、发言管理、专家资格管理、板块开设和论坛奖惩机制的设定。

（6）知识管理员要对主题专家资格进行审查和定期更新，及时增加优秀用户到专家队伍中，同时将一些不积极参加活动的专家定期除名，以保证论坛的活跃度。

6）专家管理制度

专家体系是石油企业/公司的智力资产库，也是知识管理领域的权威；主要负责经验案例的评审、相关问题的回答，是隐性知识挖掘的主要力量。基于专家的权威性，专家的甄选及退出需要严格按照流程进行操作。

（1）知识专家激励：对于有专业、技术特长的员工，部门可以提名其作为知识专家候选人，经知识管理领导委员会审核通过后可将其纳入知识管理系统专家体系，同等条件下，知识专家在培训、外派学习、加薪、职称评定、职位晋升等方面享有优先权。评价标准依据专家在知识管理过程中的实际贡献和参与度，主要包括知识积分、问题回答率和答案采纳率、员工满意度、任务完成情况等。

（2）知识专家退出制度：知识管理系统专家体系尊重专家个人的意愿，允许知识专家自愿退出；如需自愿退出，向管理推荐组申请，管理推荐组审核后报知识管理领导委员会评审通过，并在系统上进行专家信息修改维护。

13.3.2.2 知识管理工作流程

中国石化在建立企业知识管理建设的组织架构、明确相应职责的基础上，制定知识管理的运行流程、规范，保证知识管理活动规范性持续开展。主要工作流程规范包括知识采集工作流程规范（如隐性知识显性化流程规范、互联网知识自动采集流程规范、知识采集模板变更流程规范、采集知识源变更流程规范、知识标引维护流程规范、知识质量维护流程规范等）、勘探开发知识加工规范（如知识人工上传审核流程规范、知识质量维护流程规范、知识标引维护流程规范等）、知识评审工作流程规范（如知识审核入库流程规范、知识自动采集审核流程规范、知识质量维护流程规范、分类模型维护流程规范、知识模板维护流程规范、词库词表维护流程规范、知识有效性维护流程规范、知识移除流程规范等）、项目知识和社区知识管理流程规范（如专题空间维护流程规范、社区管理流程规范等）、平台运维流程规范（如组织机构与角色权限维护流程规范、日志管理流程规范、平台应用维护流程规范、软硬件管理流程规范、日志管理流程规范、系统安全及备份管理流程规范、技术支持流程规范、应急响应流程规范等）。

基于中国石化知识管理总体规划中的总流程，结合三院一企的实际业务情况与知识管理需求，针对规划调整、知识采集、知识加工、知识维护、隐性知识显性化、专家库维护、知识应用、知识管理考核奖励等流程进行标准化、规范化设计。（图 13-22）。

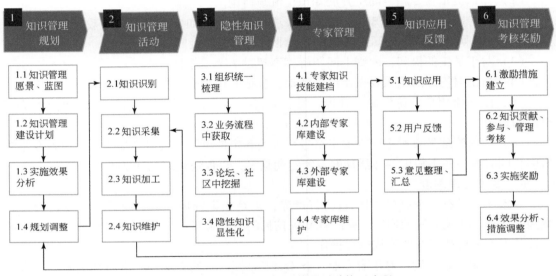

图 13-22　中国石化知识管理活动核心流程

13.3.3　知识管理考核与激励

13.3.3.1　知识管理激励办法

基于国内外石油企业知识管理项目实施成果，知识管理激励机制建议由物质激励、精神激励、发展激励多维度进行，为知识库的建设提供支撑，保障知识之源永不枯竭，构建知识促进发展的组织文化氛围。

针对用户的知识管理活动进行积分评价与专家联评，实现从数量、质量两个维度对知识管理活动的评价，并给予员工相应的发展、精神、物质三层激励（图 13-23）。

1）知识管理积分体系

针对知识管理活动及业务活动进行梳理，甄别活动的重要程度进行积分设置。初步形成专题积分规则、项目积分规则和个人积分规则。

2）知识管理专家联评

积分规则只能量化员工的知识参与程度，针对员工产生的知识质量的评估需要以专家线下联评的方式进行审查与评选。

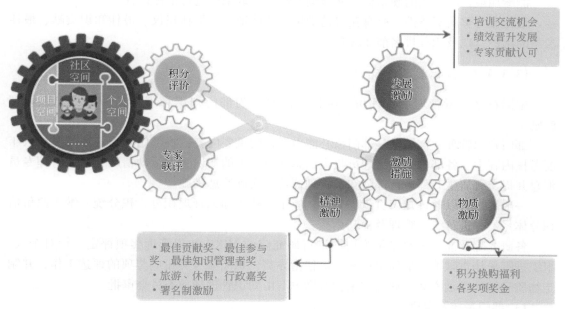

图 13-23　知识管理激励维度

研究院、企业以年为周期组织专家进行院内、企业优秀知识的线下联评，作为后续评奖的参考依据。主要针对优秀知识形成以下评定。

精华帖：根据发帖、回帖质量，评选精华帖，由知识管理员推荐，经业务专家评审，评选季度、年度精华帖进行奖励，建议精华帖不超过 10 个，具体数量依据实际需求确定。

最佳指导：针对专题交流中回帖的知识性和难易程度进行评选，包括解答求助问题、提出解决方案或实施办法（含建议）、对专题建议进行可行性分析，以及实施、推动课题进展等回帖，具体数量依据实际需求确定。

最佳建议：对生产经营、技术创新及专题、项目建设提出合理化建议，已采纳实施或具备可行性或具有创新性和启发性的建议，具体数量依据实际需求确定。

最佳知识贡献：通过发帖或回复原创类和推荐类资料文献，提供具有较高参考价值或可借鉴性的专业文献、调研分析、信息情报等，具体数量依据实际需求确定。

最佳参与：主要针对热心参与专题知识交流，包括最佳发帖、回复的会员和积分靠前的会员，根据讨论和回复的频次评选，具体数量依据实际需求确定。

3）知识管理各奖项评奖条件及激励建议

基于积分评价、专家联评的结果，建议研究院、企业以年为周期进行 MIKE 知识管理奖项评定。针对个人、组织进行最佳贡献奖、最佳组织奖、最佳参与奖相应奖项的评选工作。

最佳贡献奖排名依据：获得线下评审奖次数、知识管理积分。

能参加最佳贡献评比奖的硬指标：从上传资料、问答、新编案例、参与专题等维度进行指标设置。

最佳组织奖排名依据：部门考核权重得分、部门积分排行。

能参加最佳组织奖的硬指标：从新编案例条目数维度进行指标设置。

最佳参与奖获奖条件：所有获得精华帖、最佳指导、最佳建议、最佳知识贡献、最佳参与的用户，以及积分排名前 20 用户。

13.3.3.2　知识管理考核

中国石化知识管理工作评价、考核与激励分为部门知识管理考核和员工知识管理激励。

部门知识管理考核结果是部门核心能力考核的重要内容，将部门知识管理情况纳入年度考核内容中。各部门知识管理员收集汇总部门员工的知识管理活动情况，知识管理专员汇总并提交科研生产部进行部门知识管理评价及实施奖惩措施。

一般用户可以通过知识贡献、分享、应用等获得知识管理积分，积分统一纳入原价值积分体系，并进行统一管理及福利兑换。

各研究院及油田企业以年为周期进行研究院的 MIKE 知识管理奖项评定。针对个人、组织进行最佳贡献奖、最佳组织奖、最佳指导奖、积极参与奖相应奖项的评选工作，并制定物质和精神激励方案。评选结果和激励方案由知识管理领导委员会审批。

1）部门考核及激励

为了促进知识管理部门应用，使知识管理成为部门日常管理工作的一部分，对各部门知识管理开展情况进行考核。部门知识管理考核是部门考核中的重要部分，由科研生产部作为绩效考核主体。

部门知识管理主要考核个人知识管理水平、知识转化水平、项目知识管理水平以及部门知识管理运营水平四个方面，建议四类指标共占部门全部考核权重 10%。

各部门知识管理员负责汇总统计本部门的个人知识管理水平、知识转化水平、项目知识管理水平以及部门知识管理运营水平；知识管理员将部门知识管理运营情况提交知识管理专员汇总，最终统一提交科研生产部，科研生产部公布部门评价的结果并实施奖惩措施。

知识运用是部门建设中的重要定性考核内容，知识管理员从信息系统中获取本部门员工的个人积分总和及本部门所管理的项目积分提交知识管理专员，知识管理专员根据部门的个人积分、项目积分及月度总结等内容进行部门知识管理建设定性评价。原则上部门知识运用的考核按照完成情况采用 5 档评分，其中优化级 100 分、管理级 80 分、定义级 60 分、重复级 40 分、初始级 20 分。评价结果提交科研生产部，科研生产部针对知识管理建设的定性评价占考核权重的 2.5%。

每年年底，知识管理专员组织评选年度知识管理最佳组织奖并制定激励方式，评选结果由知识管理领导委员会审定。

2）员工考核及激励

针对普通用户、业务专家、知识管理员进行知识管理激励。

知识管理专员每年组织评选出年度最佳贡献奖、最佳指导奖、积极参与奖，最终由知识管理领导委员会审查公布；针对获得奖项的用户，知识管理领导委员会提出物质奖励或精神奖励方案，评选结果和激励方案由知识管理领导委员会审定。

用户的知识管理行为以知识积分规则进行衡量。

知识管理精神激励包括但不限于以下方面。

（1）培训交流机会：获得特定奖项或有贡献的人员，可以申请参与国内外交流培训，提升员工知识参与度。

（2）绩效晋升发展：在一些特定岗位的绩效评价和晋升选拔中加入关注知识贡献的考量因素。

（3）贡献认可：除物质激励措施外，可向人力资源部建议将知识管理作为年度绩效考核的评价指标之一，对于积极参与的员工给予适当的绩效加分。

（4）积分级别激励：通过知识管理平台积分系统来实现个人积分的统计，并通过个人知识管理级别标志进行展示。

知识管理物质激励包括但不限于以下方面：奖励及福利，对贡献、分享、应用等各方面进行知识积分，积分统一纳入原价值积分体系，并进行统一管理及兑换。

13.4 应用成效

通过 SKM 平台建设与应用，有效改变了试点应用单位的知识资源分散、共享应用难、复用程度低的现状，为集团及下属企业的知识汇聚、交流共享提供了有效手段和工具，实现了勘探开发知识资源的汇聚与共享应用，为全面建设中国石化知识中心、服务业务提质增效和智能化转型奠定了基础。其在实际应用中取得了良好的效果。

一是实现了一站式知识检索与服务，着力解决了查找知识难的痛点。SKM 不仅能提供内外部知识的一站式搜索，还能提供基于语义的智能搜索，识别用户搜索词中的业务内容，理解搜索意图，全面准确匹配知识内容；通过平台可随时快速、高效地收集专业知识源的所有内容，根据领域标签技术的使用，自动生成辅助查新报告；利用平台可以随时在线开展热点分析及趋势跟踪分析，快速了解国内外技术发展形势及热点方向，辅助科学研究。

二是助力研究成果沉淀与共享，着力解决了人走知识走的痛点。知识管理嵌入了科研工作流程，知识管理系统与科研管理平台系统无缝集成，项目全生命周期产生的知识自动留存，实现了知识自动沉淀；以知识管理模式来保护和传承核心技术资产，固化核心技术的知识管理流程，助力实现业务工作流程、技术方法、研究内容和相关数据的完整留存和共享复用。

三是助力提升专题研究质量，提供了汇聚集体智慧的手段。实现了专题知识包的共建共用，既可以汇聚相同技术领域或研究课题的各类知识，又可以集中展示热点知识，汇聚集体智慧开展深度研究分析，还可以在专题空间里进行跨组织的知识交流及协同共享。

四是助力培养员工快速成长，推动了新人在"巨人肩膀"上提升。可以构建个人知识库，汇聚和本人项目有关的或者自己感兴趣的知识，还能实现当 SKM 内有新知识产生时，自动将其推送到个人空间里，帮助用户快速发现更多有价值的相关知识；可以借助集成的标准包和 IPD 业务流程知识来学习工作流程规范、工作方法；还可以学习相关的专业知识。SKM 帮助新手快速进入角色，明白做什么、怎么做、做成什么样子。老员工可以参考同行成果学习提升自己，既加快学习速度，又提升学习质量。SKM 平台助力了新员工上岗、老员工转岗的培养，缩短进入角色的周期，更快胜任岗位。

五是知识交流线上线下相结合，实现中国石化内外人才的学习交流，逐渐形成知识共建共享的良好氛围。基于专题和专家资源，构建中国石化全集团以及外部人才的关联网络，实现领域专家线上线下共享交流，有效促进经验等隐性知识的共享与传承。

中国石化全面推进知识工程建设，在知识管理的组织建设、系统建设、技术攻关以及创新实践等方面取得的成果和优秀表现也赢得了业界专家和企业的一致认可，为中国知识管理创新领域树立了标杆，起到了很好的引领示范作用。基于 SKM 平台项目成果，中国石化获得"中国最具创新力知识型组织（CHINA MIKE）卓越大奖"和"最佳知识运营奖"双项大奖；并代表中国区参加 2018 Global MIKE 大奖评选，经过国外行业专家的严格评审，中国石化荣获 2018 Global MIKE 大奖，并于 2019 年再次荣获 2019 Global MIKE 大奖。

第四部分

石油企业知识中心未来展望

第 14 章 | 未 来 展 望

14.1 成为 AI 时代新引擎，引领企业智能化

在 AI 时代，当石油企业信息化已经成为基础设施之后，随着人工智能、移动互联网、区块链等新技术与知识管理的深度融合，知识中心已经成为新时代的"内燃机"，可以高效利用企业综合知识产生更加持久且澎湃的动力，促进石油企业数字化转型和智能化发展。综合分析 AI 时代技术和需求的发展，本书认为数据和知识密集型石油企业建设新一代的知识管理即知识中心，整体上将从原来的人、流程、技术和组织围绕着知识（个人智慧）建设转变为知识、流程、技术和组织围绕着人（群体智慧）建设，知识中心将从以下几个方面来加速企业智能化发展。

14.1.1 知识自动化

知识自动化的概念由来已久，最初出现在西方发达国家的工业制造领域。知识自动化也称为知识工作自动化，是通过计算机、网络和平台来自动执行之前只有人可以完成的知识型工作任务，将人从一些单调重复和烦琐的脑力劳动中解放出来，将机器生产力进一步释放出来（桂卫华等，2016）。

如果说工业自动化使机器解放了人的体力劳动，那么知识自动化将使机器解放人的脑力劳动。工业自动化向知识自动化的迈进是传统产业如石油行业智能化转型升级的重要途径，它是将传统产业以机器学习、深度学习等技术为核心的计算智能或感知智能升级为以知识图谱、NLP、数字孪生等技术为核心的认知智能，从而解决传统行业的高价值难题。

知识自动化解决的是人与机器的分工问题，或者说是人与数据、人与知识的连接问题，主要包括四个方面：基础数据的连接和异构处理、知识库的管理（手册、资料等）、专家经验的描述和数据与知识的模型化。

当前，能源革命和数字革命融合发展，是新一轮能源变革的重要趋势。对于产业中的石油企业来说，其要在能源革命与数字革命融合发展过程中实现数字化转型、智能化发展。

据 IDC 分析，国际石油公司普遍以数据生态为基础，以业务流程为核心，构建勘探开发智能云平台，以解决信息化建设集成共享难的问题，并通过数据资产化管理和数据驱动决策模式开展智能油气田建设，实现数字化转型升级。

数据驱动的本质缺陷在于只能学习重复出现的片段，不能学习具有语义的特征。因此，后深度学习时代将知识驱动与数据驱动结合，走向真正的人工智能。

知识自动化实现落地应用是知识驱动的前提条件。祁国晟等（2021）认为知识自动化实现落地应用需要坚持知识工程的发展理念，采取"行业专家+数据科学家+计算机专家"联合工作机制，构建知识自动化的流程、平台和工具，建立知识自动化良性循环的运营机制。这些正是企业知识中心的体系组成。建立石油企业知识中心，通过知识自动化方法、流程和工具的综合应用，将有效地解决在知识抽提、知识管理、知识智能等领域中影响知识自动化规模应用的共性难题，形成知识驱动传统产业智能化发展的通用范式，对推进石油传统产业智能化发展具有积极的现实意义和价值。

因此，以知识自动化为基础的、数据与知识双轮驱动的知识中心为研究人员配装"智慧大脑"，有效地突破知识共享与智能应用的瓶颈，进而为勘探开发理论方法和成果创新提供了全新的解决思路和方法体系。

伴随着知识自动化的持续推进，石油企业智能化转型升级的进程将进一步加快。特别是学习型智能体的不断成熟，将加速形成知识智能产生、共享、使用、验证的进化闭环，推动由机器辅助决策到人机协作决策，再到机器自主决策的演进。

14.1.2　石油科研新范式

美国科学家托马斯·库恩最早在《科学革命的结构》中提出"范式"的概念。库恩对科学发展持历史阶段论，认为每一个科学发展阶段都有特殊的内在结构，包括科学假说、理论、准则和研究方法，而体现这种结构的模型即为范式。一个稳定的范式如果不能提供解决问题的适当方式，就会变弱，从而出现范式转移。纵观科学发展史，众多著名的科学转折都是范式转移引发的科学革命。

图灵奖得主，关系型数据库的鼻祖吉姆·格雷于 2007 年 1 月 11 日的 NRC-CSTB（National Research Council-Computer Science and Telecommunications Board）大会上进行了题为"科学方法的革命"的演讲，提出了科学研究的"第四范式"。不同于以记录和描述自然现象为主的第一范式、以理论研究和归纳总结为主的第二范式，以及计算机仿真取代实验成为科研的常规方法的第三范式，数据密集型的第四范式通过海量数据进行分析。毫无疑问，海量数据的出现会超出普通人的理解和认知能力，因此数据密集型的第四范式是以计算机为分析处理主体的新科研模式。与第三范式相比，第四范式有许多特点和优势，能有效规避前述三个范式的不利因素，推进科学研究的发展。

吴冲龙和刘刚（2019）总结了前三个科学研究范式在地质研究中的应用情况：在地球物理学、地球化学、数学地质学、矿物学等领域，第二范式为主导；在构造地质学领域，第一范式和第二范式参半；在岩石学、沉积学、地层学、古生物学、矿床学、油气地质学、煤地质学、工程地质学、水文地质学、区域地质学等领域，第一范式为主导。至于第三范式，其目前只在个别学科领域的某些研究方向上应用较多，如石油地质学的盆地模拟、油气成藏过程动力学模拟和水文地质学的地下水动力学模拟。因此，就地质学研究总体而言，采用的研究范式仍以第一范式为主，即以定性现象观察分析为主兼有定量测算（吴冲龙和刘刚，2019）。

随着地质探测技术的不断进步，地质科学研究所积累的数据越来越多。石油企业信息化不断发展，使得多源多类异质异构地质数据呈爆炸式增长，产生了油气科学大数据。油气科学大数据具有数据集合"不是随机样本，而是全体数据"、数据品质"不是精确性，而是混杂性"、数据内涵"不是因果关系，而是关联关系"的优点。因此，以数据密集型的第四范式为主导、多种范式结合的科学研究能够把这 3 个优点充分发挥出来，突破主客观因素的限制，促进油气地质学定量化并取得地质科学原理和规律的新发现。

但是，科学研究的四个范式并不是严格的递进关系。第四范式固然能够从大数据中发掘出其他科研方法无法挖掘出来的新知识，但是其也有着很大的局限性。第四范式是以数据为主导的科学发现过程，忽视了"知识"对科学研究的重要性，因此其对数据的质量和数量要求都较高，并不适合用于所有的科研场景。有些科学探索必须通过科学实验来获得精确的结果，属于科研的第二范式；有些科研过程可以利用现有的知识进行建模辅助，用计算机仿真取代部分实验过程，属于科研的第三范式。智能化的科研范式转变并不是要将全部的科研模式转变为科研的第四范式，而是要在目前的科研模式中引入智能化方法，将知识与数据相结合，辅助加速科研进行，减少人的重复性劳动，降低科研成本，提高科研效率。如何在实验条件、资源有限的情况下挖掘出有用的知识或找到合适的实验条件，正是构建知识中心的宗旨，也是智能科研新范式需要关注的重点。

随着知识自动化技术的进步，构建数据与知识双轮驱动的知识中心，提供多源多类多维异质异构大数据处理和知识挖掘工具，将极大提高油气研究人员的科研效率，形成石油科学研究第四范式。石油科学研究综合采用四个范式可以突破各种主客观因素的限制，促进油气科学的定量化发展，并取得科学原理和规律的新发现。

14.1.3 场景化协同

5.1 节"石油企业知识中心业务需求"部分提出了石油企业知识场景化服务需求。伴随大数据、智能化技术的发展，石油企业未来的知识管理更需要考虑在实际业务场景下，如何协同不同的业务、领域以及人员共同完成某些工作任务。所以，构建石油企业知识中心，实现知识管理场景化协同将成为石油企业智能化发展考虑的一个关键主题。

为了实现知识与业务的紧密融合，袁磊[①]提出了知识管理场景化协同的定义和基本模式（图 14-1）。场景化协同是在业务（任务）的核心目标导向下，综合不同的知识内容，协调不同角色的人员，共同完成某项具体工作，产出有价值的工作（知识）成果。

可见，在场景化协同中有三个关键要素：人员、知识和业务（任务）。要实现场景化的协同，需要明确三个圈层，由内到外，分别为业务（任务）圈层、知识圈层和人员圈层。

（1）业务（任务）圈层：是协同模型的核心。任何一项实际的业务工作都可以理解为任务导向，需要根据具体的工作目标，产出具体的工作成果。具体需要明确业务（任务）说明、业务（任务）要求和工作方式/方法三个方面的内容。

---

① 袁磊．【知识管理专题系列之三】知识管理的应用延展：场景化协同［EB/OL］．https://zhuanlan.zhihu.com/p/144243786（2020-05-28）［2022-01-01］．

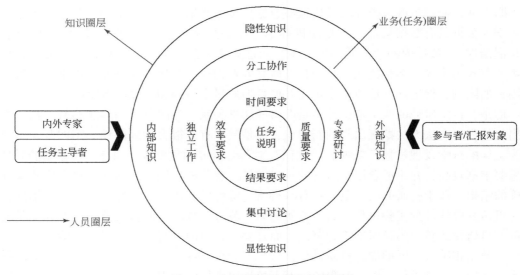

图 14-1　知识管理场景化协同模型

（2）知识圈层：是场景化协同的内容保障。特别是对于石油企业这样的知识密集型企业的勘探开发工作，要完成某项具体工作，离不开相关知识内容的支持，因此在不同的场景下，可以从知识来源和知识类型等不同角度，分析清楚与业务工作相关的知识内容是什么。

（3）人员圈层：是场景化协同的人员保障。任何一项油气勘探开发工作都有人的介入，对于勘探开发这样的知识密集型工作，更需要分析清楚人的具体分工及角色要求。因此，需要针对不同业务场景，确定存在哪些人员角色和具体的职责要求。

从场景化协同的角度，基于不同油气业务场景进行协同模式的界定与实践，其未来的演进有三种可能途径。

（1）协同任务向独立工作演进：通过自动化处理技术，未来有些需要协同完成的工作，可以基于标准业务场景模型，由任务主导者独立完成，从而缩短工作的完成时间，保证工作质量的稳定。

（2）分段业务协同模式固化为标准工作模式：通过业务流程执行的跟踪，以及场景的固化，未来的一些分段完成的业务工作可以固化为标准工作模式，明确参与人员的具体要求，形成针对某项业务的固化管理模型，减轻动态协同的复杂度。

（3）全业务/任务驱动下的协同：更广泛意义上的业务协同，可以加入业务流程自动化处理技术，将任务的自动处理与标准工作模式综合，从而在某些业务链条实现全业务的协同操作，将业务与知识进行全面的融合。

对数据/知识密集型油田企业的知识管理工作而言，要让知识管理工作有价值，必须改变"就知识谈管理"浅层次思考与实践状态。通过构建油田企业知识中心实现知识管理的场景化协同，这是知识管理在应用方面的一个延展，将大大促进企业智能化发展。不同的石油企业，有不同的业务要求、业务场景，可能没有一定之规，需要综合各种协同模式，在实际的业务工作中将人、知识与业务有效融合起来，真正实现业务驱动下的知识管理应用。

14.2 发展新技术应用，促进企业创新创效

人工智能催生新模式、新架构、新技术，据此构建石油企业知识中心，改变企业的生产方式和企业人员的行为模式和思维模式，促进企业智能化发展。

14.2.1 新模式

14.2.1.1 工业 APP

彼得·德鲁克在其著作《下一个社会的管理》中预见并深信"下一个社会"是知识社会，其核心资产不是物质，而是知识。因此，知识工作者是新时代的"知本家"，知识将成为推动社会发展的重要资源。如何把知识作为一种重要生产要素进行分配及管理？如何承载知识来产生生产力？德鲁克宏观地定义了知识是未来的"生产资料"，所有生产关系将随之改变；而马克·安德森微观地定义了软件作用，即软件作为知识的载体，将改变所有产业。软件承载了知识管理，并且对知识要素进行优化及配置，从而产生强大的生产力。

发生在当下的新一轮工业革命，是未来经济的生产要素——知识通过大数据、云计算、人工智能、工业互联网等各种"外化"形式不同的新型软件由虚到实的"物化过程"，促进了工业知识软件化过程。工业知识软件化能够推动知识泛化，让知识更好地被保护、更快地运转、更大规模地被应用，从而千倍万倍地放大知识的效应，进而支撑实现知识自动化。

朱焕亮与徐保文在《工业软件浅析》一文中对工业知识与工业软件进行了论述：工业知识一般主要分为方法、过程和装置三个要素。不同要素的工业知识软件化产生不同类型的工业软件。工业软件朝知识化发展，从通用工业知识到特定工业知识，从工业知识创造、加工、使用的分离到统一。工业软件的知识与软件两个要素发生变化，即工业知识软件化中的知识与软件化发生了变化，工业 APP 应运而生。工业 APP，全称工业互联网APP，是基于工业互联网，承载工业知识和经验，满足特定需求的工业应用软件，是工业技术软件化的重要成果。

工业 APP 是面向工业产品全生命周期相关业务（设计、生产、实验、使用、保障、交易、服务等）的场景需求，把工业产品及相关技术过程中的知识、最佳实践及技术诀窍封装成应用软件。其本质是企业知识和技术诀窍的模型化、模块化、标准化和软件化，能够有效地促进知识的显性化、公有化、组织化、系统化，极大地便利知识的应用和复用。

相对于传统工业软件，工业 APP 具有轻量化、定制化、专用化、灵活和复用的特点。用户因复用工业 APP 而被快速赋能，机器因复用工业 APP 而快速优化，工业企业因复用工业 APP 而实现对制造资源的优化配置，从而创造和保持竞争优势[①]。

---

① 中国工业技术软件化产业联盟. 工业互联网 APP 发展白皮书（2008 年）。

1）提升行业的制造水平

当你乘坐波音 787 感受飞行的便利时，你可以惊叹波音 787 在研制过程使用了超过 8000 款工业软件。但你可知道，在这些工业软件中，只有 1000 多款软件为商业软件，另有 7000 多款为波音自主研发、非商业化的工业 APP。波音通过几十年积累下来的各种飞机设计、优化以及工艺的工业技术和工程经验都集中在这 7000 多款工业 APP 中，这些成为波音的核心竞争能力。

"你可以花钱买到波音公司研制飞机用的各种商业软件，却买不来波音公司几十年积攒下来的工业知识（Know-how）和经验。所以我们目前研制不出像波音那样高水平的飞机。"中国工业技术软件化产业联盟总体组副组长、北京索为系统公司副总裁何强这番话体现了工业知识和经验的重要性。工业 APP 恰恰可以将工业知识和经验进行封装，实现规模化复用，从而提高企业智能制造水平。

2）提升个体的价值

在我国，相当多的工业从业人员从事着重复、低端、枯燥乃至危险的研发、操作、检测和检修等工作。智能制造的实施将使这部分从业人员的工作形式和工业内容发生根本性转变，逐渐离开生产一线，从而享有更好的工作岗位与劳动环境。将已有的工业技术转换为工业 APP，人的工作将从复杂的直接控制机器和生产资源转为轻松地通过工业 APP 控制机器，甚至是由工业 APP 自动控制机器，可以将人从枯燥、重复的体力劳动中解放出来，使其专注于更具价值的知识创造性工作。

3）提高企业的生产效率

通过使用工业 APP，企业可以以很低的成本享受先进的软硬件技术，具体是工业 APP 通过对生产车间进行监控，及时地发现一些机械可能会出现的故障，尽早修复可以减少企业在设备更新上的损失，从而大大减少企业的生产成本，提高企业生产效率。

4）增强信息化智能化管理

工业 APP 开发对企业来说有很多的用处，企业把采集到的设备数据储存到云平台上，通过云平台的模型下载模型算法，给数据分析端，可帮助企业智能化地管理企业的数据，有利于企业的发展，这也是工业 APP 开发和应用的意义。

14.2.1.2 知件/知件库系统

知件是由中国科学院数学与系统科学研究院陆汝钤院士在分析计算机软件的发展历史，综合知识工程的研究现状和成果，以及对基于 Web 的知识工程进行展望的基础上，提炼出来的一个概念。它指一个独立的、计算机可操作的、商品化的、可被某一类软件调用的只读知识模块（陆汝钤和金芝，2008）。从利用和管理的角度，知件可以看作一种知识的模块化封装机制。知件是把软件中的知识分离出来，使软件和知识成为两种不同的研究对象和两种不同的商品，促使硬件、软件和知件在 IT 产业中三足鼎立。

知件库系统，是由若干知件构建的集合，是用于辅助建立基于知识的系统的工具。知件库系统并不包含任何具体知识，而只是有基本的智能组件，使用者添加知识库和特定的系统模型就能够生成一个基于知识的系统。

知件库系统提供如搜索组件、分词组件、知识地图组件、决策组件等基本的智能组件。知件库系统的使用者只需把这些基本的智能组件按照他所需的系统要求连接起来，加上某一领域的知识库，就可以得到他所想要的基于知识的系统。与传统的知识库系统相比，这种知识的组织和管理方式有效地减少了知识管理和演化的代价；用户使用这些基本的组件可以构成更复杂的、他们所需要的应用系统，而知识库也根据用户的需要进行添加。

知件是可表示知识的封装，并通过统一规范的接口与软件交互，提高了知识的可共享性、可重用性和针对性，并支持以知识为中心的 IT 应用开发。由若干知件构成的知件库系统的使用者可以按需动态组织自己所需的知件（Lu，2005；Bell et al.，2009）。为此，施心悦等（2015）采用概念关系图表示知识，采用类似于本体的组织结构，将知识模块化地封装在知件中，并提出了知件库系统的总体结构图，如图 14-2 所示。

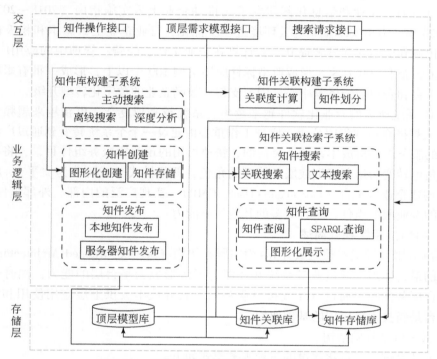

图 14-2　知件库系统结构（施心悦等，2015）

知件库系统自下而上分为 3 层，分别为存储层、业务逻辑层和交互层。

（1）存储层：主要包括知件关联库、知件存储库、顶层模型库。知件关联库用于存储表示知件之间关联度的关联度矩阵和关联图。知件存储库用于存储基于在线 Web 搜索自动获取的知件和用户手动录入的知件。顶层模型库用于存储构建知件关联图时所基于的顶层需求模型。

（2）业务逻辑层：主要包括知件库构建子系统、知件关联构建子系统、知件关联检索子系统。知件库构建子系统接收用户对知件的自定义操作，以图形化方式支持用户对知件中概念和概念之间关系的创建，并支持用户自定义知件的发布，进一步地，能够基于用户自定义知件模型，从在线 Web 资源中主动搜索相关知识内容并进行分析和融合。知件关联构建子系统接收用户自定义的顶层需求模型，实现知件之间关联度的计算和知件关联图的构建。知件关联检索子系统主要接收用户的搜索请求，支持与搜索请求匹配的知件的检索以及知件内部内容的查询。

（3）交互层：主要对业务逻辑层各模块的接口进行封装，为用户提供可直接访问的 Web 界面和 Web 服务接口。目前，知件库系统主要提供知件操作接口、顶层需求模型接口、搜索请求接口 3 个交互接口。

14.2.1.3 平台+应用

目前已进入云计算和大数据时代，5G 网络正在大规模部署，各种新技术和应用场景层出不穷。

2018 年 8 月，工业和信息化部印发了《推动企业上云实施指南（2018—2020 年）》，提出到 2020 年，力争实现企业上云环境进一步优化，行业企业上云意识和积极性明显提高，上云比例和应用深度显著提升，云计算在企业生产、经营、管理中的应用广泛普及，全国新增上云企业 100 万家，形成典型标杆应用案例 100 个以上，形成一批有影响力、带动力的云平台和企业上云体验中心。国家支持、鼓励企业的数字化转型升级。

企业 IT 系统所需的专业化软件越来越多、系统越来越复杂、更新越来越频繁。企业 IT 尤其是大规模企业或集团公司，应把工作重心由建设一个个系统转变到通过广泛引入内部或外部的服务组件形成丰富的、灵活的、快速可用的预配置服务组件目录，将以前以建设为主的角色转变为运营管理或服务管理的角色，即新模式（或可称为"平台+应用"模式）下，构建企业云平台（IaaS+PaaS+DaaS+CMP），实现广泛的内部、外部组件的融合，运用更多的专业服务组件，融合更多的其他领域能力。

1）"平台+应用"模式简述

"平台+应用"模式本质是云计算+面向服务架构（Service Oriented Architecture，SOA）关键思路的最终体现，通过业务系统共性能力下沉形成云平台层的能力，同时通过 SOA 思想将平台层共性能力通过 API 或接口服务的方式开放出去供上层应用使用和组装。可见，云平台是新技术新应用的基础架构。

（1）云平台是基础架构。

利用云计算进行信息化建设的三种服务模式如下。

第一，IaaS 层：Infrastructure-as-a-Service（基础设施即服务）提供给消费者的服务是对所有计算基础设施的利用，包括处理 CPU、内存、存储、网络和其他基本的计算资源。这些虚拟资源通常由大量服务器搭建形成的云基础设施提供。用户可以付费租用供应商提供的硬件设备，节省维护成本和办公场地。云服务供应商负责管理机房基础设施、计算机网络、磁盘柜、服务器和虚拟机，租户自己安装和管理操作系统、数据库、中间件、应用软件和数据信息。

第二，PaaS 层：Platform-as-a-Service（平台即服务）提供给消费者的服务是把客户采用提供的开发语言和工具（如 Java、python、.Net 等）开发的或收购的应用程序部署到供应商的云计算基础设施上去。这种模式可以分为两类：一类是将开发环境作为服务提供；另一类是业务定制。

第三，SaaS 层：Software-as-a-Service（软件即服务）提供给客户的服务是运营商运行在云计算基础设施上的应用程序，用户可以在各种设备上通过客户端界面访问，如浏览器、手机等。在该模式下，硬件平台的搭建、软件的维护管理以及后期的更新升级都由供应商提供并负责到底。

（2）"平台+应用"构成。

一个典型的基础平台应该包括技术平台、数据平台、中间件平台等方面的内容。技术平台重点是提供各种典型的非业务相关的技术服务能力，其中包括缓存、消息、日志、文件、任务、通知等，当然也可以包括常说的流程引擎平台；数据平台重点则是提供基础数据服务，如常说的 MDM 主数据平台，当然也可以是共享数据中心，提供静态+动态共享数据服务；中间件平台才是云平台中的 PaaS 技术平台，提供数据库和中间件资源池服务，提供应用托管和资源动态调度服务，从最传统的 CloudFoundry 等技术平台转变到当前以 Docker 容器+K8s 为核心的轻量化容器调度平台。

在大的应用架构里，需要在技术平台上构建业务应用。可以对业务应用部分进一步分层，即业务应用本身是由前端（台）应用+业务中台（共享服务）构建成的完整应用（图 14-3）。业务中台承载了企业核心关键业务，是企业的核心业务能力，也是企业数字化转型的重点。业务中台的建设目标是："将可复用的业务能力沉淀到业务中台，实现企业级业务能力复用和各业务板块之间的联通和协同，确保关键业务链路的稳定高效，提升业务创新效能。"中台由各个常见的中心组成，一般又分为两类，一类是以核心数据为中心形成的中台模块，如产品中心、订单中心、用户中心等；另外一类是以业务逻辑处理为核心形成的中台模块，如计费中心、结算中心、调度中心等。这两类中台模块提供完整的数据能力和业务规则逻辑处理能力，因此在这个业务中台上构建的前端应用更加轻量化。可见，中台其实是为前台而生的，它存在的目的是更好地服务前台，进而更好地服务客户，使企业真正做到自身能力与客户需求的持续对接，中台其实是把一些公共、通用的部分从前台业务中抽离出来，形成可复用的服务，从而让前台业务之间的信息互通，并增强服务能力。

图 14-3　业务应用分层结构

也就是说平台+应用构建模式可以分解为技术平台+业务中台+前端（台）应用。

需要努力地做到前端（台）应用尽可能轻量，前端应用只有足够轻量，才能够快速地响应业务需求的变化，前端不实现具体的业务规则，不管理数据，而只是对各种中台层提供的 API 服务能力接口进行组装和编排，以满足完整的业务流程和需求。

因此，传统企业 IT 应用和系统的架构方法将发生重大的转变，即先是构建完整的技术平台，提供最基础的共性技术能力，该技术平台既包括了设计态的技术开发框架和环境，又包括了运行态的技术服务能力提供、托管和运行环境提供等。技术平台构建完成后进行业务中台模块的构建，中台模块构建完成后进行前端（台）应用模块的构建。

"平台+应用"模式具有以下显著的优势。

（1）在"平台+应用"的模式中，平台提供框架和基础组件服务，核心架构自主掌控；应用基于平台组件能力快速构建。

（2）通过"平台+应用"的开放式研发体系，实现应用快速构建，支撑个性化和属地化创新，繁荣平台生态链。

（3）可以降低开发周期及开发难度，应用只需关注业务实现，分布式处理、应用框架、高可用等通用能力交由平台提供，代码自动生成。

（4）基础功能复用，开发规范、接口标准统一；核心基础能力稳定，外围应用灵活；不断沉淀技术和业务组件，扩充平台能力。

（5）平台提供计算、存储、数据库、框架等各类标准化服务。具有相应开发基础的人员，通过 5 ~ 10 天的培训，即可进行应用开发。

（6）平台以目前互联网普遍采用的服务和 SDK 方式对外开放服务，可以实现对合作伙伴无差别支持。

（7）平台从技术架构、数据模型、开发框架、测试部署等多个方面对应用进行约束，实现应用的标准化。

2）知识中心"平台+应用"模式

根据前面的分析，认为企业知识中心"平台+应用"模式应包括一个基础平台和一个门户应用。

企业知识中心典型的基础平台应该包括业务中台、知识中台、技术平台、IT 管控平台、云化基础设施平台，如图 14-4 所示。

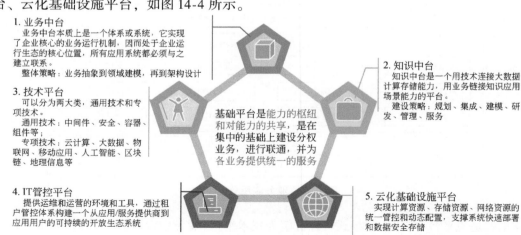

图 14-4　企业知识中心基础平台构成

（1）业务中台。

业务中台本质上是一个体系或系统，它实现了企业核心的业务运行机制，因而处于企业运行生态的核心位置，所有应用系统都必须与之建立联系。

整体策略：业务抽象到领域建模，再到架构设计。

（2）知识中台。

什么是知识中台呢？杜霸[①]认为知识中台是以知识图谱、搜索推荐功能、自然语言等技术为标准的中台体系架构，这一中台体系架构主要是依托灵活多变的组件形态、高效的生产型模式、应用型便捷链路模式、全链路的框架模式。

以中台思维建设企业知识中心，实施知识管理，核心价值在于通过知识管理中台能力的支持，可以快速、高效地应对前台服务场景提供灵活、精准的知识调用需求，这是因为知识中台可以带来以下好处。

第一，知识采集流程和知识信息的复用；

第二，同时为多个前台服务渠道和场景提供信息支持，让前台服务交付和创新更顺畅；

第三，避免重复工作，减少效率浪费；

第四，知识信息穿透共享，一点采集多渠道调用，各前台服务场景中的知识不再是孤岛；

第五，简单清晰的调用关系，保障知识信息一致性；

第六，基于服务体验的知识运营经验和方法沉淀与共享。

顾传喜[②]根据中台技术架构提出了知识中台架构，如图 14-5 所示。

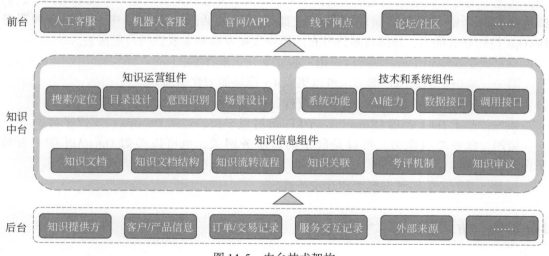

图 14-5　中台技术架构

①　杜霸. 数字化电商知识中台研究［EB/OL］. https://www.ccmw.net/article/179381.html（2021-09-16）［2022-01-01］.

②　顾传喜. 我们为什么需要知识中台［EB/OL］. https://www.sohu.com/a/468244281_121124360（2021-05-24）［2022-01-01］.

由此可见，知识中台为前台而生，以知识信息组件、知识运营组件和技术系统组件作为中台能力输出，保障知识后台信息资源高效、顺畅和一致地交付给前台服务场景，依赖更精准的解决方案驱动服务体验改善。其构成如下。

第一，知识信息组件：协同知识提供方，按知识采集流程收集知识文档、知识流转流程等，输出全方位、可复用的知识信息收集、加工和发布能力；

第二，技术和系统组件：向各类知识前台提供智能机器人训练和运营、知识信息调用接口、知识库前台功能和账号权限等服务；

第三，知识运营组件：向各类知识前台提供场景设计、精准搜索、意图识别、知识推荐等服务。

（3）技术平台。

技术平台提供两大类技术，即通用技术和专项技术。

通用技术：中间件、安全、容器、组件等。

专项技术：云计算、大数据、物联网、移动应用、人工智能、区块链、地理信息等。

（4）IT 管控平台。

提供运维和运营的环境和工具，通过租户管控体系构建一个从应用/服务提供商到应用用户的可持续的开放生态系统。

（5）云化基础设施平台。

实现计算资源、存储资源、网络资源的统一管控和动态配置，支撑系统快速部署和数据安全存储。

在基础平台搭建完成和彻底微服务模块化后，企业还需要提供一个完整的门户类应用，其他应用是在此基础上灵活组装出来的。因此，企业只需要构建一个完整的门户，后续构建的各个中台模块、前端应用模块都可以很灵活地加入门户中，即配合微服务 DevOps 持续集成能力，持续将最终发布的模块直接发布和集成到门户里面去。

要完成企业知识中心"平台+应用"模式，还需要注意：

第一，集中化的云门户能力，可以集成 4A 模块能力在里面。

第二，公共流程平台能力，提供对流程设计、运行和监控的统一管理。

第三，基于 Dock 容器+Kubernates 的 PaaS 轻量平台，包括 DevOps 的支撑平台。

第四，服务总线能力，可以是轻量的微服务网关，也可以类似 OpenAPI 能力开放平台。

第五，微服务架构开发框架和开发环境。

14.2.2　新架构

目前，主流操作系统主要包括 Windows、Linux、Android 和 iOS 等。同样，工业 APP 也需要运行在特定的操作系统中，这即工业互联网平台。

工业互联网平台定位于工业操作系统，是工业 APP 的重要载体，工业 APP 的存在支撑了工业互联网平台的智能化应用，可以说工业互联网平台的能力决定了工业 APP 的能力。

14.2.2.1 工业互联网平台

百度百科将工业互联网平台定义为面向制造业数字化、网络化、智能化需求，构建基于海量数据采集、汇聚、分析的服务体系，支撑制造资源泛在连接、弹性供给、高效配置的工业云平台。工业互联网平台是工业云平台的延伸发展，其本质是在传统云平台的基础上叠加物联网、大数据、人工智能等新兴技术，构建更加精准、实时、高效的数据采集体系，建设包括存储、集成、访问、分析、管理功能的使能平台，实现工业技术、经验、知识模型化、软件化、复用化，以工业 APP 的形式为制造企业提供各类创新应用，最终形成资源富集、多方参与、合作共赢、协同演进的制造业生态。

《工业互联网平台白皮书》（2017 版）给出了工业互联网平台的四个定位：一是传统工业云平台的迭代升级；二是新工业体系的"操作系统"；三是资源集聚共享的有效载体；四是打造制造企业竞争新优势的关键抓手。因此，对于工业互联网平台而言：数据采集是基础，工业 PaaS 是核心，工业应用层 APP 是关键。

工业互联网平台包括边缘层、平台层（工业 PaaS）、应用层（工业 SaaS）三大核心层级（图 14-6）。

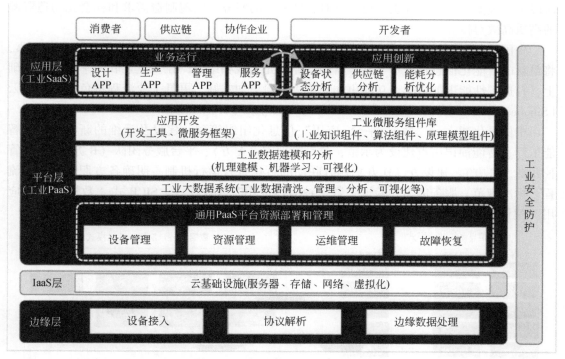

图 14-6　工业互联网平台功能架构

资料来源：《工业互联网平台白皮书》（2017 版）

工业互联网平台架构可以概括成以下四点。

（1）数据采集（边缘层）是基础，即要构建一个精准、实时、高效的数据采集体系，把数据采集上来，通过协议转换和边缘计算，一部分在边缘侧进行处理并直接返回到机器设备，一部分传到云端进行综合利用分析，进一步优化形成决策。

（2）工业 PaaS（平台层）是核心，即要构建一个可扩展的操作系统，为工业 APP 应用开发提供一个基础平台。

（3）工业 SaaS（APP 应用层）是关键，即要形成满足不同行业、不同场景的应用服务，并以工业 APP 的形式呈现出来。

（4）IaaS 层是支撑，即通过虚拟化技术将计算、存储、网络等资源池化，向用户提供可计量、弹性化的资源服务。

14.2.2.2　油气工业互联网平台——石化智云

伴随着以云计算、大数据、移动互联网、物联网等为代表的新一代 ICT 技术的迅猛发展，全球兴起了以智能制造为代表的新一轮产业变革，引发了全球产业竞争格局的重大调整。

智能制造是推动我国流程工业向高端、绿色、服务方向发展，实现由大变强的必由之路。迫切需要将智能制造与云生态相结合，构建工业云体系，融合先进制造技术和互联网、云计算、物联网、大数据等 IT 技术，以工业云平台为载体，通过虚拟化、服务化和协同化等技术手段，汇聚分散的、异构的制造资源和制造能力，在制造全生命周期的各个阶段中，根据用户需求提供优质、及时、低成本的服务，实现制造需求和社会化制造资源的高质高效对接。

中国石化在智能工厂成功试点并取得良好应用效果的基础上，经过多年的不断探索，将最新的智能化信息化技术与其丰富的行业领先实践相结合，在工业互联网平台架构基础上，打造了性能更加卓越、功能更加完善、体验更加友好、更具工业流程特色的石化智云（Sinopec Intelligent Cloud Industry Internet，SICII）。

中国石化建立了"数据+平台+应用"信息化组织管理、建设及运维的新模式，以智能工厂、智能油田试点建设为示范，建设管理方（A 方）、平台服务团队（B 方）、质量管控团队（C 方）、建设方（D 方）四方联动的石化智云运行机制，明确各方职责、工作流程、标准规范、服务能力，验证"数据+平台+应用"建设模式。SICII 式"数据+平台+应用"建设模式有别于传统信息系统建设模式（图 14-7），具有以下好处。

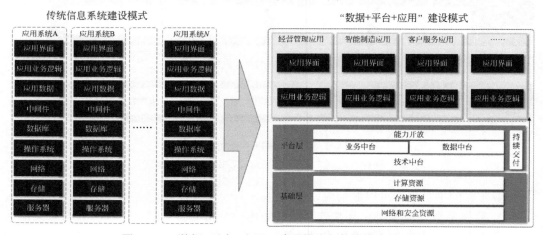

图 14-7　"数据+平台+应用"建设模式与传统模式的比较

1）利于积累数据、形成集团级数据资产

中国石化包括油气勘探开发、油气储存运输、炼化销售和工程建设等板块，各板块数据标准、数据质量差异较大，缺乏集团级统一的数据资产管理和数据服务，数据资产利用效率很低。通过"数据+平台+应用"建设模式，建设涵盖油气勘探开发、油气储存运输、炼化销售和工程建设等业务领域的集团级数据湖和大数据资产平台，提供各类数据服务，并实现一线业务人员对数据的自助分析应用，完成数据赋能。

2）消除"信息孤岛"、避免重复建设

中国石化信息化建设起步较早，以往的建设模式是下属各企业根据各自的需求建立众多数据库、应用系统等，集团缺乏统一的规划和总体的企业架构，存在某些系统出现交叉重叠、某些系统缺失的问题；这种"烟囱式"的建设方式，不灵活，低效率，难以维护和管理，更难以集成。通过"数据+平台+应用"建设模式，构建集团级统一的 IT 架构，能够将跨部门、跨企业的零散的流程优化进一个集成的环境，消除"信息孤岛"，避免 IT 系统重复建设。

3）降低技术多样性、促进标准化统一

中国石化下属企业信息系统以往的建设方式都是各自为政，数据、平台和应用建设标准和采用的技术不统一，难以集成和管理。通过"数据+平台+应用"建设模式，集团采用统一的 IT 技术和建设标准，提供统一的开发环境、统一的标准化技术服务、可复用的工业 APP 应用商店、个性化定制的应用门户等，实现了业务数据化、平台赋能、生态落地、敏捷迭代，以加速企业数字化转型。

石油企业应用工业互联网进行数字化转型升级，离不开工业互联网平台的支撑。工业互联网平台通过构建应用开发环境，借助微服务组件和工业应用开发工具，帮助用户快速构建定制化的工业 APP。所以，石油企业知识中心构建尤其是知识服务平台需要采用成熟的工业互联网新架构，如石化智云，开发工业知识 APP（图 14-8）。

（1）油气知识形成工业微服务，支持无专业知识的开发者按照实际需求以"搭积木"的形式进行调用，高效地开发出面向石油行业、勘探开发场景的工业 APP。

（2）支持多种开发工具和编程语言，图形拖拽开发、API 高级开发等，极大降低知识中心的建设难度和成本，提高建设效率，为个性化开发与社会化众包开发奠定基础。

（3）依托工业互联网平台体系架构，将众多的石油企业快速开发的许多小型知识 APP 组合在一起，就能够组织起一个个庞大的知识应用场景。

14.2.3　新技术

工业互联网的关键核心技术主要涵盖"一硬（工业控制）+一软（工业软件）+一网（工业网络）+一安全（工业信息安全）"四大基础技术，"边缘智能+工业大数据分析+工业机理建模+工业应用开发"四大关键技术，以及"开源平台+开源社区"两大"撒手锏"技术。

采用工业互联网架构的石油企业知识中心涉及的主要新技术包括：数据集成与边缘处理技术、应用开发和微服务技术、平台使能技术。

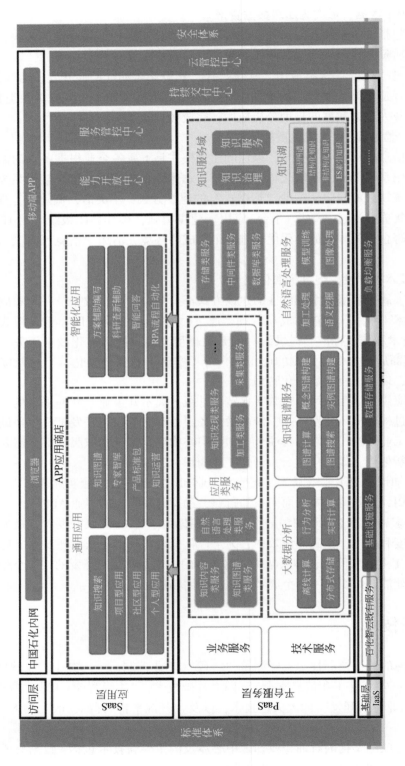

图14-8 知识中心整体架构示例

14.2.3.1 数据集成与边缘处理技术

石油企业知识中心平台按层级分底层是边缘，此层是通过大范围、深层次的数据采集，以及异构数据的协议转换与边缘处理，构建平台的数据基础。其功能一是通过各类通信手段接入不同设备、系统和产品，采集海量数据；二是依托协议转换技术实现多源异构数据的归一化和边缘集成；三是利用边缘计算设备实现底层数据的汇聚处理，并实现数据向云端平台的集成。

2020 年全世界有多达 250 亿的智能设备连接互联网，如此多的设备产生 50 万亿 GB 的数据，这相当于 2015 年全球数据量的 5 倍多。如果将这些设备产生的数据全部传输到云端，对网络带宽、网络流量成本控制、云端存储能力都是一个巨大的挑战。同时，一些应用需要及时响应，如工厂的机械设备的故障预测，时延即意味着损失。另外，一些边缘设备还涉及个人隐私和安全。为了应对物联网场景中海量数据传输、存储和云计算能力的挑战，领先的云计算厂商纷纷推出边缘计算的产品。将部分数据分析功能，放到了应用场景的附近（终端或网关）来实现，这种就近提供的智能服务可以满足行业数字化在敏捷连接、实时业务、数据优化、应用智能、安全与隐私保护等方面的关键需求。

知识中心边缘计算需要基于高性能计算芯片、实时操作系统、边缘分析算法等技术支撑，在靠近设备或数据源头的网络边缘侧进行数据预处理、知识提取、存储以及智能分析应用，提升操作响应灵敏度、消除网络堵塞，并与云端分析形成协同。

14.2.3.2 应用开发和微服务技术

石油企业知识中心服务平台构建所需的通用 IT 功能已有大量成熟商业化方案和开源工具，平台企业应加强对现有技术的集成与使用。平台架构应向资源灵活组织、功能封装复用、开发敏捷和高效加速演进。

1）容器、微服务技术

微服务是一种用于构建应用的架构方案。微服务架构与传统的单体式方案不同，可将应用拆分成多个核心功能。每个功能都被称为一项服务，可以单独构建和部署，这意味着各项服务在工作（和出现故障）时不会相互影响。这些服务的集中管理最少，可以用不同的编程语言编写，并使用不同的数据存储技术。

容器是一个标准化的软件单元，它将代码及其所有依赖关系打包，以便应用程序从一个计算环境可靠、快速地运行到另一个计算环境。Docker 容器镜像是一个轻量的、独立的、可执行的软件包，包含程序运行时所需的一切：代码、运行时间、系统工具、系统库和设置。

微服务架构+容器技术相辅相成，两大技术成熟的时间点非常契合。容器技术的成熟为微服务提供了得天独厚的客观条件。轻量化的容器是微服务的最佳运行环境，微服务应用只有在容器环境下才能保障运维效率的提升。同时，微服务应用架构对外在组件的管理会变得困难，需要用容器平台去管理中间件，才能发挥出更大价值。

2005 年，一些 CORBA 技术专家组成的 ZeroC 公司发布了全球第一个公开发行的、支持多语言的、功能完备的微服务架构基础平台 IceGrid。在 IceGrid 之后，比较有影响力的开源微服务架构框架有 Dubbo 与 Spring Cloud，两者都是 Java 语言体系内的微服务框架，并不支持其他语言。与 IceGrid 相比，其完备性还达不到平台的高度，目前只能被称为框架。

在 Spring Cloud 之后成功的微服务架构基本都与容器技术挂钩，其中最成功、影响也最大的当属 Kubernetes 平台，与之相似的还有 Docker 公司推出的 Docker Swarm（在 2017 年底，Docker Swarm 也支持 Kubernetes 了）。

从长期看，各类功能组件的解耦，推动模型、数据、微服务进一步向平台下沉，逐步形成业务服务体系，为应用开发提供更好支持。

2）新型集成技术

石油企业知识中心利用新型集成技术将有效提升平台功能复用效率。

云中间件技术强化传统工业软件与平台应用的数据交互，使二者能够共同支撑企业业务决策。MindSphere 整合 MindConnect Integration 集成中间件，推动平台与 PLM、ERP、MES 等软件，以及 Salesforce CRM 等 SaaS 服务的数据集成，支撑企业进行跨系统业务创新应用的开发。与之类似，ThingWorx Navigate 等商业工具，以及 Apache Sqoop 等开源工具也均能支持企业原有信息系统与平台应用的集成。

集成技术发展推动平台功能由"内部调用"走向"多云集成"。当前很多平台基于 REST API 技术实现平台内功能组件的集成，构建工作流，提升功能复用效率。Predix 将数据管理、运维、分析等几类核心服务整合为工作流，目前已形成 17 个预置模板，支持资产管理、时序数据管理等应用的快速构建。MindSphere 基于 Visual Flow 工作流调用工具，实现对异常检测、事件分析、信号计算等功能的快速复用。未来 OpenAPI 技术将推动平台间的功能调用与集成。将平台内部的 REST API 以 OpenAPI 的形式对外开放，能够有效促进平台间的功能集成。目前，Salesforce IoT Cloud 使用 OpenAPI 规范定义平台接口，未来随着更多平台支持 OpenAPI，类似 Anypoint、Cloud Elements 的 API 集成平台有望重构跨平台应用集成方式。

3）DevOps 和低代码技术

在数字化进程不断加快的今天，油田企业面对的是一个复杂的环境，交付要更快、架构要更灵活、人员还要更精简。所以必须变革应用开发流程，提升开发效率。

（1）DevOps。

20 世纪 90 年代，软件公司发现通过实施敏捷开发可以极大地改善解决方案的开发效率，并提高质量。在 20 世纪和 21 世纪之交，敏捷开发使许多传统的笨拙的开发团队实现了盈利。

虽然敏捷开发大幅提升了软件开发的效率和版本更新的速度，但是它的效果仅限于开发环节。而运维环节的要求是"稳定压倒一切"，非常排斥"改变"，这成了敏捷开发新的瓶颈。所以，专业化的软件公司为了使公司脱颖而出，需要进一步优化敏捷开发，使敏捷开发不仅覆盖软件开发，还侧重于部署和运维——这种需求催生了 DevOps。

DevOps 是将软件开发和 IT 运维结合在一起的一组实践，可以缩短向最终用户提供功能、修复和更新的周期，同时保持解决方案的可靠性、可扩展性和安全性。DevOps 更好地了解应用投产后管理，然后利用这些知识和信息以快速迭代的方式，改善用户体验。相反，传统的软件开发过程需要对用户最受益的功能和优化进行事前预测和事后验证。

有两个词经常会伴随着 DevOps 出现，那就是 CI 和 CD。CI 即 Continuous Integration（持续集成），而 CD 对应多个英文，常见的有 Continuous Delivery（持续交付）或 Continuous Deployment（持续部署）。

DevOps 技术进一步提升平台应用开发效率，GE Predix 集成 Jenkins 等持续集成与交付工具，推动应用自动构建、测试、部署，缩短从工业 APP 代码编写到应用上线的时间。华为云提供了打通研发态、运行态和运维态的 DevOps 平台——DevCloud HE2E，它实现了端到端 DevOps 的全覆盖，从理论上覆盖了"规划与设计、计划与跟踪、迭代开发、持续交付"四大关键领域，从而支持从需求、设计、开发、构建、测试、部署、运维、反馈再回到需求，形成完整闭环，串联起端到端一站式开发的方法论和工具链。

（2）低代码技术。

随着人工智能、物联网、区块链等领域飞速发展，传统行业尤其是石油企业在向互联网化转型的过程中，对软件技术的要求越来越高，软件实现越来越复杂，软件构建技术难度以指数级增长。这导致企业业务应用平台建设投资大、0-1 构建难、1-N 复制难等问题。与此同时，市场对于应用开发的需求也在与日俱增。

与之相矛盾的是，软件开发效率却难以像摩尔定律一样快速提升。开发者被繁重、重复的代码绊住了手脚，非开发人员被挡在开发工具、平台的高门槛之外。此外，现实中的诸多不确定因素也让软件开发成果与工作量投入不成正比，包括人员之间的沟通协作、业务的灵活多变、业务与技术之间的鸿沟、软件工程师技能差异等。

在这一背景下，低代码开发以其可视化、快速便捷、结构化的形式特征成为软件开发的新趋势，并进一步降低了平台应用开发门槛。

低代码，是一种可以让开发者依托平台快速搭建企业信息化系统的工具，在这一过程中，使用者只需要少量的代码编写，其他的大部分工作都是通过可视化的拖拽、点选完成（如图形化编程）。

而低代码开发平台，则是一种高生产力的开发方式，它的好处就在于：可以减少开发人员的需求、缩短开发时间、成倍提高效率。相关数据显示，使用低代码的开发效率是传统方式的 3～8 倍。

近年来，国内外科技巨头纷纷加入了低代码开发平台的赛道。西门子 MindSphere 平台基于低代码开发工具 Mendix 支持模型驱动的开发方式，简化应用开发流程。PTC ThingWorx 集成 Mashup Builder 低代码开发环境，积累 60 多个预置可视化功能组件，支撑应用快速构建。IBM Watson IoT 平台基于低代码开发工具 Digital APP Builder，简化机器学习、图像识别组件开发流程。华为公司推出了集"平台+资产+生态"于一体的应用魔方 AppCube 低代码云化应用开发与运行平台，为开发者提供了大量的页面组件、流程编排工具 BPM、模型编排工具、基线应用模板，并将复杂的服务，如 AI 服务、视频服务、GIS 服务、城市信息模型 BIM 服务、IoT 等服务对外开放，就如同魔方一样，可以通过任意组合，排列各种模块化元素，创建功能各异的应用。

14.2.3.3 平台使能技术

1）资源调度

云资源调度是云计算的关键技术，业内许多大型企业和相应的研究机构，都基于自己的基础设施和业务相关的技术推出了资源使用方式各不相同的资源管理调度模型（王梅，2013），如 IBM Tivoli 产品内嵌的专用资源调度模型和谷歌的 Map/Reduce 资源调度模型。这两种模式都是高效的资源管理方式，但也存在着调度算法比较简单、方式单一、不能适应动态的网络环境等不足。

目前，针对云环境中资源调度的研究主要集中在资源调度目标策略的研究和云计算资源调度优化算法两方面。

目前，资源调度目标策略的研究主要关注云计算资源的两方，分别是云计算用户方和资源服务提供方。从不同的角度出发，资源调度目标就会产生不同的调度目标。站在用户角度，资源调度目标一般是考虑用户服务质量和任务完成时间。当用户申请资源服务时，就会关心自己的任务能否得到有效的执行，同时服务质量是一个商业概念，当云计算和商业结合，用户就会从商业服务的角度考虑自己的服务要求。任务完成时间是指用户任务执行的时间跨度，用户任务会在云计算平台被划分成多个子任务并行处理，执行时间跨度是云计算平台性能的重要指标。资源服务提供方考虑云计算系统资源节点的负载均衡和云服务的总体经济效益等。资源节点的负载均衡关系资源的有效使用率、云计算中心能耗以及云计算系统的稳定性，同时它也是用户任务质量的保证。经济效益是服务商在满足用户服务质量情况下，考虑自己的成本问题的一种资源调度目标。资源调度的目的同时也是为双方利益的考虑，如提高资源使用率、减少资源不合理使用带来的花费。寻找合理的调度目标与策略是资源调度的一个重要研究方向，新型的调度目标和资源调度策略在近些年都得到了有效的研究（林伟伟和齐德昱，2012；钟猛，2015）。

云计算资源调度优化算法同样是资源调度的热点问题，优化算法优劣决定了资源调度目标的质量。传统计算模式的调度算法不能很好地适应云计算资源环境，近些年，智能优化算法应用于资源调度的优化，如遗传算法、蚁群算法、粒子群算法以及此类算法的改进形式，新型的智能启发式算法能较好地解决资源调度类复杂的优化问题。由于云计算资源的异构复杂和用户任务海量资源特征各异等特性，高效智能算法不仅能提高任务分配和资源调度的执行效率，更能取得更优资源调度目标的期望。

总之，使用资源调度技术，通过实时监控云端应用的业务量动态变化，结合相应的调度算法为应用程序分配相应的底层资源，从而使云端应用可以自动适应业务量的变化。

2）多租户管理

多租户管理技术，是云平台使能技术之一，通过虚拟化、数据库隔离、容器等技术实现不同租户应用和服务的隔离，保护其隐私与安全。

多租户技术或称多重租赁技术，是一种软件架构技术，它是在探讨与实现如何于多用户的环境下共用相同的系统或程序组件，并且仍可确保各用户间数据的隔离性。

在多租户技术中，租户是指使用系统或计算资源的用户，包含在系统中可识别为指定用户的一切数据，如在系统中创建的账户与统计信息，以及在系统中设置的各式数据和用户所设置的客户化应用程序环境等，都属于租户的范围。

多租户的资源是按照服务请求，动态创建的。租户租借计算资源是和服务提供商签订的服务协定，有一定的时间限制（租户可以任何时候、任何地点来申请或取消对计算资源的使用）。服务提供商必须按照协定动态地进行部署，以满足租户的需求。

租户间共享资源越多，基础资源的利用率越高，单位资源成本越低，租户间隔离性越差。

14.3 产生新业态，促进企业释放知识红利

2017 年，是中国互联网知识经济的元年。由于人们对知识的焦虑与渴求，大批面向个人的各类收费知识产品和互联网平台涌现，并导致产业结构的变化。由于互联网平台的加入，产业结构变成了"知识生产者—互联网知识平台—知识消费者"的平台型产业格局。

电子商务、广告竞价、应用分成、金融服务、专业服务、功能订阅等互联网平台经济模式大部分在工业互联网平台中也会出现（方军，2017）。但石油企业知识中心主要通过知识服务与交易平台面向消费者提供个性化知识服务，并收取费用来获取商业收益。因此，不同于消费互联网以电子商务、广告竞价、应用分成等为主流模式，知识中心知识服务与交易平台现阶段将以知识付费交易、知识服务和智能产品等为最主要商业模式。

14.3.1 知识付费交易

按照知识交易的最终用户类型，分为个人消费者（To C）、企业用户（To B）和政府（To G）三种。

14.3.1.1 个人消费者

2016 年，各类付费知识产品在中国互联网上兴起，它们主要是面向个人的知识产品与服务，如线上预约、线下见面咨询的在行。在行是一款口碑好但从未真正大众化的产品，因为线下见面这种方式在知识传递上有效，但过重、难以规模化。然而，某种意义上，正是在行的付费知识分享带来如今的整个知识付费浪潮。知识付费交易的主要产品如下。

1）把知识打包封装为商品

将此商品售卖给知识消费者，有多种形态：得到创造了付费订阅专栏；喜马拉雅售卖音频；一些微信自媒体把专栏和课程结合起来；教育机构把原本直播或录播的课程变成没有老师学生交互的音频专栏等。

2）线上的单次讲座、系列课程、训练营等教育产品

采取教育业务的逻辑，为用户提供线上的各种教育产品，如知乎 Live、微信群大量举办的群语音分享等在线讲座；大量教育科技有限公司的在线培训等。这些产品从名称上看就带着教育的性质，如吴晓波频道的晓课堂、十点读书的十点课堂，得到推出的北大经济学课、清华管理，以及豆瓣推出的诗歌课、白先勇细讲红楼梦等。

3）知识社群

知识社群重视人的连接、关系。例如，小密圈、小鹅通的小社群，得到、喜马拉雅等

也都推出了附属的在线社区产品。如果以学习作类比，这可能意味着，从向书学习，变成上课，再变成拜师。在知识社群教与学的互动中，知识生产者可以用它来建立自己的知识创造型社群

4）帮用户解决问题

为用户提供能协助解决问题的互联网工具，甚至通过互联网直接帮用户解决问题。

14.3.1.2　企业用户

面向企业用户提供知识付费交易服务，企业可以向平台发布知识需求/任务悬赏，由平台进行供需对接，或者由个人或组织进行任务揭榜；企业也可以通过平台提供的知识搜索应用，找到自己需要的知识进行购买；同时平台可以作为潜在揭榜人，向企业提供知识服务。

14.3.1.3　政府用户

面向政府用户提供知识付费交易服务，内容生成者主要是平台的内容运营团队，提供类似"智库"的服务，提供政府感兴趣的特定专题/主题的知识，如房地产信息、工业互联网产业信息等。

14.3.2　知识服务

专业服务是当前互联网平台企业最主要的盈利手段，基于平台的系统集成是最主要的服务方式。

14.3.2.1　咨询服务

向客户提供知识工程、知识中心建设总体规划咨询服务与专项咨询服务。总体规划咨询服务将结合客户战略、现状、内外部环境等，提出总体蓝图、推进路径、实施计划等；专项服务包含知识工程、知识中心建设环节所包含内容的咨询，提供基于数据与知识驱动业务智能化交互与应用的专项方案，如知识体系设计咨询。

14.3.2.2　实施服务

向客户提供咨询内容中涉及的具体实施服务，包括但不限于内外部数据采集服务、多源异构数据加工服务、知识库与知识图谱构建服务、智能应用模块/产品开发服务等。

14.3.3　智能产品

既可以向客户提供基于 VR 的知识共享应用智能终端产品，也可以提供多源异构数据采集加工的智能工具产品。

终端产品主要是指知识 VR 可视化共享应用的产品，其载体主要有眼镜、头盔、一体机等形式，这些智能产品成为用户的智能化业务助手或生活助手。例如，可提供基于 VR

的井筒异常分析处理助手，VR 技术为钻井人员提供一个可以简单、直观地浏览和查询资料的工具，帮助他们可以快速地识别钻井问题，推荐解决方案，及时地做出更好的决策，有效地预防和处理井下复杂的事故。

工具级产品包括数据采集工具、知识加工工具、图谱构建管理工具等。

参 考 文 献

安小米. 2013. 国外智慧城市知识中心构建机制及其经验借鉴 [J]. 情报资料工作, (4): 31-35.

常亮, 张伟涛, 古天龙, 等. 2019. 知识图谱的推荐系统综述 [J]. 智能系统学报, 14 (2): 207-216.

陈强, 廖开际, 奚建清. 2006. 知识地图研究现状与展望 [J]. 情报杂志, (5): 43-36.

陈先昌. 2014. 基于卷积神经网络的深度学习算法与应用研究 [D]. 杭州: 浙江工商大学.

陈彦光, 刘海顺, 李春楠, 等. 2019. 基于刑事案例的知识图谱构建技术 [J]. 郑州大学学报 (理学版), 51 (3): 85-90.

崔阳阳. 2016. 面向精准问答的数据处理的设计与实现 [D]. 北京: 北京邮电大学.

丁蓉. 2012. 自动语义标注方法研究 [D]. 兰州: 兰州理工大学.

丁祥武, 解书亮, 李继云. 2017. 基于 Spark 的并行 ETL [J]. 计算机工程与设计, (9): 2580-2585.

方军. 2017. 付费: 互联网知识经济的兴起 [M]. 北京: 机械工业出版社.

高龙, 张涵初, 杨亮. 2018. 基于知识图谱与语义计算的智能信息搜索技术研究 [J]. 理论与探索, 41 (7): 42-47.

高志亮, 付国民, 等. 2017. 数字油田在中国——油田数据学 [M]. 北京: 科学出版社.

桂卫华, 陈晓方, 阳春华, 等. 2016. 知识自动化及工业应用 [J]. 中国科学 E 辑: 信息科学, 46 (8): 1016-1034.

何生厚, 肖波, 毛锋. 2005. 石油企业信息化技术 [M]. 北京: 中国石化出版社.

黄恒琪, 于娟, 廖晓, 等. 2019. 知识图谱研究综述 [J]. 计算机系统应用, 28 (6): 1-12.

黄焕, 元帅, 何婷婷, 等. 2019. 面向适应性学习系统的课程知识图谱构建研究 [J]. 现代教育技术, 29 (12): 89-95.

蒋维, 郝文宁, 杨晓恝. 2008. 军事训练领域核心本体的构建 [J]. 计算机工程, 34 (5): 191-193.

靳晶晶. 2016. 基于图数据库的产品评论情感分析与个性化推荐的研究 [D]. 昆明: 云南大学.

李蓓蕾, 朱玉双, 张翠萍, 等. 2013. PETREL 软件在油藏三维可视化地质建模中的应用 [J]. 地下水, 35 (2): 132-134.

李朝光, 张铭, 邓志鸿, 等. 2002. 论文元数据信息的自动抽取 [J]. 计算机工程与应用, (21): 189-191, 235.

李剑峰, 肖波, 肖莉, 等. 2020. 智能油田 [M]. 北京: 中国石化出版社.

梁林梅, 孙俊华. 2011. 知识管理 [M]. 北京: 北京大学出版社.

林龙凤. 2015. 国企知识管理的考核和激励机制研究——以电力企业为例 [J]. 经管空间, (8): 52-54.

林伟伟, 齐德昱. 2012. 云计算资源调度研究综述 [J]. 计算机科学, 39 (10): 1-5.

刘浏, 王东波. 2018. 命名实体识别研究综述 [J]. 情报学报, 37 (3): 329-340.

刘峤, 李杨, 段宏, 等. 2016. 知识图谱构建技术综述 [J]. 计算机研究与发展, 53 (3): 582-600.

刘希俭. 2008. 中国石油信息化管理 [M]. 北京: 石油工业出版社.

刘万伟, 刘瑞超, 张鸣歌. 2019. 石油勘探开发知识管理技术研究与应用 [J]. 大庆石油地质与开发, 6 (13): 290-293.

陆汝钤, 金芝. 2008. 从基于知识的软件工程到基于知件的软件工程 [J]. 中国科学 E 辑: 信息科学, 38

（6）：843-863.

迈克-舍恩伯格 V，库克耶 K．2013．大数据时代［M］．杭州：浙江人民出版社．

欧阳辉，禄乐滨．2010．基于 SVM 的论文元数据抽取方法研究［J］．电子设计工程，18（5）：4-7.

欧阳智，魏琴，肖旭．2017．人工智能环境下的知识管理：变革发展与系统框架［J］．图书与情报，（6）：104-111.

潘文国．2008．从哲学研究的语言转向到语言研究的哲学转向［J］．外语学刊，（2）：17-21.

漆桂林，高桓，吴天星．2017．知识图谱研究进展［J］．情报工程，3（1）：4-25.

祁国晟，刘激扬，薛小渠．2021．知识自动化加速传统产业智能化转型［J］．人工智能，（2）：77-88.

覃晓，廖兆琪，施宇，等．2020．知识图谱技术进展及展望［J］．广西科学院学报，16：23.

任建．2012．知识管理在电子政务中的应用研究［M］．济南：山东大学出版社．

沈贻炜．2012．影视剧创作［M］．杭州：浙江大学出版社．

施荣明，赵敏，孙聪．2009．知识工程与创新［M］．北京：航空工业出版社．

施心悦，鲁扬扬，李戈，等．2015．按需动态组织的知件库系统［J］．计算机科学与探索，9（6）：660-668.

宋建武．2018．智能推送为何易陷入"内容下降的螺旋"智能推送技术的认识误区［J］．人民论坛，6：117-119.

孙世光．2013．油田勘探开发业务模型可视化技术研究［D］．大庆：东北石油大学．

唐博．2009．中国石化勘探开发业务模型及数据元标准化研究与设计［D］．北京：中国石油大学．

滕沛超．2014．浅析石油勘探开发行业的特点及要求［J］．消费导刊，（3）：174.

王红梅，李鹏翔．2016．知识型企业的研究与组织设计［J］．中国商论，（13）：168-171.

王洪礼，韩殿杰，常冠华．2012．大庆油田勘探知识管理实践［J］．信息技术与标准化，（5）：63-65，72.

王梅．2013．云计算环境中的资源调度策略研究及仿真分析［D］．金华：浙江师范大学．

王向前，桂冬冬，李慧宗．2019．面向文本的本体自动构建研究综述［J］．图书馆理论与实践，（4）：45-50.

王晓群，李妍楠，闫建文．2017-07-27．低景气周期下寻找"发现"之路［N］．中国石油报，第二版．

韦波．2010．浅议知识管理与信息资源管理的差异与联系［J］．河南图书馆学刊，（1）：46-48.

文必龙，张莉．2009．石油勘探开发领域本体的构建方法研究［J］．计算机工程与应用，45（34）：2.

吴庆海，王猛，夏敬华．2015．知识+实践的秘密［M］．北京：世界知识出版社．

吴冲龙，刘刚．2019．大数据与地质学的未来发展［J］．地质通报，38（7）：1081-1088.

项亮．2012．推荐系统实践［M］．北京：人民邮电出版社．

肖波，景帅，吴建军，等．2012．基于模型驱动的中国石化企业数据中心模型架构［J］．大庆石油学院学报，36（1）：78-82.

肖敏．2013．基于技术创新的石油勘探企业知识管理研究［D］．成都：成都理工大学．

徐玉萍．2011．元数据在知识管理中的应用［J］．辽宁师范大学学报（社会科学版），（34）：129-130.

徐增林，盛泳潘，贺丽荣，等．2016．知识图谱技术综述［J］．电子科技大学学报，45（4）：589-606.

野中郁次郎，绀野登．2019．创造知识的方法论［M］．马奈，译．北京：人民邮电出版社．

于洁．2017．基于 Spark 和 DN-gram 模型的定义抽取研究［J］．北京信息科技大学学报（自然科学版），32（4）：64-68，74.

昝红英，窦华溢，贾玉祥，等．2020．基于多来源文本的中文医学知识图谱的构建［J］．郑州大学学报（理学版），52（2）：45-51.

曾涛，张弼弛．2019．国际油服公司数字化转型经验与启示［J］．国际石油经济，27（7）：39-48.

张波，徐晓林．2007．城市政府知识中心的管理研究［J］．电子政务，（11）：35-41.

张昊天．2013．西门子公司的知识管理［J］．企业改革与管理，（8）：66-68.

张凌．2018．智能时代的银行知识管理［M］．武汉：武汉大学出版社．

张智雄，吴振新，刘建华，等．2008．当前知识抽取的主要技术方法解析［J］．现代图书情报技术，（8）：2-11.

赵安顺．2001．论知识经济社会生产要素的转变［J］．经济师，（9）：232-233.

赵万明．2010．从信息管理到知识管理——企业核心竞争力的嬗变［J］．未来与发展，（4）：51-53.

郑凯洲．2016．勘探开发一体化业务模型的分析方法及应用［J］．中国矿业，25（z1）：167-171.

中国石化石油天然气勘探开发数据模型标准研究与建设项目组．2008．中国石化石油天然气勘探开发数据模型标准研究与建设项目报告［R］．北京．

钟猛．2015．云计算资源调度研究及改进［D］．赣州：江西理工大学．

周瀚章，冯广，龚旭辉，等．2018．基于大数据的 ETL 中的数据清洗方案研究［J］．工业控制计算机，31（12）：108-110.

周伟，谭振江，朱冰．2018．基于差分进化算法的大数据智能搜索引擎研究［J］．情报科学，36（5）：85-89.

周元，史晓凌，景帅．2020．AI 时代的知识工程［M］．北京：科学出版社．

竹内弘高，野中郁次郎．2006．知识创造的螺旋——知识管理理论与案例研究［M］．北京：知识产权出版社．

Schreiber G．2003．知识管理与知识工程［M］．史忠植，等译．北京：机械工业出版社．

Banko M，Cafarella M J，Soderland S，et al. 2007. Open Information Extraction from the Web［C］. Proceedings of the 20th International Joint Conference on Artificial Intelligence（IJCAI2007）．

Bell D，Jiang Y，Lu R，et al. 2009. Knowware：the third star after hardware and software［C］//LNCS 5914：Procee-dings of the 3rd International Conference on Knowledge Science，Engineering and Management，Vienna，Austria，Nov 25-27. Heidelberg：Springer．

Castellano M，Pastore N. 2005. A knowledge center for a social and economic growth of the territory［C］. Hawaii：Proceedings of the 38th Annual Hawaii International Conference on System Sciences．

Cimiano P，Völker J. 2005. Text2Onto：A Framework for Ontology Learning and Date-driven Change Discovery［C］. Proceedings of NLDB05．

Gómez-Pérez A，Manzano-Macho D. 2003. A Survey of Ontology learning Methods and Techniques［R］. Onto Web Deliverable DI．

Handschuh S，Staab S，Ciravegna F. 2002. S-CREAM-Semi-automatic CREAtion of Metadata［C］. Processdings of the European Conference on Knowledge Acquisition and Management（EKAW02）. Heidelberg：Springer．

Lu R. 2005. From hardware to software to knowware：it's third liberation［J］. IEEE Intelligent Systems，20（2）：82-85.

Lu R，Jin Z. 2006. Beyond knowledge engineering［J］. Journal of Computer Science and Technology，21（5）：790-799.

Nonaka I，Takeuchi H. 1995. The Knowledge-Creating Company：How Japanese Companies Create the Dynamics of Innovation［M］. New York：Oxford University Press．

Reeve L，Han H. 2005. Survey of Semantic Annotation Platforms［C］. Proceedings of the 2005 ACM Symposium on Applied Computing. New York：ACM Press．

Staab S，Maedche A，Handschuh S. 2001. An Annotation Framework forthe Semantic Web［C］. Tokyo：Proceedings of the First Workshop on Multimedia Annotation．

Vargas-Vera M, Motta E, Domingne J L, et al. 2002. MnM: Ontology Driven Semi-Automatic and Automatic Support for Semantic Markup [C]. The 13th International Conference on Knowledge Engineering and Management (EKAW 2002). Heidelberg: Springer Verlag.

Von Krogh G, Nonaka I, Aben M. 2001. Making the most of your company's knowledge: a strategic framework [J]. Long Range Planing, 34 (4): 421-439.

Zhong N, Yao Y Y, Kakemoto Y, et al. 2000. Automatic construction of ontology from text databases [J]. Management Information Systems, (2): 173-180.